D0316525

LA REVANCHE DES MOCHES

FACE À CETTE INDUSTRIE ALIÉNANTE : TOUT LE MONDE EST MOCHE !

LÉA CLERMONT-DION

Éditrice déléguée : Jacinthe Laporte
Révision linguistique : Violaine Ducharme
Correction : Alexie Morin
Direction artistique : Atelier BangBang (Simon Laliberté et Alexandra Whitter)
Design graphique : Atelier BangBang (Simon Laliberté)
Illustrations : Alexandra Whitter
Photo de l'auteure : Mathieu Rivard

Catalogage avant publication de Bibliothèque et Archives nationales du Québec et de Bibliothèque et Archives Canada
Clermont-Dion, Léa, 1991-
La revanche des moches
ISBN 978-2-89649-592-4
1. Image du corps 2. Beauté corporelle I. Titre.
BF697.5.B63C53 2014 306.4'613 C2014-940392-5

VLB éditeur
Groupe Ville-Marie Littérature inc.*
Une société de Québecor Média
1010, rue de La Gauchetière Est
Montréal (Québec) H2L 2N5
Tél. : 514 523-7993, poste 4201
Téléc. : 514 282-7530
Courriel : vml@groupevml.com

Distributeur
Les Messageries ADP inc.*
2315, rue de la Province
Longueuil (Québec) J4G 1G4
Tél. : 450 640-1234
Téléc. : 450 674-6237
*filiale du Groupe Sogides inc.,
*filiale de Québecor Média inc.

Vice-président à l'édition : Martin Balthazar

VLB éditeur bénéficie du soutien de la Société de développement des entreprises culturelles du Québec (sodec) pour son programme d'édition.
Gouvernement du Québec – Programme de crédit d'impôt pour l'édition de livres – Gestion sodec.
Nous reconnaissons l'aide financière du gouvernement du Canada par l'entremise du Fonds du livre du Canada pour nos activités d'édition.
Nous remercions le Conseil des arts du Canada de l'aide accordée à notre programme de publication.

Dépôt légal : 2e trimestre 2014

www.editionsvlb.com

À ma fille. À ma mère. À ma sœur.
À mon fils. À mon père. À mon frère.
À Nelly Arcan.

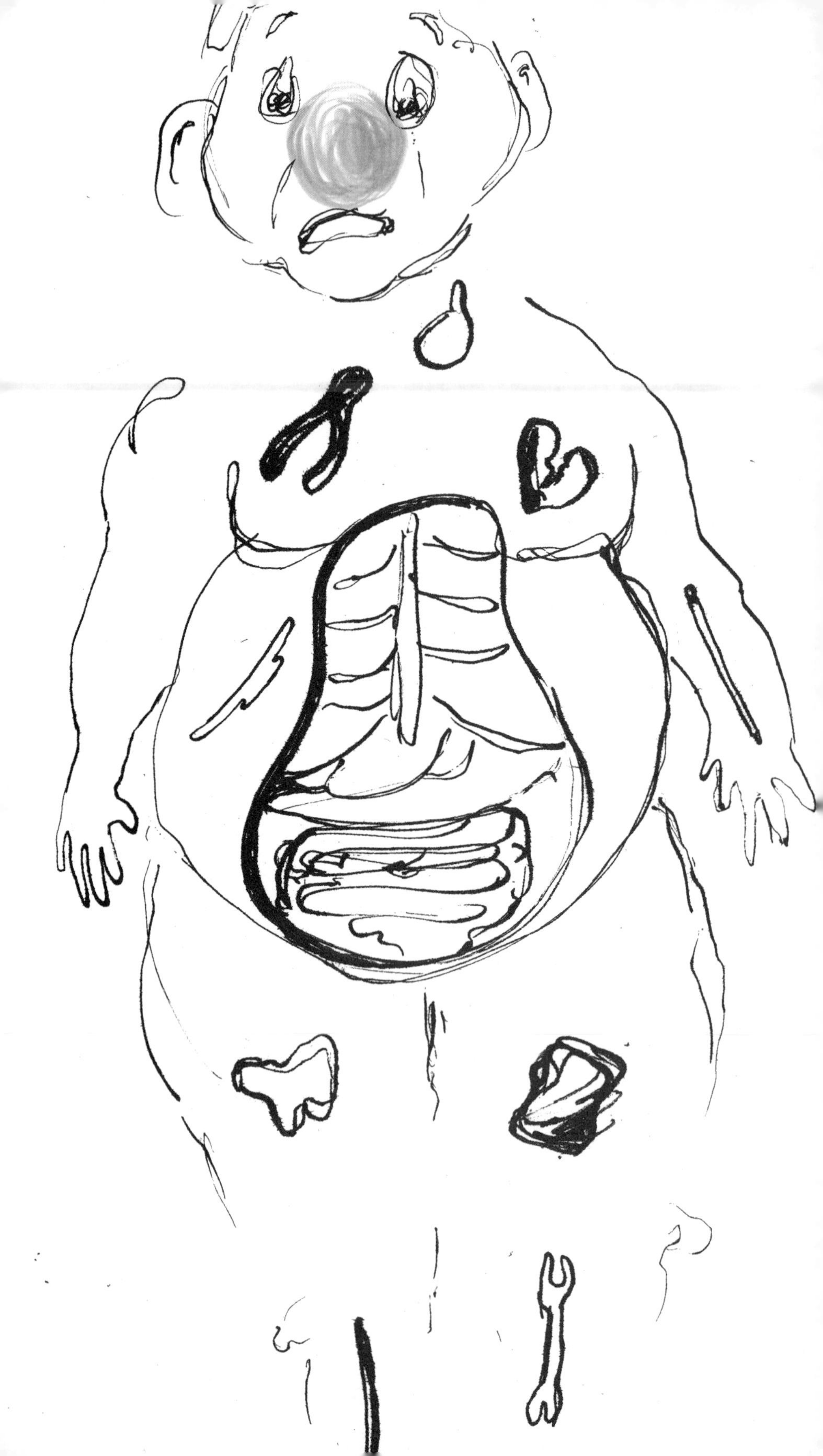

« Le souci de sa propre image,
voilà l'incorrigible immaturité
de l'homme. »

Milan Kundera, ***L'immortalité***

BIOGRAPHIE

Léa Clermont-Dion est titulaire d'un baccalauréat en science politique, complété à l'Institut d'études politiques de Paris où elle a vécu pendant près d'un an. Féministe depuis qu'elle est gamine, elle a œuvré au Conseil du statut de la femme, au Secrétariat à la condition féminine et pour Oxfam-Québec au Burkina Faso. Elle est co-instigatrice de la Charte québécoise pour une image corporelle saine et diversifiée adoptée par le gouvernement du Québec en 2009 et du site internet *Les Féministes*. Plus récemment, elle a fait retirer deux émissions de télé-réalité portant sur les «mini-miss» à Musimax avec l'aide d'Alain Vadeboncoeur, médecin, et de Ianik Marcil, économiste, grâce à une pétition signée par plus de 50 000 personnes.

Conférencière, chroniqueuse et réalisatrice, on lui doit le court-métrage *Sandra,* s'intéressant à la prostitution. Son implication a, entre autres, été récompensée par le premier prix Forces AVENIR 2011, les bourses du millénaire, le prix Hommage bénévolat-Québec et le prix Jeune femme de mérite remis par le Y des femmes.

Elle travaille actuellement en télévision et agit en tant que blogueuse sur le site du magazine *Châtelaine*.

Léa Clermont-Dion a 22 ans. *La revanche des moches* est son premier livre.

Plus d'infos disponibles sur son site web :
www.leaclermontdion.com

la charte Québécoise ~~pour~~ POUR UNE IMAGE CORPORELLE SAINE ET DIVERSIFIÉE

SOMMAIRE

MOT DE L'ÉDITRICE

Lorsque j'ai rencontré Léa, c'était une jeune étudiante du cégep, venue me voir avec un projet de télévision à soumettre à un réseau. Je la connaissais vaguement de nom. Quelques mois auparavant, elle avait fait adopter à l'Assemblée nationale une jolie charte – que je trouvais utopique – sur la saine image corporelle. Quand je l'ai rencontrée dans mon bureau, timide gamine, elle avait à peine 17 ans et elle m'apportait l'un des projets les mieux construits et les mieux présentés qu'il m'ait été donné de voir en 15 ans de carrière. Surprise et doutes...

– Qui a écrit cela ?
– Moi.
– Mais de qui sont les idées ?
– De moi !
– Sans aucune faute ? Étonnant... tu es en première session de cégep, non ?
– Oui, je suis bonne en français... et... ben... ma mère est réviseure, alors je lui ai demandé de jeter un coup d'œil.
– Bonne idée ! Et la présentation ? C'est ton père qui est graphiste ?
– Non... mon chum.
– Et les photos, qui les a prises ?
– C'est moi ! Je fais de la photographie !
– Et les gens intéressés à participer ?
– Je les ai tous contactés et ils ont accepté.
– ...

Rien à dire de plus. C'était bien la première fois qu'une si grande partie de mon travail avait déjà été accompli avant un pitch ! Achat de concept, signature du contrat, Léa faisait tout, toute seule, sans aucun adulte. Professionnellement, je me suis, dès lors, promis de la garder à l'œil — avec un tel front et tant de débrouillardise, elle ferait sûrement de grandes choses. Ça fait cinq ans maintenant.

Malgré son projet refusé (comme la majorité des projets de télé soumis aux grands réseaux), je l'ai adoptée à l'instant. On n'a jamais perdu contact.

Entre les discussions de choix de programmes universitaire et les conseils professionnels, Léa s'est tissé un réseau qui surpasse grandement celui d'un tas de gens que je connais (moi comprise). Une telle candeur, une telle naïveté, doublées d'une intelligence si vive et d'une soif d'apprendre hors du commun ne se voient pas tous les jours. Avec cette spontanéité d'enfant qu'elle n'a jamais perdue, Léa est étonnante et convaincante. Les mois ont passé et on a décidé de faire un livre.

— Alors, Léa? Ce livre, quand est-ce qu'on le fait?
— Je n'écris pas, moi...
— Mais oui, Léa, tu écris.
— Non, je te dis! Je fais de la photo! On devrait le faire avec mon nouvel amoureux — il est prof de français et journaliste pigiste. Il écrira, lui! (Dieu merci, elle avait eu 19 ans entre-temps!)
— D'accord, comme tu veux, mais c'est TA pensée qu'on veut, TA vision, et je crois que tu serais très capable toute seule.

Les discussions et pourparlers autour du livre ont débuté. Le projet aussi. Puis, l'amour l'a déçue, une fois de plus, et le projet a pris une pause pour se réenligner sur ce qu'elle était, elle, et ce qu'elle voulait écrire, elle.

— Ça avance, Léa?
— Oui, mais j'ai un contrat de photo. Je pars en Afrique avec Oxfam. Mais t'inquiète, je suis sur le dossier!

Léa est partie au Burkina Faso. Puis, elle est repartie pour le Honduras... Quelques mois plus tard, lorsque je l'attrape...

— Alors, Léa? Le livre?
— Oui, oui, je suis toujours intéressée, mais là, je réalise un film.
— ?!? Ah bon, depuis quand?
— Ben, j'ai trouvé un producteur, j'ai écrit un scénario et on tourne dans quelques semaines, mais ne t'inquiète pas, je n'ai pas abandonné.
— OK, mais là, essaie de focaliser, Léa, tu es partout! Entre les apparitions à telle ou telle émission de télé et les entrevues

du 8 mars d'une année à l'autre… Tu as aussi tes études, non ? (Je me sens matante !)
— Oui oui, promis, sugar mammy !
— (Soupir amusé… Je suis matante.)

Finalement, quelque part au début de ses 20 ans…

— Jacinthe ! J'ai une bourse ! Je pars étudier à Paris pour la prochaine session ! J'espère que la grève ne m'en empêchera pas !
— Je te le souhaite, mais… et le livre ?
— Ah, il sera écrit, tu verras !

La grève a mobilisé Léa. Elle est devenue l'une des jeunes leaders des débats et des réseaux sociaux. Suis-je surprise ? Elle a déménagé, elle a acheté un condo, elle a largué ses dernières attaches et elle est partie, me remettant à son retour le manuscrit de l'essai que vous lirez ici.

Léa est étonnante, je l'ai dit. Étourdissante, épivardée aussi, mais captivante. Si mon réflexe premier avait été de la garder à l'œil quand elle avait 17 ans, aujourd'hui, je n'hésite pas à conseiller à quiconque : suivons-la ! Elle nous emmènera certainement quelque part, en digne leader de sa génération !

Jacinthe Laporte

SANDRA

Bucanero

Léa à 18 ans, à La Havane, après le lancement de la Charte québécoise pour une image corporelle saine et diversifiée.

© Photo Melissa Maya Falkenberg

INTRODUCTION

Il n'est pas anodin que je me sois intéressée à l'obsession des apparences. Je fais partie de la génération des Spice Girls : je voulais être aussi sexy que mes starlettes préférées. Durant mon enfance, j'ai lu un nombre incalculable de magazines pour filles qui ne m'enseignaient qu'une chose : être belle. J'imitais Britney Spears, Shakira, Christina Aguilera. J'étais l'incarnation du stéréotype de la fillette : j'adorais le rose, le maquillage, les paillettes. Je rêvais de devenir une princesse. Technologie oblige, j'ai été exposée plus agressivement à la publicité que ma mère ou ma grand-mère. J'étais fascinée par ma collection de Barbie, que je chérissais. J'attendais qu'on me dise que je suis jolie pour être bien dans ma peau. En fait, même pas : j'attendais qu'on me dise le mot magique : que je suis « belle ». À 8 ans, j'ai demandé du maquillage à Noël. À 10 ans, j'ai commencé à surveiller ma ligne avec une copine. À 12 ans, j'étais obsédée par mon poids jusqu'à m'en rendre malade. Cliché, un peu. Triste, beaucoup. J'ai voulu plaire jusqu'à disparaître. À force de vouloir tout contrôler, j'ai perdu ma liberté. Je suis devenue obsédée par ma silhouette. À tout prix. J'ai voulu mourir. Oui, l'anorexie est assassine.

Aujourd'hui, je relis mon journal intime de petite fille et j'ai envie de pleurer avec elle. J'ai tenté de me rebeller contre cette pression populaire, contre mon aliénation. Mais cela m'a pris du temps. Beaucoup de temps. Les années ont filé, j'ai réalisé que ce malaise était partagé. Je n'étais pas la seule à me trouver laide, grosse et moche. Et j'ai commencé à trouver cette obsession vraiment ridicule.

Voilà l'élément déclencheur, si personnel, de l'écriture de cet essai. Je suis devenue intellectuellement fascinée par cet attrait pour

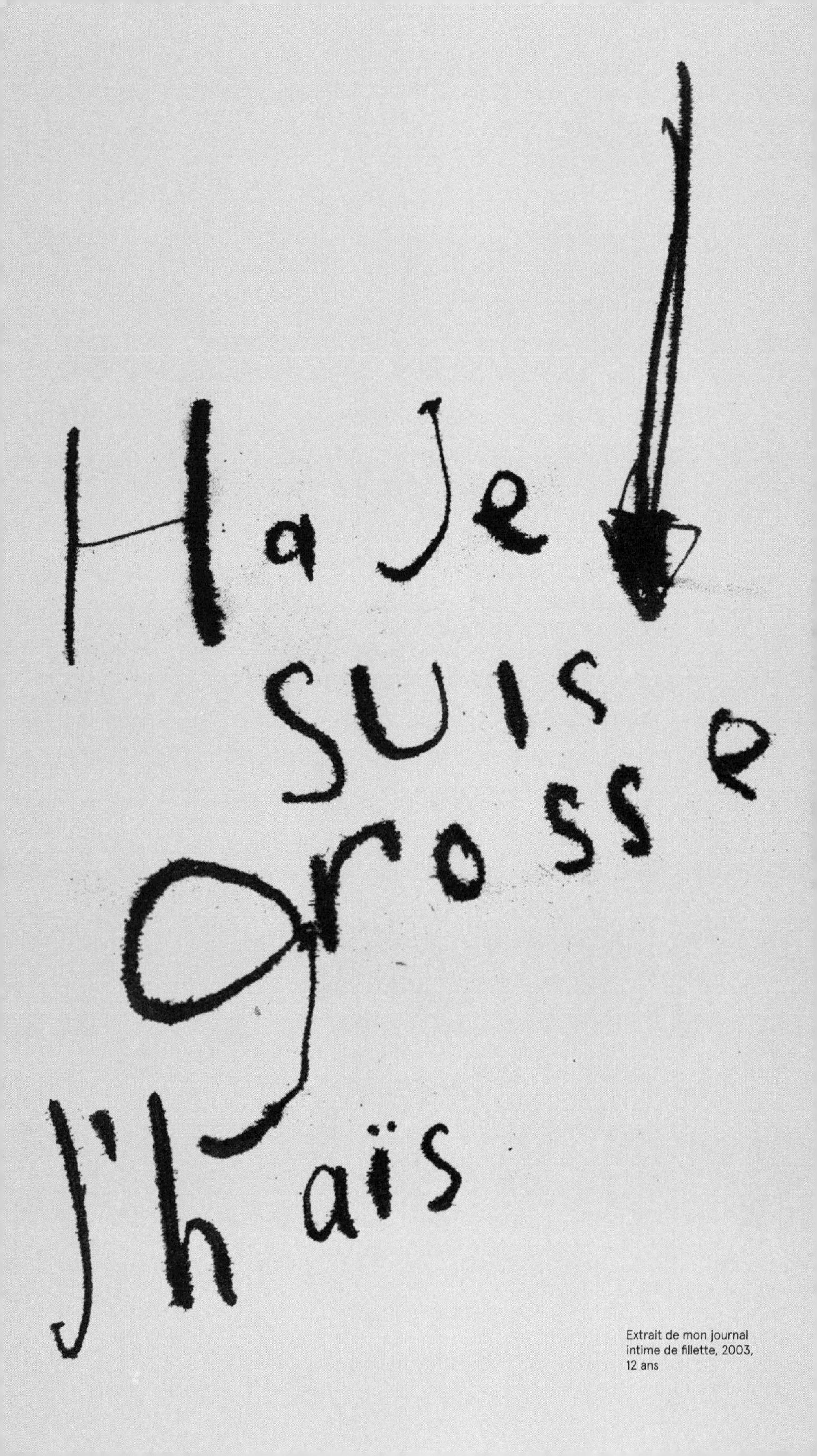

Extrait de mon journal intime de fillette, 2003, 12 ans

Voici toutes les opérations que devrait subir cette femme avant de ressembler à Barbie. Photo dénichée sur le Twitter de So Bad So Good : twitter.com/sbadsgood/status

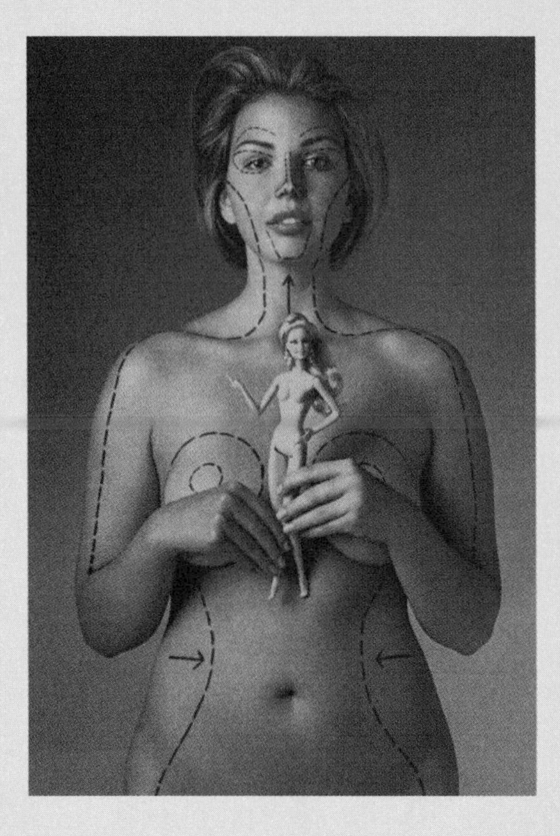

Valeria Lukyanova, la Barbie humaine. Photo tirée de sa page Facebook personnelle, 20 mars 2013

la perfection physique. Au cours des dernières années, j'ai reçu des centaines de témoignages de jeunes femmes qui m'avouaient leurs complexes, leur faible estime de soi, leurs angoisses, la pression qu'elles ressentent pour être belles. Ces témoignages sentis, uniques et vrais m'ont profondément touchée.

LA POUPÉE BARBIE

L'apparence est-elle si importante ? À en croire la pression sociale engendrée par les médias de toutes sortes, les femmes doivent être belles et performantes ou ressembler à Barbie : taille de guêpe, chevelure blonde, abdominaux dessinés, muscles découpés, fesses bombées, cuisses fines, bassin étroit, ongles parfaits, lèvres pulpeuses, seins pleins et fermes, teint clair, longs cils, dents droites et immaculées, ventre plat, peau bronzée, aucune vergeture, aucun bouton, aucune ride, ni mèche grise. L'homme ressent également cette pression, et elle sera abordée. Et à défaut de correspondre à ces critères tordus, comme si ce n'était pas assez, la société de consommation offre un choix tyrannique de techniques pour atteindre ces idéaux de beauté : chirurgie plastique, régimes, entraînement, culte du fitness, etc. Vaut mieux se lever de bonne heure et avoir un bon porte-feuille pour parvenir à cet idéal ; bonne chance ! La beauté est partout, mais semble de plus en plus inaccessible même si elle s'est démocratisée. Serait-ce un paradoxe de notre temps ?

L'idéal de la Barbie est-il vraiment atteignable ? Et pourquoi faudrait-il l'atteindre au juste ?

VOUS AVEZ BIEN DIT CULTE DE LA BEAUTÉ ?

Les critères esthétiques d'aujourd'hui sont définis par la société et forment un idéal de beauté à atteindre. D'accord. Mais qu'est-ce que la beauté au juste ? On dit que c'est le caractère de ce qui provoque l'admiration et l'émotion, par ses formes, ses proportions, ses rythmes, son harmonie[1]. Celle-ci est personnifiée par des individus qui l'incarnent. C'est un culte dominant, asservissant, écrasant, tyrannisant. Rappelons que le terme culte provient du latin, cultus, qui signifie « soin », « éducation », et de colere, qui signifie « habiter », « cultiver »[2]. Le culte est d'abord relatif à un hommage religieux rendu à la divinité ou à un saint personnage, à des pratiques réglées par une religion, pour rendre hommage à la divinité, et à l'admiration mêlée de vénération (pour quelqu'un ou quelque chose). C'est

[1] CNRTL, 2013, en ligne : « beauté »

[2] CNRTL, 2013, en ligne : « culte »

également l'adoration, l'amour, le dévouement. Dévotion à la poupée Barbie ? Vraiment ?

MA DÉMARCHE

Je me suis réveillée un matin en me disant qu'il fallait que j'en parle avant de mourir. C'était devenu ma quête. Pourquoi ?

Parce que l'obsession pour les apparences en dit beaucoup sur notre époque. Issu d'une société qui s'est transformée avec l'avènement du capitalisme, l'individu est hanté par son visage, son image, sa notoriété, son compte en banque. L'obsession pour les apparences est-elle aussi à l'image d'une société léthargique, bien dans son confort et son indifférence, qui ne se préoccupe que trop peu des grands drames de l'humanité ? Oui, la société actuelle est profondément individualiste.

C'est un peu ça, mon cri du cœur. Et si je meurs demain, je me dis que j'aurai au moins partagé mon indignation. En espérant ne pas être la seule à penser de la sorte...

Ma démarche vise à démontrer comment ce culte est aujourd'hui modelé par notre société de consommation. L'industrie de la beauté ne semble avoir comme limites que celles émises par les lois du marché. En 2012, Coke Diète lançait partout dans le monde, dont à Montréal, une campagne : « Investis en toi-même, reste magnifique. » Comme si la beauté était un investissement ! Et le lien entre le Coke et la beauté ? Ah, oui, le « Diète » !

Aujourd'hui, on peut améliorer son apparence grâce au maquillage, à la chirurgie plastique, à la culture physique, aux régimes, etc. Toutes ces techniques permettent au corps de préserver une allure juvénile. Certains dénoncent cette dictature d'un modèle unique de beauté. Daniel Hamermesh, économiste de l'Université du Texas, a calculé que les beaux obtiennent un revenu de 5 % plus élevé que la moyenne alors que les « laids » gagnent 10 % de moins.[3] Paradoxalement, la beauté est d'une telle subjectivité ! Il n'y a pas qu'une seule beauté, mais plusieurs beautés.

[3] « Does Beauty Really Pay? » de Susan Adams, Forbes.com, 8 août 2011. Entrevue avec Daniel S. Hamermesh, l'auteur du livre Beauty Pays - *Why attractive People are more Successful*.

L'OBSESSION POUR LES APPARENCES EN CHIFFRES

Le saviez-vous ?

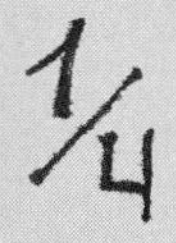

Le quart des jeunes femmes canadiennes fréquentant l'école secondaire pensent qu'elles sont « trop grosses »[4].

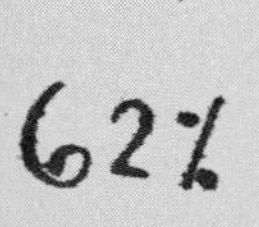

62 % des Québécoises ressentent une pression pour perdre du poids[5].

882 %

La chirurgie plastique est de plus en plus populaire. On note une augmentation globale de 882 % depuis 1992 aux États-Unis[6].

20

Le maquillage se taille une place considérable dans l'industrie de la beauté. Dans les années 1990, le marché des cosmétiques représentait 20 milliards de dollars. Imaginez maintenant[7] !

50

En Amérique du Nord, les dépenses en régimes et en produits amaigrissants représentent 50 milliards de dollars US par an, selon l'Association médicale canadienne[8].

[4] J.G. Freeman, et coll. *La santé des jeunes Canadiens : Un accent sur la santé mentale*, Ottawa, Agence de la santé publique du Canada, 2011, p.141

[5] Sondage Ipsos-Reid pour le compte des Producteurs laitiers du Canada. *Managing a Healthy Weight : Canadian Women Speak out- Largest Study of Women's Attitude on Managing their Weight*, Press release, 11 février 2008

[6] American Society of Plastic Surgery, *Annual Full Report*, 2012

[7] Naomi Wolf, *The Beauty Myth : How Image of Beauty are Used Against Women*, Harper Perennial, New York, 2002, p.20

[8] *Canadian Medical Journal*, «Doctors call for weight loss industry regulation», 2009

GENÈSE DE LA CHARTE

Cela m'a pris quelques années pour parvenir à me révolter sainement contre ce que la société m'imposait comme idéal de beauté. C'est aussi pour cette raison que j'ai co-instigué la Charte québécoise pour une image corporelle saine et diversifiée, adoptée en octobre 2009 par le ministère de la Condition féminine de l'époque. On me pose souvent la question : comment arrive-t-on à faire bouger de la sorte un gouvernement alors qu'on est une gamine ? Je réponds en racontant l'histoire de la Charte.

J'avais 14 ans et demi, je venais tout juste de me guérir de l'anorexie nerveuse. Or, la guérison n'est jamais totale. À 15 ans, je suis encore sensible et fragilisée par ma maladie, qui m'habite. En apparence, j'ai l'air saine, en santé. Mais j'ai en réalité le cœur encore brouillé par les pensées noires. Devant un malaise qui me semble répandu, je ressens une urgence d'agir. Une panoplie de questions me viennent en tête. Pourquoi autant de jeunes femmes de mon âge sont-elles obsédées par leur poids ? Pourquoi faut-il répondre à certains critères de beauté pour être appréciés à l'école ? Pourquoi, pourquoi et pourquoi ? Mais à 14 ans et des poussières, je n'ai pas de réponses, seulement des interrogations, aux implications tellement vastes qu'elles m'étourdissent.

Je dois agir, je le sais, je le sens, mais... comment, au juste ? J'ai déjà l'habitude de l'engagement. À 14 ans débutait mon implication féministe avec la Fédération des femmes du Québec. J'avais appelé Françoise David, sans la connaître, pour en savoir plus sur cette chose bien abstraite qu'est le féminisme. Mon initiation avait été une conférence, organisée pour leur rassemblement annuel, dont la thématique était l'hypersexualisation des jeunes filles. Aux côtés de la sexologue Jocelyne Robert, j'avais adressé mon discours — maladroitement constitué — et mon indignation à une foule heureusement enthousiaste et dynamique. Je n'avais pas compris pourquoi, à la fin de cette présentation marquante, j'avais eu droit à une ovation debout. C'était peut-être un signe du destin. Les injustices m'ont toujours indignée.

Bref, je commençais à mieux comprendre les facettes de l'engagement citoyen. Avec la plus grande des naïvetés, j'ai rassemblé quelques amies à l'école secondaire Chloé, Maryse, Lauréanne et Catherine, pour mettre en branle un projet mobilisateur. Notre but ? Critiquer le culte de la minceur dans la société. Rien de moins. J'en avais marre de voir des femmes prendre au pied de la lettre les conseils des magazines pour perdre 10 livres en 10 jours. Marre de voir des femmes se mettre au régime pour plaire. Lucide, j'avais cette impression que l'industrie de l'image jouait un rôle important dans ces comportements. Mais que faire pour changer la donne ? Je prends tout de même mon courage à deux mains et je fonce. Je suis mon instinct.

Dans le cadre d'un projet bénévole étudiant, j'ai mis sur pied une pétition, adressée à l'Assemblée nationale. Il fallait voir grand. Le choix de Louise Harel comme députée pour déposer le projet à la chambre s'est imposé naturellement. Elle partage mes convictions politiques et c'est une femme que je respecte. Je n'ai pas hésité. Je l'ai appelée après avoir trouvé les coordonnées de son attachée politique sur Internet et, convaincue de ma démarche, je lui ai demandé de soutenir le projet. Chose dite, chose faite.

Photo prise par Léa à
Montréal en juin 2012

Quelques semaines plus tard, je me suis retrouvée dans le véhicule de fonction de Louise pour aller déposer ladite pétition à l'Assemblée nationale du Québec. Elle prenait alors la forme suivante :

ADOPTER UN CODE D'ÉTHIQUE DANS LE SECTEUR DE LA MODE AFIN DE LUTTER CONTRE LES TROUBLES ALIMENTAIRES CHEZ LES JEUNES

Mme Harel : Alors, je dépose l'extrait d'une pétition adressée à l'Assemblée nationale et signée par 1490 pétitionnaires, des jeunes de la Marche 2/3 et de la polyvalente de Saint-Jérôme, et je voudrais saluer la jeune fille de 16 ans qui a recueilli ces signatures, M. le Président, Léa Clermont-Dion, qui est avec nous, dans les galeries, aujourd'hui.

« Les faits invoqués sont les suivants :

« Considérant que l'idéal de beauté féminine est devenu un culte de la maigreur;

« Considérant que ce culte est généré, [entre] autres, par l'influence négative des médias et du domaine de la mode sur les jeunes;

« Considérant que le taux d'hospitalisation pour les troubles alimentaires dans les hôpitaux généraux a augmenté de 34 % chez les jeunes femmes de moins de 15 ans et de 29 % chez les jeunes femmes de 15 à 24 ans au Québec;

« Considérant que 8 % des filles âgées de 15 à 25 ans sont atteintes de troubles alimentaires au Québec;

« Considérant l'adoption d'une directive régionale madrilène relative aux défilés de mode;

« Considérant la signature, en Espagne, d'un accord entre les principales marques de mode espagnoles et le ministère de la Santé afin que les mannequins dans les vitrines détiennent une taille d'un minimum acceptable [...] pour les femmes;

«Considérant l'adoption, en Italie, d'un code d'éthique visant à combattre l'anorexie;

«Considérant le décès d'Ana Carolina Reston, [...] modèle brésilien de 21 ans;

«L'intervention réclamée se résume ainsi: «Nous demandons à l'Assemblée nationale de bien vouloir faire en sorte que le problème de l'anorexie et [de] ses causes sociales soit pris en considération [et] entreprendre des discussions avec le secteur québécois de la mode afin de rédiger un code d'éthique inspiré par les initiatives européennes.»

Je certifie que cet extrait est conforme à l'original des pétitions.

Je me rappellerai ce moment toute ma vie. Je n'aurais jamais cru qu'on entende ce cri du cœur aussi rapidement. Il suffit donc d'un téléphone pour améliorer notre société? Si c'est le cas, je ne me retiendrai pas pour récidiver! Je ne me doutais pas que le dépôt de la pétition aurait un tel impact sur la société québécoise. Je n'en reviens d'ailleurs toujours pas.

Et je me souviens de ce petit moment anecdotique, alors que je roulais vers Québec sur la 20 avec Louise Harel dans la grosse Ford noire aux vitres teintées.

— Madame Harel, j'ai vraiment besoin d'aller aux toilettes. Faire pipi.
— Oh! Mais, il fallait me le dire avant!

Nous faisons donc un stop à l'appartement de la députée d'Hochelaga-Maisonneuve, à Québec, pour que je fasse mon petit besoin avant le dépôt de la pétition. Comme une grand-maman, elle me sert un reste de caille qu'elle avait préparée. Spécial. Surréaliste. Indicible.

On se rend ensuite ensemble au salon bleu de l'Assemblée nationale. Je suis étonnée qu'on prenne à ce point en considération ma démarche qui, je le rappelle, relevait tout de même de la plus belle des naïvetés. Assise dans les estrades, j'assiste au dépôt de

[9] Une simulation parlementaire est un évènement de débat non-partisan se déroulant chaque année à l'Assemblée nationale

la pétition. L'attachée de presse de madame Harel vient me voir. La ministre de la Condition féminine, Christine St-Pierre, veut me parler. Je rejoins la députée libérale d'Acadie après la période de questions dans le corridor de l'Assemblée nationale, que j'avais déjà visitée lors de simulations parlementaires[9].

Madame St-Pierre m'interpelle avec un ton solennel, comme une ministre le ferait avec l'une de ses concitoyennes :

— Bonjour ! Je suis bien contente de vous rencontrer.

Avec un air un peu perplexe et intimidé, je lui réponds :

— Merci beaucoup ! Moi aussi.
— J'aimerais vous signifier que mon gouvernement a entendu votre appel.
— Ah bon ? Ah... Euh... Merci !

Les adolescents n'ont pas l'habitude de ce genre de conversation. Qu'est-ce que ça peut bien vouloir dire, au juste, que « son gouvernement ait entendu mon appel » ? Je ne m'attendais pas à grand-chose de ces belles paroles — je devais déjà être un peu cynique.

Les choses ont par la suite déboulé : j'ai reçu plusieurs demandes d'entrevues de grands médias et mon téléphone n'a pas cessé de sonner. J'ai dû donner une trentaine d'entrevues en tout, dont une à *Tout le monde en parle*, qui a fait beaucoup jaser. Tout ça était aussi inattendu qu'étourdissant, pour être honnête. J'ai pris du temps à comprendre que j'avais contribué à une première en Amérique du Nord.

Aujourd'hui, la Charte québécoise pour une image corporelle saine et diversifiée est un modèle pour d'autres États. C'est même devenu un programme gouvernemental officiel qui donne du soutien aux jeunes dans les écoles secondaires grâce à l'aide d'organismes comme Équilibre, ANEB (Anorexie et boulimie Québec), etc. La Charte québécoise pour une image corporelle saine et diversifiée n'est pas, contrairement à ce qu'en pensent certains, un texte vertueux. Non, c'est bien plus que ça ! C'est un projet de dialogue qui a permis à des écoles de mode de recevoir des formations sur la diversité corporelle. La Charte a permis de mettre sur pied plusieurs initiatives comme Défilez sans cliché, le concours Derrière le miroir, mais, surtout, elle a donné lieu à un débat public qui a, je le crois sincèrement, fait évoluer les mentalités au Québec. La norme de l'extrême

maigreur est en train de changer. Le Québec se distingue réellement sur cette délicate question.
Mais une semaine avant tout ceci, le suicide de Nelly Arcan faisait l'actualité. Un geste malheureusement porteur, grave, aux résonances multiples : modifiée elle-même par le bistouri, aliénée par le culte de la beauté, Nelly, obsédée par son image, dénonçait pourtant cette folie. C'est à elle que j'ai envie de dédier ce livre.

La structure de *La revanche des moches* est originale. J'ai examiné, étudié et épié l'anatomie humaine dans ses détails, en faisant chaque fois un parallèle avec une facette du culte des apparences. Chaque partie du livre s'intéresse à un aspect différent, et les entrevues réalisées le sont dans cette optique également.

La partie intitulée « Le corps » englobe le beau et fixe les paramètres de cet idéal. « Le ventre » parle principalement de poids. « Les pieds » interrogent les racines historiques de notre recherche de beauté. « Les mains » s'interrogent sur la marchandisation du corps et ceux qui travaillent avec leur corps. « Le visage » regarde de plus près l'industrie de la beauté (maquillage ou chirurgie), tandis que « les yeux » s'attardent à la notion de l'image.

Mon essai est un regard critique sur une obsession collective et individuelle qui nous touche tous de près ou de loin, un jour ou l'autre. C'est l'étude d'une aliénation qui admet un constat : l'industrie de la beauté est lucrative et asservissante. Et face à elle, nous sommes tous condamnés à être des moches : ses critères de beauté sont tout simplement inatteignables. *La revanche des moches* n'est pas qu'une enquête, c'est ma quête.

« La beauté du corps n’est pas toujours le reflet de l’âme. »

George Sand, ***Le beau Laurence*** **– 1870**

JE LANCE LA RÉFLEXION AVEC LE CORPS. CETTE PARTIE ENGLOBE PLUS GÉNÉRALEMENT LA NOTION DU BEAU. AVANT D'AMORCER UNE QUÊTE, IL FAUT FIXER SON OBJECTIF, «ATTEINDRE L'INACCESSIBLE ÉTOILE». J'AI INTERROGÉ DES GENS QUI S'INTÉRESSENT AU CORPS DANS LEUR DÉMARCHE ARTISTIQUE. QUE CE SOIT ARIANE MOFFAT, PIERRE LAPOINTE, ORLAN, UN SPÉCIALISTE DE LADY GAGA OU DAVE ST-PIERRE, TOUS ONT RÉFLÉCHI À LA QUESTION DE LA BEAUTÉ AVANT DE L'INTÉGRER DE FAÇON PERSONNELLE À LEURS ŒUVRES. CHACUN D'EUX M'A AIDÉE À MENER LA RÉFLEXION D'UN POINT À UN AUTRE COMME JAMAIS JE N'AURAIS RÉUSSI À LE FAIRE SEULE. JE DÉBUTE AVEC PEUT-ÊTRE LE PLUS ARIDE, UN PENSEUR FRANÇAIS DU NOM DE DAVID LE BRETON.

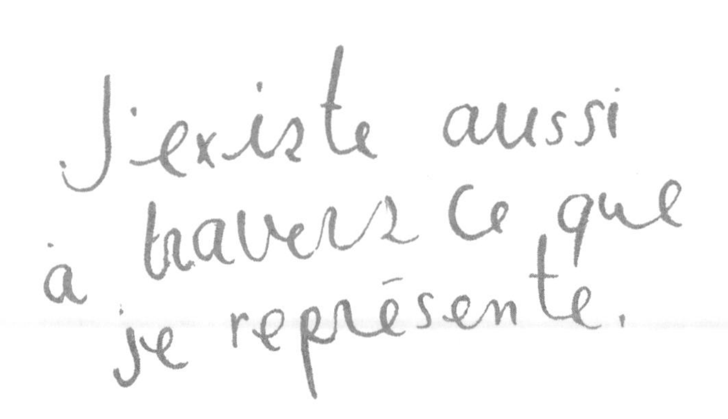
J'existe aussi
à travers ce que
je représente.

DAVID LE BRETON

SOCIOLOGUE DU CORPS

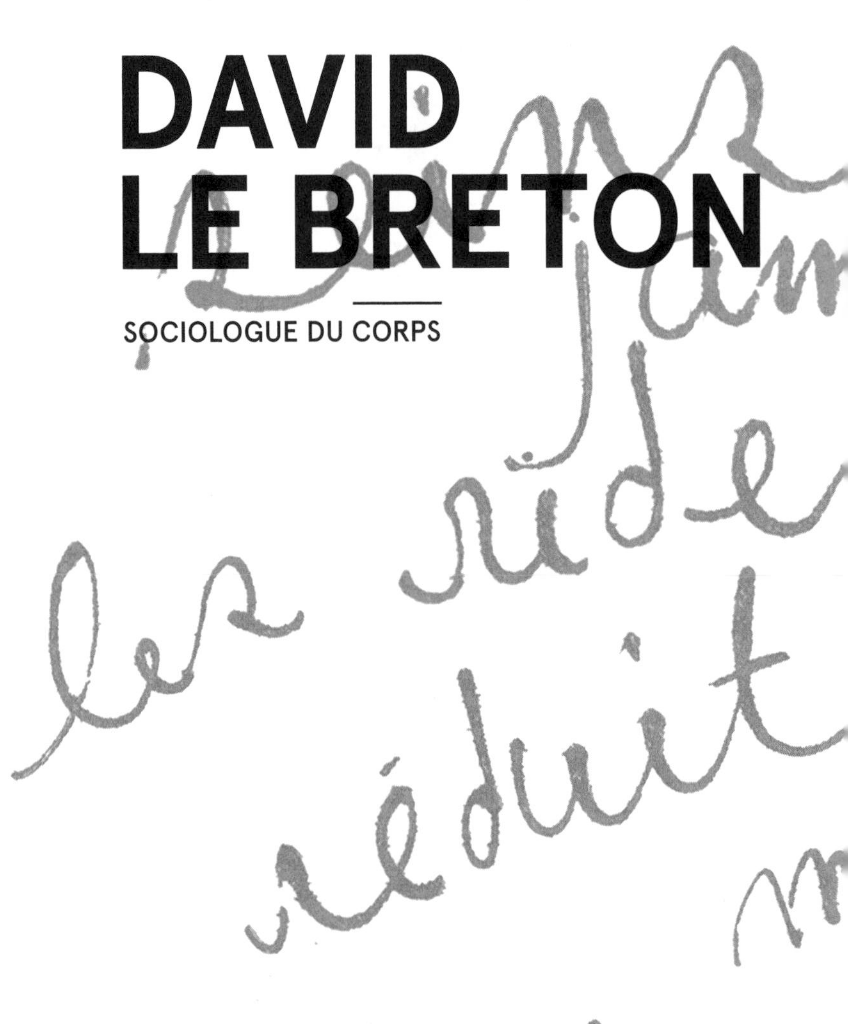

© Photo personnelle
fournie par le sociologue

Je savais que je cognais à la bonne porte quand j'ai contacté cet expert en sociologie du corps qu'est David Le Breton. Les idées de ce penseur français reconnu se sont imposées lors de nuits blanches passées à la bibliothèque de l'Université McGill, alors que je tentais de connaître tout ce qui s'était écrit sur le corps. Tiens, tiens ! Difficile de passer à côté de l'auteur de *Corps et sociétés, Des visages, L'adieu au corps, Déclinaisons du corps,* tous des ouvrages traitant directement de cette question. Tellement difficile, en fait, que je l'ai rejoint à Paris, où il habite.

Comment ? Rien de plus simple. Trouver ses coordonnées, me présenter « bien comme il faut » et obtenir une entrevue avec lui. C'était avant mon exil en terres françaises, alors que j'étais encore à Montréal, donc le tout s'est déroulé par téléphone. J'imaginais un chercheur plutôt reclus, col roulé, look universitaire hermétique. J'ai eu une surprise en recevant sa photo plusieurs mois plus tard. Superficiel aparté, mais ne sommes-nous pas tous pris avec nos jugements sur autrui et nos perceptions à divers degrés ? Ce livre présente les photos des protagonistes. Est-ce un paradoxe ? Peut-être...

Avec générosité, il a su m'expliquer comment l'existence est d'abord corporelle. C'est vrai que le corps est non seulement la constituante physique des êtres vivants, mais il est aussi réellement au cœur d'un phénomène social et culturel qui dicte les représentations.

C'est par notre corps que l'on s'incarne. L'évidence, me direz-vous, mais réfléchissons-y un instant... Il est la voie vers autrui, la matérialité à l'état brut. Sans corps, que sommes-nous ? Rien. Les croyants diront une âme, les autres diront une pensée, mais tous se rejoindront sur le fait que, sans corps, nous ne pouvons ni exprimer notre pensée ni partager notre âme. Certains sont visiblement plus préoccupés par leur corps que d'autres, mais je ne connais personne qui en soit absolument détaché. Il s'agit du contact premier avec le jugement, l'altérité, le mépris, l'appréciation. Le corps des autres, et le nôtre surtout, est scruté, observé, critiqué, admiré, détesté. Par nous et par les autres !

Le corps est au cœur des interactions les plus simples, les plus complexes, et parfois, les plus vraies. Des coutumes, des interdits, des règles l'entourent.

L'être humain est influencé par la perception de l'autre, c'est même au cœur de toute relation : telle est la théorie de David

Le Breton. Le jugement d'autrui est influencé par des valeurs qui sont les nôtres. Logique. Les jugements physiques sont subjectifs, mais il existe des critères de beauté universels, legs d'un héritage aussi riche qu'ancien. L'esthétisme n'est-il pas socialement toujours valorisé? Le corps constitue un élément sémantique fort, c'est-à-dire un moyen de communiquer avec les autres[10]. **«Porter un décolleté qui dévoile une poitrine plantureuse et modifiée au scalpel envoie un message subjectif de séduction!»** me lance-t-il en exemple.

[10] David Le Breton, *La sociologie du corps*, Paris, PUF, coll. Que-sais-je?, 2010, p.3

Les interactions entre individus seront modulées par la mise en scène du corps et son propre langage: les jeux de séduction, l'entretien physique, la présentation, les us et coutumes, les mœurs, les convenances sociales. Tenez, cela me rappelle la perception que l'on peut avoir collectivement des pitounes, des douchebags, des hipsters, toutes sortes d'épithètes qui témoignent de notre jugement sur autrui, sur des groupes. Mais des groupes d'individus qui, par leur look extérieur, se définissent en «communauté» d'appartenance.

«Les mises en jeu physiques de l'homme relèvent d'un ensemble de systèmes symboliques. Du corps, naissent et se propagent les significations qui fondent l'existence individuelle et collective[11]», écrit-il. Le corps serait donc un facteur d'individualisation qui nous distingue des autres, m'explique le sociologue. Le corps est unique et permet une réelle affirmation de soi. Notre physique envoie des messages clairs sur un tas d'aspects: notre situation économique, sociale, culturelle, nos croyances, nos valeurs, pour ne nommer que ceux-là. Arborer un piercing, avoir des tatouages sur les avant-bras, se colorer les cheveux sont des marques distinctives qui symbolisent notre personnalité. J'existe aussi à travers ce que je représente. Le hipster s'habille différemment du punk. Des codes sont reliés à notre apparence. Un exemple flagrant: le bronzage! La signification d'un teint bronzé a évolué. Autrefois, il trahissait les rudes travaux aux champs des paysans qui n'avaient pas beaucoup de moyens financiers. Plus tard, la peau dorée a été considérée comme un signe de santé et de richesse, parce qu'elle était alors réservée à la classe aisée qui se permet l'oisiveté des vacances au soleil. Aujourd'hui, elle peut parfois être associée à une forme de superficialité «bas de classe» associée aux amateurs de spray tan.

[11] David Le Breton, Ibid, p.4

«L'individualisation du lien social explique que nous sommes à la fois côte à côte tout en étant moins ensemble. Nous sommes de plus en plus une image et de moins en moins une personne

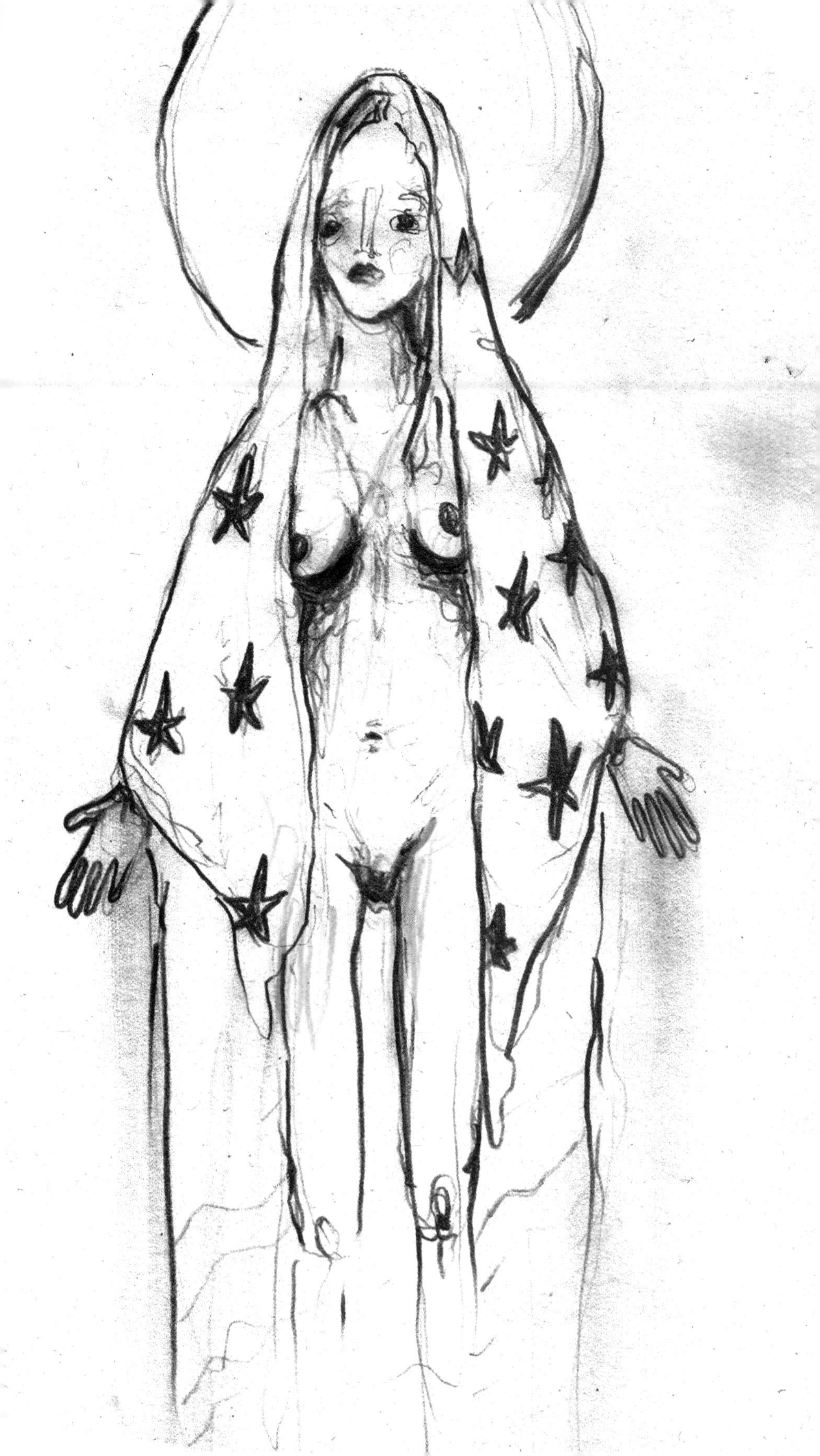

en soi. La marchandisation du corps, entre autres par la chirurgie, joue énormément», affirme Le Breton. Et cela passe nécessairement aussi par la construction que l'on fait de notre image sur les médias sociaux. Dans cette ère du narcissisme, c'est loin d'être étonnant ! Un peu comme dans la représentation que nous nous faisons de nous-mêmes à travers notre avatar sur Facebook et ce qu'on choisit d'afficher ou non de nous et de notre existence, à travers un filtre enjolivé de la réalité.

Les individus tentent de ciseler leurs apparences selon l'idée qu'ils se font d'eux-mêmes et de leurs désirs. Les femmes sont encore plus touchées par cette question, parce qu'elles sont souvent jugées sur des critères de beauté, d'apparence, de qualités de séduction. **«La femme vaut ce que vaut son corps, là où son corps contribue à sa réussite sociale. On dit souvent d'une femme plus moche qui réussit : oui, elle réussit, mais elle n'est pas très jolie. Ce genre de constat ne s'applique pas pour les hommes.»**

Le Breton explique comment les critères de beauté se multiplient de plus en plus, mais que le stéréotype dominant demeure le même : la jeune femme californienne au teint doré, aux cheveux blonds, grande, mince, à forte poitrine avec des dents blanches parfaites, voilà les standards de beauté à atteindre.

«La jeunesse éternelle, les seins formatés, les jambes aussi, les rides sont réduites par la chirurgie. C'est le monopole dominant diffusé dans le monde entier dans les séries américaines. Cela induit des modèles semblables ailleurs dans le monde», renchérit-il.

Mais on tend à oublier que ce n'est pas le seul modèle. Aux dires du sociologue, beaucoup de femmes plus âgées veulent être reconnues, elles aussi, pour leur beauté. La société envoie comme message que la beauté idéale est jeune... **«Il y a des modèles métissés. Il y a les modèles de femmes plus fortes. Il y a les femmes handicapées aussi. Toutes les sortes de beauté sont revendiquées et appellent à être perçues comme telles, même si elles ne correspondent pas aux critères de beauté dominants.»**

David Le Breton observe en toute simplicité qu'occupe le corps dans nos vies. Dans une société où les photos prises par soi-même, les selfies, ont la cote sur Instagram ou Facebook, doit-on vraiment s'étonner d'une telle valorisation du corps, qu'on sculpte pour atteindre un idéal ? Tout est soumis à l'image et semble passer à travers ce format.

L'image vaut pour beaucoup, et d'ailleurs, elle vaut très cher. La représentation de notre look et l'entretien de notre corps définissent notre personnalité et donc notre rapport aux autres. On veut plaire pour exister à leurs yeux. Mais l'entretien d'un corps de rêve cache une industrie lucrative. Et comme le dit si bien Ariane Moffatt : « Le corps, c'est comme une PME. »

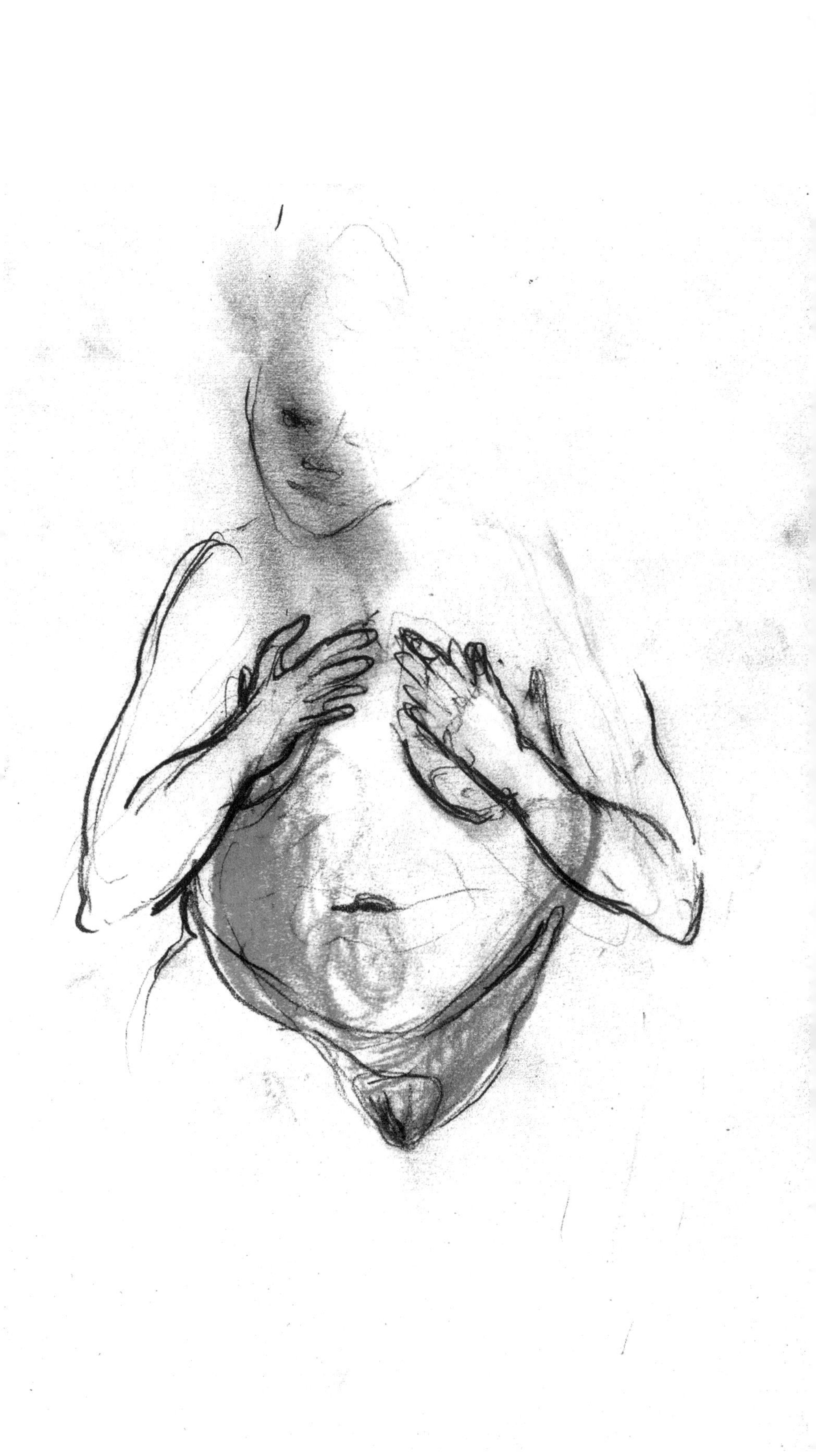

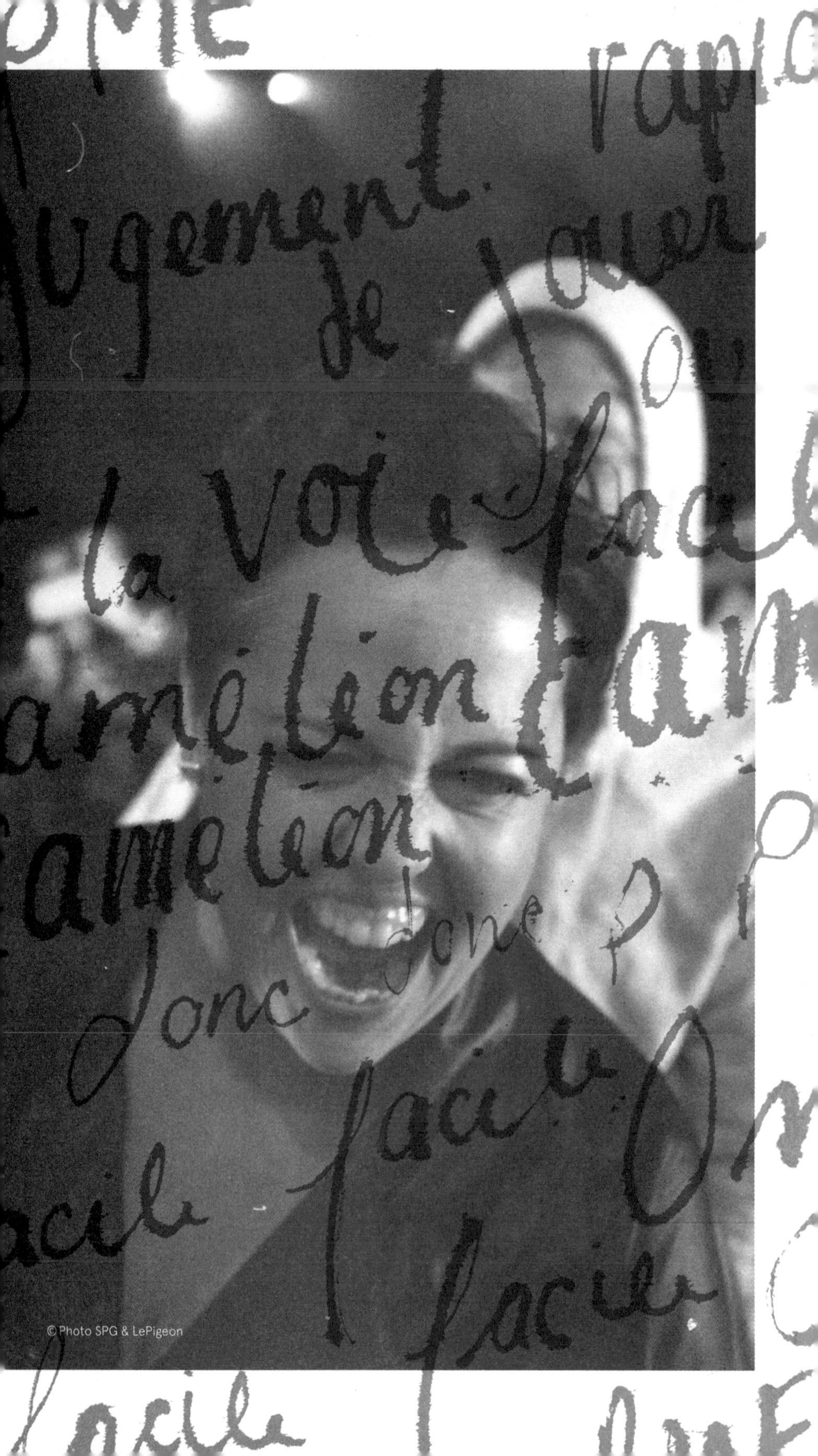

© Photo SPG & LePigeon

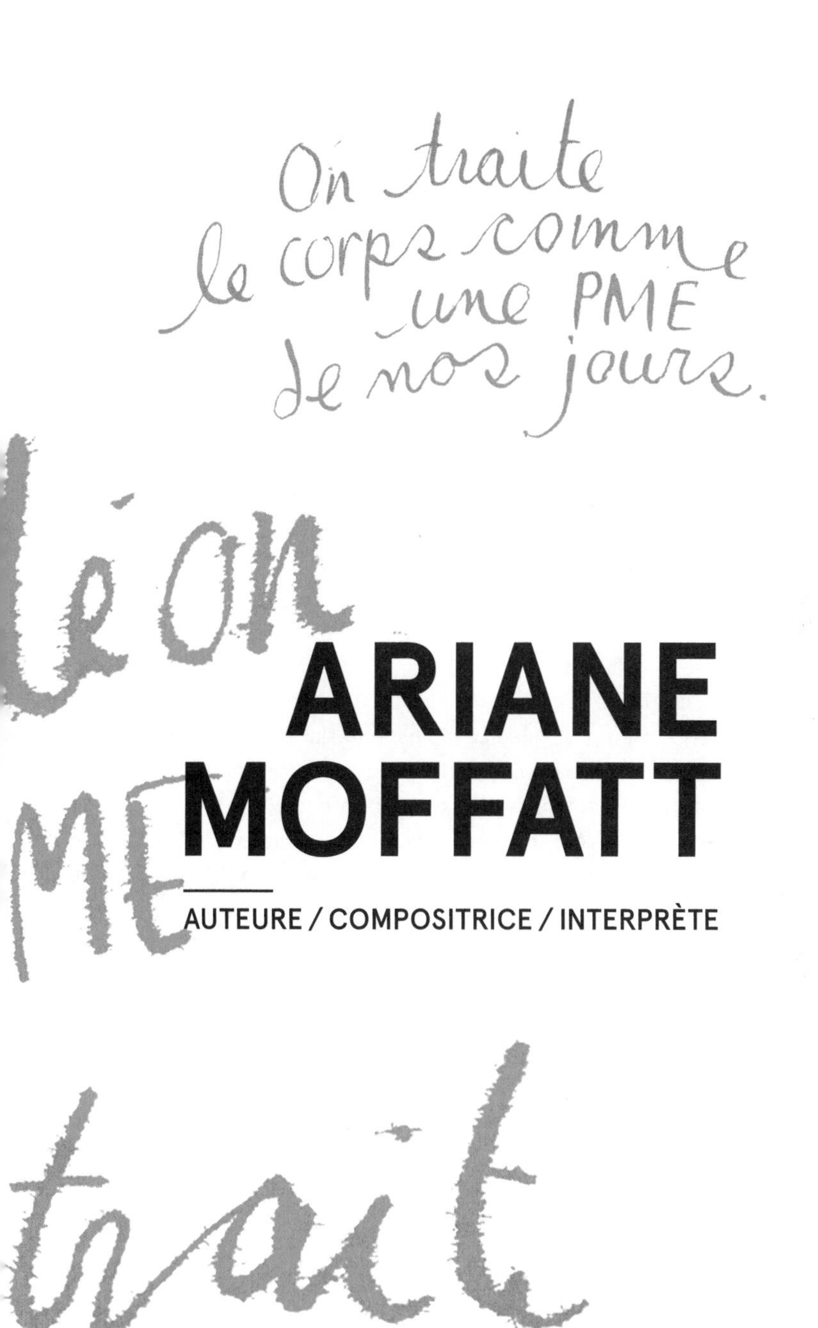
On traite
le corps comme
une PME
de nos jours.

ARIANE MOFFATT

AUTEURE / COMPOSITRICE / INTERPRÈTE

Ariane Moffatt, récipiendaire du Prix de l'Académie Charles Cros et du Prix de la chanson française, musicienne acclamée depuis Aquanaute (2002), *album platine vendu à plus de 130 000 exemplaires* – s'impose pour ce qu'elle est, une femme colorée, créative, authentique.

Dans son dernier album, *MA*, lancé en 2012, elle remet en question le rapport au corps dans ses chansons *Mon corps* et *In your body*. Intimidée à l'idée d'avoir accès à son intimité, je cogne à la porte de son logement du Mile-End. Ariane me reçoit, tout sourire, comme si on se connaissait depuis toujours. La veille de notre rencontre, alors en plein printemps érable, elle diffusait une chanson expressément écrite pour protester contre la loi spéciale, la loi 78, adoptée par le gouvernement de Jean Charest. Deux carrés rouges, une complicité naturelle. Ariane est aussi généreuse en privé qu'en public. La chanteuse est loquace et répond longuement à mes questions. Ça paraît qu'elle a réfléchi au rapport au corps. Beaucoup réfléchi, même.

Pourquoi as-tu écrit *Mon corps*, une chanson portant sur le rapport au physique ? **La chanson désincarne le corps et l'étudie comme objet. On traite le corps comme une PME de nos jours. C'est toujours l'image, mais derrière, il y a le corps. J'ai eu envie de créer une distanciation. Comment le traite-t-on dans la société ? On le trimballe au gym, on le valorise et on le flagelle. On essaie toujours d'être à son meilleur, sinon on se fait violence. La chanson *Mon corps* amène un regard extérieur sur le sujet. Le corps est presque devenu une business. Tu le shines, tu investis pour qu'il rayonne, tu te prives pour être beau, pour être belle. Tu veux le développer et parfois le vendre. On est prêts à se placer dans l'inconfort au profit de ce qu'on va projeter.**

Est-ce que le poids est important dans ton métier ? **Il n'y a pas beaucoup de marge de manœuvre pour les femmes dans l'industrie de la musique. J'ai l'impression qu'il y a quelque chose de «confortable» dans l'allure d'une chanteuse grande et mince.**

Penses-tu que la force de l'image est plus importante aujourd'hui ? **Le jugement rapide sur les individus, en vertu d'un premier regard, divise. C'est facile de catégoriser les gens et de faire des cases. Je pense que la force de l'image n'a jamais été aussi grande. Les apparences, dans la balance, c'est**

devenu beaucoup plus important. Le culte de la célébrité aussi. Cette accessibilité instantanée à la reconnaissance n'a jamais été aussi grande. Tout le monde se pousse à avoir un look de vedette.

Et les médias sociaux? **Le rapport à l'intimité est plus difficile. Pas étonnant donc de prendre la voie facile et de jouer le caméléon : on peut se cacher derrière 500 amis virtuels! Le rapport à l'intimité demande un effort et on voit dans les réseaux une possibilité de s'y soustraire. L'isolement te distancie de l'intimité. J'essaie vraiment d'être consciente de ça. Je suis comme tout le monde, je me réfugie derrière Internet. Peut-être que ça rend les gens très superficiels? Il y a beaucoup de choix, de tentations, de pratiques de vie. Dans cette abondance de propositions-là, ça peut être difficile de rester groundé.**

Est-ce un problème? **Pour une artiste, oui, c'est surtout anti-créatif! Il y a un mécanisme de défense extrême. Si j'ai mon look d'artiste, je sais que c'est un peu... comme une mascarade. On veut avoir l'air de la personne au-dessus de ça. Je le sens, ce culte-là de l'apparence.**

Ariane critique notre rapport à l'image. On gère notre physique comme si c'était une PME. Et pourquoi donc? Être aimé? Être accepté? À moins qu'il soit obligatoire aujourd'hui de tendre vers l'idéal de beauté pour réussir.

Pourtant, Ariane n'a pas le physique cliché de la starlette. Et elle réussit. Elle est devenue un modèle pour plusieurs filles qui veulent faire de la musique et être reconnues pour ce qu'elles ont à offrir, pas juste pour leur joli minois. Ariane s'impose pour ce qu'elle est, une artiste profondément authentique. Et c'est cette beauté qui la distingue, car elle est différente.

Je n'ai pu me retenir une bouffée d'admiration en l'interrogeant. Ariane réussit dans un métier ingrat où elle ne correspond pas aux critères de beauté physique dominants. Elle trace sa voie et reste elle-même malgré toute la pression qu'elle a dû subir à un moment ou un autre de sa carrière!

«Mon Corps» — chanson écrite par Ariane Moffatt pour son album *MA* lancé en 2012

Quoi faire avec mon corps?
le coucher tôt, le lever tard.
lui faire faire le sport.
Quoi faire avec mon corps?
L'exciter, l'exhiber ou
encore lui donner tord.
Quoi faire avec mon corps?
L'intoxiquer, le purifier ou
le peindre en noir.
Quoi faire avec mon corps?
Le faire courir ou méditer
le cœur des vivants, ou
lui donner la mort.
Je vieillirai avec, que ça
me plaise ou non.
Il ira où j'irai.
À quoi bon de laisser
flamber.
Je vieillirai avec, que ça
me plaise ou non.
Il ira où j'irai.
À quoi bon de se laisser
tomber.
Quoi faire avec mon corps?

Le trafiquer pour parvenir
à trahir son âge.
Quoi faire avec mon corps?
Lui visser des «vuitton»
aux talons pour le confort.
Quoi faire avec mon corps?
Le vendre, le donner ou
jouer avec son genre.
Quoi faire avec mon corps?
Le guérir, le blesser ou
le gaver d'animaux morts.
Je vieillirai avec, que ça
me plaise ou non.
Il ira où j'irai.
À quoi bon de laisser
flamber.
Je vieillirai avec, que ça
me plaise ou non.
Il ira où j'irai.
À quoi bon de se laisser
tomber.

Aujourd'hui,
le culte de
la jeunesse
est l'idéal
médiatisé.

PIERRE LAPOINTE

AUTEUR / COMPOSITEUR / INTERPRÈTE

Pierre Lapointe aime repousser les limites des normes esthétiques actuelles. C'est que le créateur au talent indéniable et aux succès qui s'enchaînent est reconnu pour son processus artistique approfondi. Auteur-compositeur-interprète surdoué et réputé, c'est aussi un passionné d'art contemporain, d'esthétisme, de beauté en tout genre. Et il adore déconstruire les normes. Ses pairs reconnaissent et saluent sa démarche proposant souvent des opus avant-gardistes et populaires. Passionné de beau, donc ! On dit d'ailleurs que son logement est une réelle œuvre d'art.

Pierre Lapointe a en effet le souci des représentations et de leur signification. J'avais envie de le rencontrer pour son regard original et unique. Je n'ai pas été déçue. J'ai découvert un homme réfléchi, posé et juste assez baveux. Qui s'en étonnera ? Juillet 2012, les casseroles du Printemps érable résonnent toujours et la solidarité des « clans » entraîne une convivialité qui sort de l'ordinaire. L'agente du chanteur m'obtient un rendez-vous avec lui, que je n'ai jamais rencontré. Gentil, il me convie au café du TNM, au centre-ville. Il m'attend avec son air un peu désinvolte, sûr de lui-même et naturellement charmant. Tout de noir vêtu, petite camisole et pantalons cigarette, Pierre arbore un look stylé et réfléchi. Il sort d'une séance d'enregistrement, alors en pleine préparation de *Punkt*, lancé en 2013. « Je m'intéresse aux créateurs, à la création, et j'en suis un », me lance-t-il d'emblée.

J'ai eu envie de comprendre ce qui l'inspire. Avec les années qui défilent, Pierre a développé une réflexion sur le beau. Ça se sent dans ses créations et dans l'image qu'il projette.

Pierre, le beau s'incarne un peu partout. Une personne peut être belle, une musique aussi. Comment, comme artiste, détermine-t-on ce qui est beau ? **Je vais y aller avec un exemple. « Qu'en est-il de la chance », mon premier succès, est une composition qui n'est pas si complexe : ce sont trois accords. Et ça a été un numéro un dans les radios. Mais c'était étudié. J'ai fait des choix pour y arriver. Il y a des caractéristiques communes pour identifier ce qui est beau ou ce qui plaît. C'est comme en arts visuels. Ce qui est beau est déterminé. J'aime voir comment l'appréciation du public peut être influencée ou guidée. J'ai été particulièrement inspiré par le travail de Leigh Bowery, un artiste de performance londonien décédé en 1994, qui se costumait dans les milieux gais trash. Après sa mort, ses déguisements se sont vendus très cher dans les galeries londoniennes. C'est fascinant de voir comment l'avant-garde devient**

populaire et à la mode. Comment un mec qui était percé des deux joues et qui portait des bouches en plastique retenues par des épingles à couche a-t-il pu retenir l'attention ? Leigh Bowery s'est imposé à l'extrême de l'avant-garde. Les artistes définissent l'esthétisme du futur qui sera repris par la culture populaire. Le meilleur exemple de cela est Lady Gaga. Lady Gaga, c'est ORLAN[12] dix ans plus tard. La scène parisienne a influencé le stylisme de cette vedette américaine.

[12]ORLAN est une artiste française plasticienne féministe reconnue pour une branche de l'art contemporain qu'on appelle le *body art*. Voir mon entrevue avec ORLAN, p.56

Quel est le rôle de la beauté dans la société, selon toi ? **On a besoin du beau. C'est intégré chez les individus. L'attirance pour la beauté est aussi innée que l'instinct face à la mort. La mort est partout, mais on n'en parle pas. L'esthétisme joue un rôle crucial dans nos vies. Ça contribue à notre bonheur.**

L'idéal de beauté aujourd'hui, c'est quoi ? **Aujourd'hui, le culte de la jeunesse est l'idéal médiatisé. Paris Hilton s'est imposée comme le modèle à suivre : elle est cheap, cheesy, belle, jeune, riche et stupide. Tout ça est très paradoxal. C'est frustrant pour l'être humain de réaliser qu'on arrive au top de ses moyens intellectuels au moment où on ne correspond plus aux critères de beauté parce qu'on a vieilli. C'est peut-être la cause de cette obsession pour la chirurgie plastique. On veut l'avantage de la jeunesse tout en étant en contrôle de nos moyens intellectuels. Mais on ne peut pas tout avoir ! Ces valeurs-là sont arrivistes. L'idéal de l'argent et de la jeunesse n'était pas dominant, mais l'est devenu par la force des choses. Dans certaines cultures ancestrales, le pouvoir était le savoir. Aujourd'hui, le succès, la célébrité et le profit représentent le pouvoir. Personnellement, le succès que j'ai eu m'a fait faire un burn-out. Le modèle de perfection absolu vanté ici et là n'est pas un gage de bonheur, au contraire.**

Pierre Lapointe est un passionné. Avec lui, le temps passe vite et sans temps mort. L'auteur-compositeur-interprète a partagé avec moi le fruit d'une réflexion mûrie. Je savais qu'il cultivait ce goût pour l'art contemporain. La beauté fait du bien. Les artistes la recherchent, la questionnent et la façonnent depuis des lustres. On aime être éblouis. Et c'est tant mieux !

Pierre Lapointe a joué un rôle crucial dans ma quête. Il démontre à quel point la beauté est nécessaire pour le bien-être d'une collectivité. Je jugeais la beauté comme quelque chose de superficiel. Et pourtant ! La beauté est partout : dans l'art, la littérature, l'architecture, le design, le théâtre, la mode... et ce n'est pas d'hier que nous parlons du rôle de la beauté dans notre société. J'avais l'habitude de sous-estimer l'importance du beau. En vivant à Paris, à force de passer des après-midi au musée, j'ai aussi compris l'importance de la beauté dans nos vies. En plus d'être héritage culturel immense, la beauté fait du bien. Elle contribue à notre bonheur. La vie serait bien morne sans elle.

L'artiste Leigh Bowery – photo Fergus Greer, Novembre 1988, série *Leigh Bowery looks,* tiré du site Internet www.fashioninstallation.com

Portrait d'ORLAN tiré de son site web : www.orlan.eu, avec l'aimable autorisation de l'artiste

Je considère mon corps comme un matériau parmi tant d'autres.

ORLAN

ARTISTE MULTIDISCIPLINAIRE

C'est sous le nom de Mireille Suzanne Francette Porte qu'ORLAN naît en 1947, en France. À 17 ans, elle fait ses premières performances artistiques. L'artiste travaille depuis sur la place du corps féminin dans l'histoire de l'art et dans notre monde. À 31 ans, elle livre une de ses premières performances de chirurgie esthétique devant public lors d'un Symposium à Lyon.

ORLAN est reconnue pour remettre en cause sa propre image qu'elle immortalise sur différents supports: photos, vidéos ou textes variés. Son corps est son objet de création, son matériau. Elle ne cache pas son engagement féministe et lutte contre la violence faite aux femmes. La provocatrice intègre à l'art contemporain différentes biotechnologies, dont des implants chirurgicaux. Étrange, oui. Extrêmement occupée, elle a accepté de répondre à mes questions sous forme d'échange épistolaire, elle à Paris, moi à Montréal. Chose quand même exceptionnelle: on dit d'ORLAN qu'elle est un électron libre insaisissable. Je suis flattée!

Vous avez souvent utilisé votre corps comme matériau ou sujet de vos œuvres. Pourquoi avoir préféré votre corps plutôt que celui d'autres personnes? **J'assume ma responsabilité et les œuvres mises en place pour dire quelque chose. Il n'est pas question d'instrumentaliser d'autres personnes. Il était important que j'assume moi-même ce que j'avais à faire et à dire.**

Faut-il aimer son corps pour le mettre en scène comme vous l'avez fait? **Il s'agit plus d'une découverte de soi-même à travers une expérience corporelle. Nous n'avons pas un corps, mais des corps.**

Aimez-vous être regardée? **Ce qui m'intéresse, c'est l'élaboration de mes œuvres à partir de la représentation de mon corps.**

À quel moment de votre vie avez-vous préféré votre corps? **J'étais peintre et sculpteur, et je considère mon corps comme un matériau parmi tant d'autres. Le corps est politique, comme les luttes féministes l'ont montré. Il était très important pour une femme à cette époque de revendiquer sa nudité, sa sexualité, sa jouissance, son droit à la parole, et de faire ce qu'elle voulait avec son corps.**

Selon vous, étiez-vous plus belle avant ou après vos chirurgies esthétiques? **Qu'appelez-vous «belle»? La beauté est forgée** par l'idéologie dominante, l'histoire, son lieu de naissance ; les corps de Rubens ou Cranach, ou ceux de l'art contemporain actuel ne sont pas du tout les mêmes. J'ai toujours travaillé sur le statut du corps dans la société, ainsi que les pressions politiques, religieuses et sociales qui s'inscrivent tout particulièrement dans les corps féminins.

Chaque civilisation a voulu fabriquer les corps. Avec ma série de Self-hybridations, j'ai mis en perspective les critères de beauté de notre époque et ceux des précolombiens, africains et amérindiens. Je n'avais pas besoin d'opération chirurgicale, l'idée était de remettre en jeu mon image, que j'aimais beaucoup. Je suis la première artiste à utiliser la chirurgie esthétique, c'était important de mettre de la distance entre l'esthétique habituelle du bloc opératoire et d'en faire un lieu de vidéo, de ciné, de photo avec des chirurgiens, mon équipe et moi-même costumés par Paco Rabanne, Issey Miyake, Franck Sorbier, Lan Vu, etc. L'essentiel était de mettre de la figure sur mon visage, c'est-à-dire de la représentation, et de me construire une nouvelle image pour en créer de nouvelles.

Désirez-vous provoquer le public qui regarde vos œuvres ? **La provocation est un moyen, pas une fin en soi. C'est une possibilité comme une autre ; provoquer est très facile et parfois complètement inconscient. Actuellement, dans mes œuvres, j'utilise tantôt l'image de mon corps, et tantôt je ne suis pas physiquement présente, comme lors de l'exposition Paris-Delhi-Bombay, ou *Un bœuf sur la langue* au musée des Beaux-Arts de Nantes, ou encore *L'origine de la guerre*.**

En quoi votre éducation a-t-elle influencé votre rapport au corps ? **Parfois les choses agissent par empreinte, et parfois on est imprégnés de son éducation ; souvent les deux se côtoient, et on est un corps, ou on a un corps, tantôt sujet, tantôt objet ; on passe constamment de l'un à l'autre.**

En quoi la société a-t-elle influencé votre rapport au corps ?
J'ai vécu des moments très, très différents. Lorsque j'ai fait ma performance avec une robe sur laquelle mon corps nu était photographié, au Portugal, la police a essayé de m'arrêter. Ce qui ne se fait pas aujourd'hui reviendra peut-être demain suivant les temps, les pays, les mœurs... Les lois changent, s'inscrivent dans le corps ou censurent ce que les artistes font, hélas, par exemple le *Piss Christ* de Serrano, une photographie marquante réalisée en 1987 représentant un crucifix

[13] NdE : L'exposition du Dr Gunther von Hagens, *Le monde du corps 2* a été présentée au Centre des Sciences en 2007. On pouvait y admirer des corps humains préservés par « plastination ». En d'autres mots, des cadavres exposés sous le prisme de l'art anatomique.

de couleur claire. Nous sommes aussi le seul pays, la France, où l'expo Body Worlds de Gunther von Hagens a été interdite au public,[13] alors que cela n'a pas posé de problème ailleurs.

Que voudriez-vous que l'on retienne de vos œuvres ? **Qu'elles interrogent mon époque et en pointent les problèmes éthiques que ces découvertes scientifiques, médicales, technologiques, et biologiques soulèvent, comme avec la culture de mes cellules, la fibre optique, la programmation interactive, médicale, la chirurgie, les transmissions satellites de mes opérations... Que mon œuvre est singulière, impertinente et décapante, et qu'elle a essayé de sortir des stéréotypes, des cadres.**

ORLAN pousse les limites de la représentation. Elle remet en question les normes établies. Elle provoque. Elle dérange. Et elle aime ça. Pourtant, elle a su établir certaines tendances. Les implants qu'elle se faisait poser par chirurgie esthétique ont inspiré Lady Gaga. N'est-ce pas un exemple flagrant de la reprise de l'avant-garde par la culture populaire ? Les critères de beauté suivent-ils, eux aussi, ce circuit ?

American Indian Self-Hybridization #6, 2005. Avec l'aimable autorisation de l'artiste

7e performance de chirurgie, *Omnipresence*, New York, 1993. Avec l'aimable autorisation de l'artiste

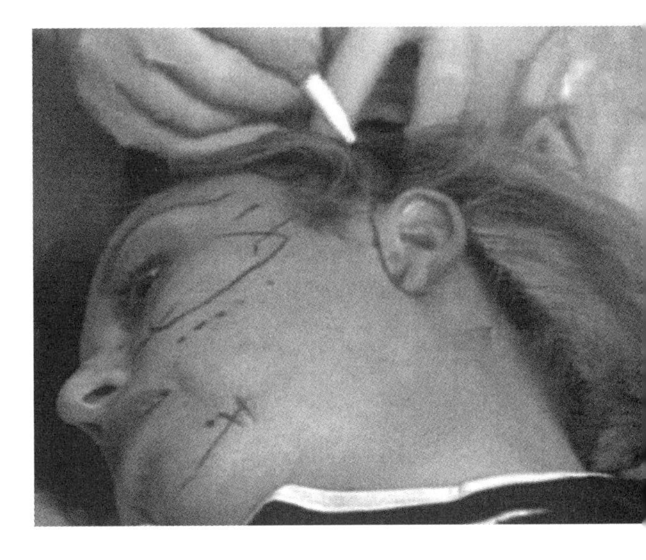

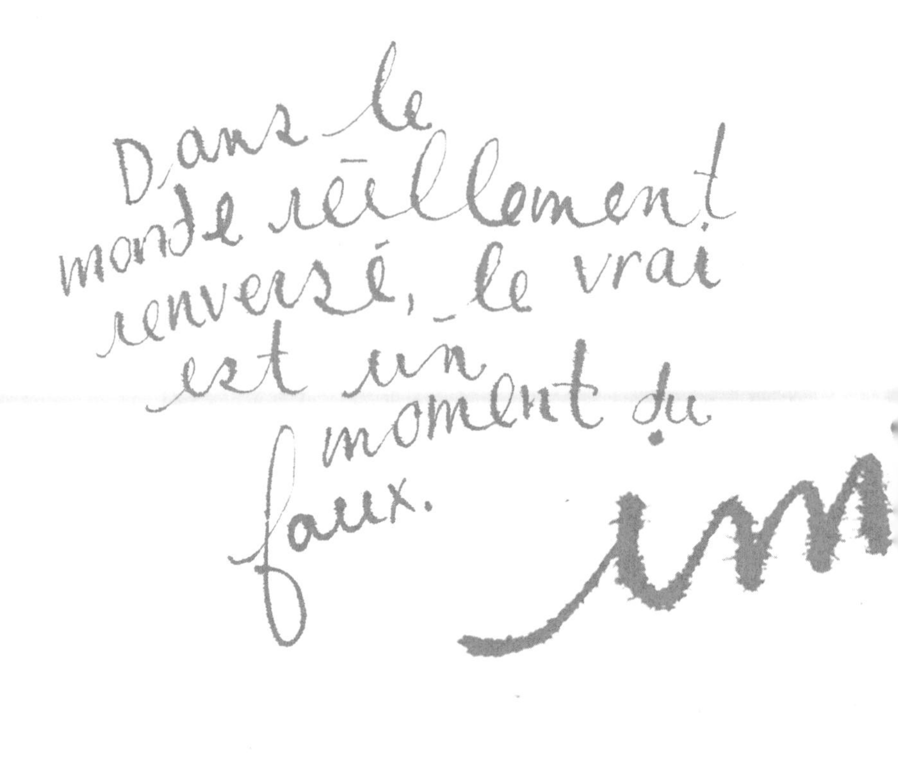
Dans le monde réellement renversé, le vrai est un moment du faux.

ANONYME

UNIVERSITAIRE FAN DE GAGA

© Photo Simon Duhamel

DISCUSSION AVEC UN GAGA DE GAGA

Je ne suis pas une fan de culture pop, mais l'esthétisme particulier entourant l'univers de Lady Gaga me semblait un incontournable dans ma démarche : l'artiste mondialement acclamée joue avec les critères de beauté. En cette ère de 2.0, j'ai un fait un appel à tous sur les réseaux sociaux. L'excentrique Lady Gaga est-elle obsédée par son image ? Qui la connaît bien ? À ma grande surprise, j'ai reçu un message d'un universitaire qui tenait absolument à répondre à mes questions, à condition toutefois que je taise son identité.

J'ai discuté avec ce professeur de littérature à l'Université McGill, romancier, un passionné du « phénomène Gaga ». Il m'a éclairée sur le succès monstre de « celle qui a tout misé sur son image pour réussir ». On peut d'ailleurs dire que lui-même est une drôle de bibitte. Aimer Lady Gaga est-il méprisé dans les milieux intellectuels ? Entre deux séances d'écriture de son nouveau roman, la préparation d'un cours et la gestion d'une crise de son garçon kamikaze, il a bien voulu répondre à mes questions par téléphone.

– Allô ? C'est Léa.
– Ah, Léa ! Lady Gaga, c'est « ... » !

Il faut le dire, l'universitaire est aussi un admirateur de l'artiste. Je n'ai pas eu besoin de poser trois questions en 40 minutes d'entretien. Il m'a démontré comment le pop peut rejoindre l'avant-garde. Explications.

La star mondialement acclamée est issue d'un milieu plutôt aisé. Bonne musicienne, influencée par le glam-rock, elle a rapidement été repérée par les compagnies de disques new-yorkaises. Plusieurs avancent qu'ORLAN est le modèle de la vedette américaine acclamée. C'est vrai que Lady Gaga ressemble à ORLAN avec ses implants chirurgicaux (voir photos page suivante).

Lady Gaga est devenue une figure forte de la culture pop. Pourtant, elle est loin d'être conventionnelle. Sa démarche est minutieusement étudiée – on est loin des frasques de Miley Cyrus ! S'intéresser à Lady Gaga, c'est tenter de comprendre la construction totale d'un culte de la personnalité axé sur les apparences. L'artiste mondialement reconnue, déjà icône musicale des années 2000, est issue du pop art, où la culture populaire récupère des éléments de l'avant-garde, m'explique le professeur. Elle se réclame d'Andy Warhol. **« On peut comparer la Haus of Gaga (elle emploie la graphie allemande, à cause de son nom, Germanotta) à The Factory de Warhol. »** Rappelons que la Manufacture était un atelier d'artistes situé à New York ouvert en 1964 par Warhol. Le groupe The Velvet Underground s'y est notamment produit. On y créait. **« Dans la fabrication de son propre personnage, Lady Gaga s'appuie sur la prémisse de *La société du spectacle* : "Le vrai est un moment du faux." On est en constante représentation. Lady Gaga a toujours voulu être célèbre. Elle a su y parvenir en se créant un masque qui ne lui ressemble pas vraiment »**, m'explique-t-il.

Lady Gaga ne s'en cache pas, elle projette une image colorée, originale et étudiée. Comme me l'avait souligné Pierre Lapointe en me parlant d'elle, ORLAN, l'artiste adepte de chirurgie plastique et performeuse, incarnerait une Lady Gaga 10 ans plus tôt. Celle-ci désirait devenir une icône, une vedette, une star acclamée. Elle occupe une grande partie de son temps à gérer sa célébrité. L'admirateur érudit m'explique l'opération « gagaesque » : **« Pour moi, c'est clair et net : t'as deux façons d'entrevoir la célébrité. La sincérité absolue, avec tous les risques, ou la construction totale de Lady Gaga. D'où la référence à *La société du spectacle.* »**

La chanteuse pop clame haut et fort sa condition d'« ex-rejet ». Elle repousse les limites en devenant monstrueuse. Elle se fait poser des prothèses. Elle prend des airs de grand guignol dans ses prestations. Du faux par-dessus du faux ! Elle joue avec les apparences et amène ses admirateurs toujours plus loin dans son univers éclaté. L'artiste joue un rôle dans la transformation des codes, de la mode ou de ce qui est in. Comparativement aux vedettes américaines qui prétendent être naturelles, Lady Gaga s'efforce de complexifier toujours plus avec ce personnage complètement inventé. Elle use d'artifices et ça marche.

Faut-il absolument se construire une image pour plaire ? Pour le professeur anonyme, notre société obnubilée par les médias sociaux, Facebook ou Twitter, nous oblige à constamment nous fabriquer notre propre image de marque. **« On spinne nos avatars. C'est le culte de l'image. Lady Gaga ne cache pas ses intentions. Dans son fameux "Little monster's manifesto", le *monster ball* est un appel au rassemblement des marginaux. Elle est dans la logique du freak show. Elle défend les imparfaits ! »**

Gaga a construit sa célébrité. Elle est célèbre aussi à cause de son côté frondeur et excentrique. Elle a réussi à changer les normes à sa manière. Gaga est une grande baveuse. Elle s'est moquée de ce culte de la perfection idéalisée à Hollywood. **« Elle joue elle-même à ce jeu mercantile en vendant sa musique, son corps et son image. Elle incarne le narcissisme. Sans cela, je doute que sa réussite serait aussi grande. »** Au-delà de sa musique accrocheuse et de son look excentrique, l'artiste mondialement reconnue retient l'attention. Pour notre expert gagaesque, tout est devenu marchandise : le sentiment humain, les moyens dont on dispose de notre affection, tout est pensé sur le monde économique. Est-ce efficace ? Productif ?

« Lady Gaga avance : I'm a free bitch. Elle coalise tous les rejetés de la terre, désire les séduire. "J'ai été rejetée, on m'a dit que j'étais laide !" À travers sa célébrité montante, elle devient pratiquement une gourou. Son public est envoûté, c'est sa revanche à elle », m'explique Alain Farah, l'universitaire que j'ai finalement convaincu d'être « gaga » de Gaga publiquement !

ORLAN et Lady Gaga ont plusieurs points en commun : les étranges implants sur le visage, par exemple...

© *Selfie* fournie par l'universitaire Alain Farah

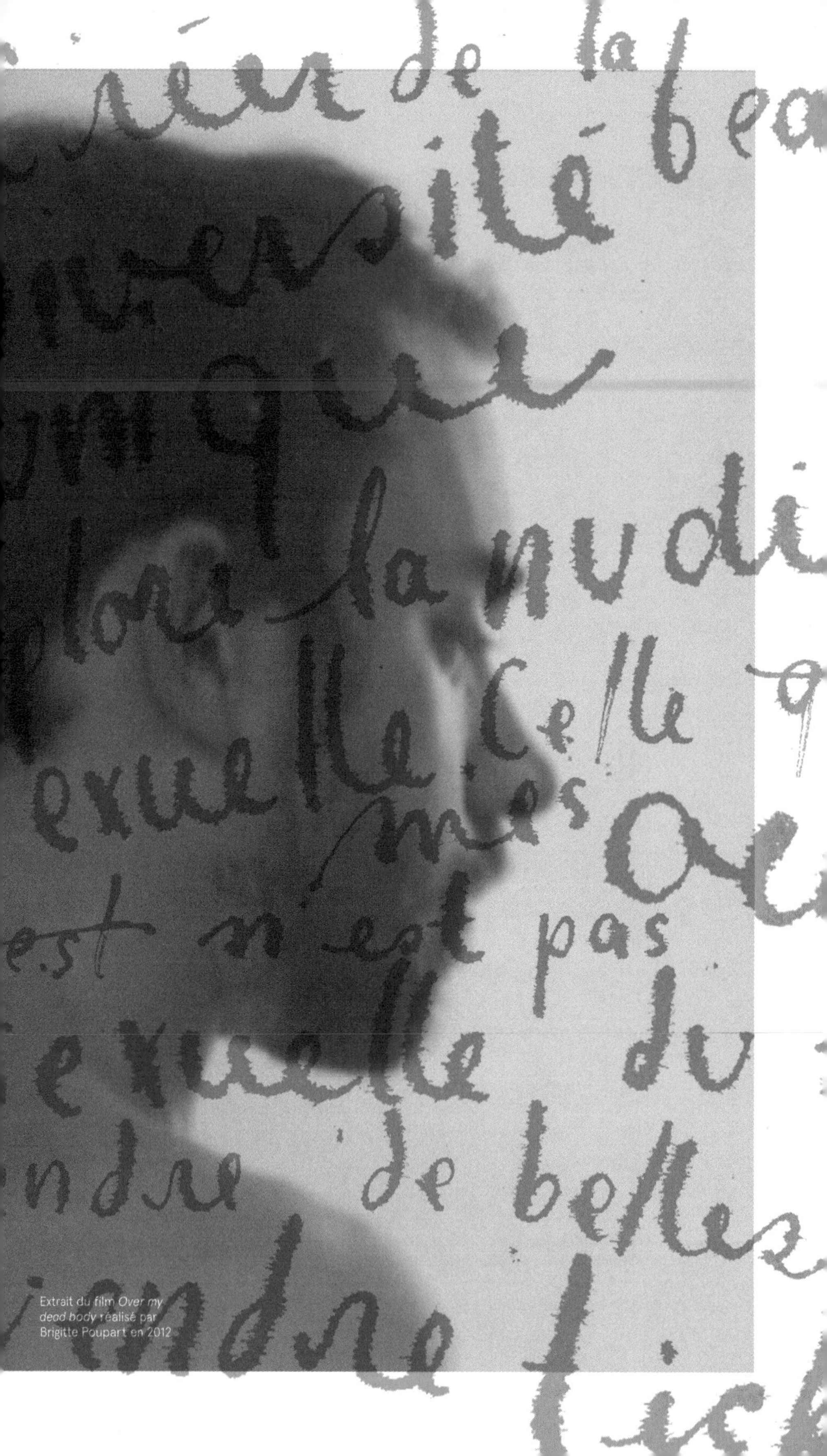

Extrait du film *Over my dead body* réalisé par Brigitte Poupart en 2012

J'aime fondamentalement les différences. J'en ai marre des apparences, du plastique, de cette tyrannie.

DAVE ST-PIERRE

DANSEUR ET CHORÉGRAPHE

Dave St-Pierre est un danseur et chorégraphe reconnu internationalement. On lui doit notamment *La pornographie des âmes* (2004), *Un peu de tendresse, bordel de merde!* (2006) et *Over my dead body* (2009). Le créateur réfléchit aux mouvements, aux rythmes et au message de la danse contemporaine. Génie en son genre, il est acclamé pour son regard singulier qui se traduit dans ses chorégraphies. Après plusieurs tentatives, j'ai réussi à obtenir un rendez-vous chez lui, à Montréal. Merci Facebook.

Je me rends en plein hiver dans son magnifique loft décoré de façon éclectique et atypique. On est loin d'IKEA. Chaque objet a sa place et sa signification. Chaque objet ressemble à une œuvre d'art. Dave St-Pierre a le souci du détail et du beau. Créateur prolifique, il expose le corps différent, le corps sans artifice, le corps dans sa plus simple expression. D'un point de vue extérieur, l'artiste déconstruit la normalité corporelle ou la normalité tout court. J'ai visionné le documentaire percutant de Brigitte Poupart, *Over my dead body*, qui dévoile Dave dans son intime lutte contre la fibrose kystique, une maladie grave qui lui a fait frôler la mort. Ce film, plutôt personnel, nous révélait l'homme derrière une œuvre déjà marquante au sein du milieu de la danse. On ne peut soupçonner son endurance physique.

SON CORPS MEURTRI

Dave St-Pierre a appris à 17 ans qu'il était atteint de fibrose kystique, une maladie génétique mortelle affectant gravement des organes comme les poumons ou l'appareil digestif. L'accumulation de mucus rend la respiration difficile chez le malade. Pour un danseur et chorégraphe, c'est une catastrophe, presque insurmontable, une fatalité. **« Je ne voyais que des limites à mon corps. Je l'ai toujours surmené. Mais dans les deux dernières années, avant de recevoir la greffe, je me suis vu plus vulnérable. C'était difficile de faiblir. »** Sa condition physique s'est gravement dégradée dans les dernières années. Aujourd'hui, il a réussi son combat : il a reçu la transplantation d'un poumon. Dave avait une chance sur deux de mourir lors de l'opération. Il a survécu. On ne lui donnait pas plus de 35 ans. Les médecins affirment que c'est un petit miracle de la nature difficile à expliquer !

Sur scène, Dave St-Pierre a l'air d'un dieu. Son corps est ultra musclé, perfectionné, parfait. On aurait du mal à croire qu'il a été gravement malade. C'est pour cette raison que sa vision du corps est si unique. Il connaît la chance d'être en santé. Je l'ai d'abord questionné sur sa conception de la beauté. Celle-ci reste résolument en dehors des normes.

UNE DIVERSITÉ CORPORELLE

Pas étonnant, c'est un chorégraphe qui crée, qui allie des mouvements de corps pour en faire un tout harmonieux. Il aime créer de la beauté unique. Son univers est radicalement différent des normes esthétiques dominantes. *La pornographie des âmes* faisait appel à une diversité physique : oui, il y avait des danseurs très ronds. Pourquoi ? Dave aime les corps vrais, les corps différents, les corps ordinaires. La nudité est une facette qu'il explore dans ses œuvres. **« La nudité n'est pas nécessairement sexuelle. Celle que j'explore dans mes œuvres n'est pas sexuelle du tout. »** Il s'interroge sérieusement sur notre rapport au nu. **« Pourquoi le métro censure-t-il une affiche d'une pièce de théâtre mise en scène par Brigitte Haentjens et accepte une publicité de soutien-gorge ? C'est ridicule. Je ne comprends pas ce genre de choix. Pourquoi accepte-t-on une pub de sous-vêtements bien plus provocante qu'une affiche artistique ? Parce que c'est lucratif et payant !? Je crois que ça en dit beaucoup sur notre société. »**

Le créateur n'a pas peur de critiquer un paradoxe qu'il observe. **« Un clip de Sigur Ros magnifique, poétique et lyrique montrant des personnes nues courant dans le bois est censuré sur YouTube, alors que Britney Spears[14] qui se frotte, ça c'est correct ? »**

[14] NdE : Il aurait probablement cité Miley Cyrus si l'entrevue n'avait pas eu lieu avant ce tristement fameux moment des MTV Awards en août 2013

UNE QUESTION DE PROFITS

Dave déplore l'aspect mercantile du rapport au corps dans le processus créatif. **« Je me suis souvent fait dire par des producteurs de prendre de belles personnes pour vendre des tickets. J'ai entendu des choses horribles comme "on ne prendra pas cette actrice, elle ne fait pas bander" ou encore "Elles ont 19 ans et elles ont des varices". Pour moi, c'est désolant. J'aime fondamentalement les différences, ça fait partie de la vie. On cherche toujours à nous vendre du rêve. J'en ai marre des apparences, du plastique, de cette tyrannie »**, lance-t-il.

Dave St-Pierre possède un regard unique sur le corps. C'est son outil premier de création. Artiste acclamé partout dans le monde, il sait déranger les spectateurs. Il nous marque par la beauté des mouvements atypiques et rythmés qu'il raffine depuis des années. Ses créations présentent toutes sortes de corps, des corps différents, des corps vrais et donc beaux.

Nous terminons l'entretien après une heure et demie de discussions passionnantes. Je me sens privilégiée d'avoir eu accès à une facette de sa vérité.

COUP DE CŒUR – THE NU PROJECT

Depuis quelques années, on ressent une certaine ouverture aux corps différents, handicapés et habituellement non représentés. Si la dictature du physique parfait persiste dans les hautes sphères de l'industrie publicitaire, on remarque un réel renversement sur le Web. L'une des initiatives qui portent à réfléchir sur l'acceptation de soi est la magnifique galerie de photos de *The Nu Project*. Cette série de photographies présentant des femmes dévoilées nues a débuté en 2005. On y voit des corps vrais, non modifiés et marqués par la vie. Plus de 150 femmes ont accepté de poser nues en Amérique du Sud et du Nord. Un projet qui nous donne envie de renoncer à cette dictature qui frôle, souvent, le ridicule[15].

[15] Pour se procurer le livre : www.thenuproject.com

© Photo tirée du projet *The Nu Project*, réalisé par le photographe Matt Blum

Cette section traitait de la beauté en tant que telle. L'humain a besoin d'être ébloui par la beauté, et, lorsqu'il s'est mis à représenter des corps, il a naturellement choisi les plus beaux. Cet héritage nous reste encore. Le corps idéal est le corps beau. Il est donc naturel que nous soyons attirés par les belles personnes.

Le sociologue David Le Breton avance une prémisse fondamentale à notre réflexion: «J'existe à travers ce que je représente.» Le jugement que nous avons sur les autres s'ancre dans ce que nous voyons en premier: le physique.

Ariane Moffatt a comparé le corps, haut et fort, à une PME. Elle a raison. Il faut entretenir notre physique pour mieux se «vendre». C'est toute une entreprise! Pierre Lapointe, comme artiste, nous expliquait comment la beauté fait du bien à une société. Sans arts visuels, sans musique, sans mode, la vie serait bien ordinaire...

Les artistes comme ORLAN, Lady Gaga ou Dave St-Pierre jouent un rôle d'avant-garde dans la construction des normes esthétiques dominantes. Preuve qu'on peut réussir même en n'étant pas des beautés préfabriquées. Leurs propos dépassent les façades.

Mais l'une des facettes questionnables du culte de la beauté et du corps s'incarne dans le tour de taille des individus. La minceur est actuellement parmi les critères les plus importants dans les représentations de beauté. Parfois, cette obsession frôle la folie...

LE POIDS

TRE

« La beauté sera comestible
ou ne sera pas »

Salvador Dali

LA MINCEUR, AH, LA MINCEUR ! L'OBSESSION POUR L'ABSENCE DE GRAISSE EST DOMINANTE. LE VENTRE EST SYNONYME DE FÉMINITÉ : N'OUBLIONS PAS QU'IL EST LE BERCEAU DE LA REPRODUCTION. IL A ÉTÉ LONGTEMPS CACHÉ SOUS LA ROBE, AMINCI PAR LE CORSET, TRAVAILLÉ EN TAILLE DE GUÊPE. MAIS LE VENTRE DEMEURE LE SYMBOLE PAR EXCELLENCE DU POIDS, DE LA SILHOUETTE, DE LA PERFECTION CHEZ UNE FEMME. ET LA BÉDAINE DE BIÈRE DES HOMMES ? DIFFICILE À ACCEPTER AUSSI. NOUS Y REVIENDRONS.

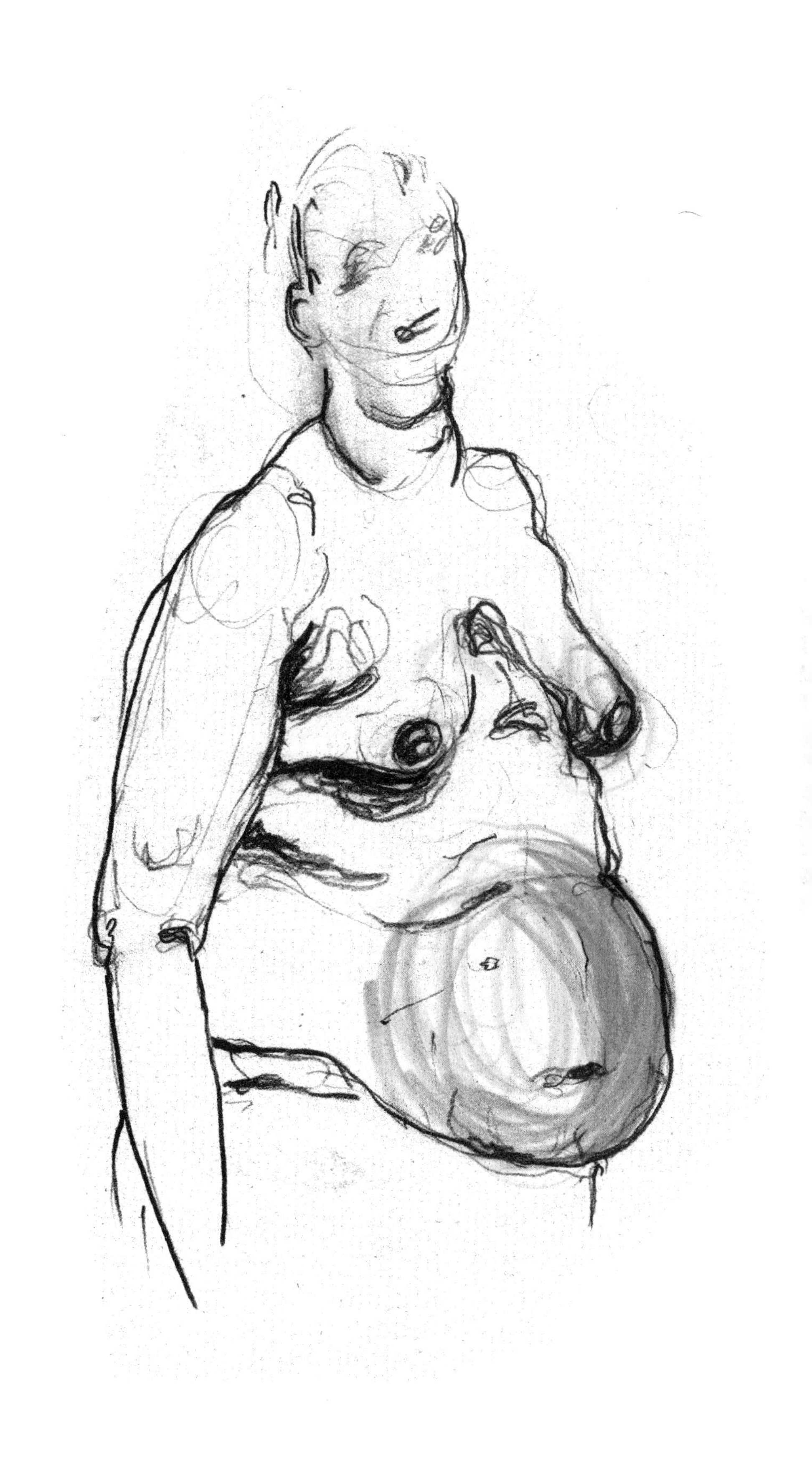

Mais d'où nous vient cet idéal de minceur? Serait-ce un synonyme de santé, de vigueur et de performance?

Je ne peux pas m'en cacher. La question du poids est l'aspect le plus important de ma quête, c'est l'origine de ma démarche, le critère premier pour déterminer si quelqu'un est beau ou pas. On n'a qu'à regarder certains mannequins aux traits atypiques. Leur seul point commun reste leur extrême minceur. Leurs visages ne correspondent pas aux critères esthétiques préétablis et c'est bien de voir des femmes au profil différent, mais bon nombre de femmes plus en chair ne monteront, elles, jamais sur des podiums, que leurs traits soient parfaitement harmonieux ou pas.

Enfant, j'ai été obnubilée par ces grandes jambes ou ces belles tailles minces que je voyais à la télévision. «Moi aussi, maman, je veux être comme elles!» Elle aurait dû me le dire, la pauvre, que je ne serais jamais bâtie sur ce moule.

La Barbie était mon jouet préféré, et celui de la majorité des gamines à l'époque. La Barbie était aussi le symbole de mon enfer. Cette poupée n'a pas des proportions humaines possibles. Misère! Maudite tyrannie. Je ne compte pas le nombre de femmes complexées par leur poids... et, de plus en plus, les hommes s'y mettent aussi.

LES FEMMES ET LEUR POIDS

Les campagnes marketing faisant la promotion de régimes miracles pullulent. La préoccupation excessive pour le poids existe bel et bien. Selon une étude de Chantal Bayard, chercheuse en santé publique:

2/3 — 2 femmes sur 3 au Québec voudraient perdre du poids[16].

37% — des filles ont reçu des commentaires négatifs sur leur poids de la part de:

- leur entourage (23%),
- leurs amis (15,5%)
- ou leur mère ou leur père (22,3%)[17],

57,9% — des adolescentes ont fait des tentatives sérieuses pour perdre du poids au cours des six derniers mois:

[16] Étude réalisée par IPSO-REID, citée par Chantale Bayard, *Quand l'idéalisation de la beauté, de la minceur et de la jeunesse font vendre!*, Association pour la santé publique du Québec, *Protégez-Vous*, 24 mai 2012

[17] *Ibidem*

- en diminuant ou en coupant le sucre et le gras (95,1%),
- en s'entraînant de façon intensive (76,7%),
- en sautant un repas (53,4%),
- en ne mangeant pas de la journée (31,1%),
- en suivant une diète (27,2%),
- en commençant ou en recommençant à fumer (19,4%) [18].

LES RÉGIMES « MIRACLES »

Le catalogue de recherche de la Bibliothèque nationale du Québec répertorie 1286 titres sous la mention « régimes amaigrissants » [19]. L'offre est grande pour les candidates aux régimes. Notez que la plupart des titres d'adressent aux femmes. *Le corps de rêve des paresseuses*[20], *Mincir sur mesure grâce à la chrononutrition*[21], *La nouvelle méthode Dukan illustrée*[22], *Maigrir avec la méthode Forking*[23], *La méthode Montignac illustrée*[24]. Paradoxalement, le taux alarmant d'obésité ne cesse de croître.

Statistique Canada a constaté que :

Le pourcentage de Canadiens obèses[25] à doublé depuis 1978 [26].

52,1%

Le taux d'embonpoint était en 2011 à 52,1% chez les adultes canadiens en moyenne.

1,3%

Entre 2006 et 2011, on observait une augmentation d'environ 1,3%.

Ce taux important d'obésité dénote un changement d'habitudes chez les consommateurs. Or, les régimes amaigrissants qui ont crû en popularité depuis les années 1980 sont offerts comme une réponse à cet enjeu.

LA SANTÉ À RISQUE

Si les régimes amaigrissants apportent des réponses faciles à des problèmes de santé parfois sérieux, on remarque un paradoxe évident au sein de notre société. Le choix de produits est stupéfiant dans les marchés de grande surface. La gamme de produits surgelés est plus grande que jamais pour satisfaire les familles qui travaillent. Ces changements d'habitudes de vie, entre autres engendrés par l'entrée des femmes sur le marché du travail, ont considérablement influencé nos comportements. La consommation a radicalement changé pour laisser place à la

[18] Institut de la statistique du Québec, *Enquête sociale et de santé auprès des enfants et des adolescents québécois* (PDF), 1999

[19] Recherche «régimes amaigrissants», Catalogue IRIS, Bibliothèque et archives du Québec

[20] Anita Naik, *Le corps de rêve des paresseuses*, Marabout, 2002

[21] Alain Delabos, *Mincir sur mesure : grâce à la chrono-nutrition*, Albin Michel, 2012

[22] Pierre Dukan, *La nouvelle méthode Dukan illustrée*, Flammarion, 2012

[23] Ivan Gavriloff, *Maigrir avec la méthode Forking*, Paris, First, 2012

[24] Michel Montignac, *La méthode Montignac illustrée*, Paris, J'ai Lu, 2012

[25] IMC supérieur à 30 kg/m²

[26] Chaire de recherche sur l'obésité, *Les chiffres de l'obésité et les statistiques au Canada*, Université Laval

© Photomontage réalisé
par l'artiste américain
Nickolay Lamm,
www.nickolaylamm.com

surconsommation. Selon une recherche effectuée par *Nature neuroscience*, «l'alimentation est influencée par le plaisir, et obtenir une récompense par la nourriture peut fortement en motiver la consommation»[27]. Cette publication cherchait à comprendre la surconsommation alimentaire comme précurseur de l'obésité. L'industrie de l'alimentation offre une plus grande diversité de produits qu'auparavant, l'inactivité s'accroît dangereusement. Les industries, elles, augmentent leurs profits.

[27] Paul M Johnson et Paul J Kenny, «Dopamine D2 receptors in addiction-like reward dysfunction and compulsive eating in obese rats», *Nature Neuroscience*, APM SANTE, Avril 2010

Aux États-Unis, en 2011, l'industrie de l'amaigrissement récoltait des ventes de 60 milliards de dollars[28]. Pourtant, depuis des années, des mises en garde sérieuses sont lancées par bon nombre de regroupements de santé. L'encyclopédie en ligne *Top Santé* avançait que les régimes très hypocaloriques peuvent induire une mort subite, en lien avec des troubles du rythme cardiaque. «La fluctuation du poids pourrait être un facteur de risque cardiovasculaire et de syndrome métabolique. Les régimes très hypocaloriques provoquent des inflammations et fibroses modérées aux niveaux hépatique et portal ainsi que des calculs biliaires[29].»L'obésité met en danger la santé des individus, tout comme le font les régimes amaigrissants. Paradoxe, je me tue à le répéter! D'ailleurs, les polémiques entourant les régimes amaigrissants sont nombreuses. En France, en mai 2012, le médecin et auteur à succès Pierre Dukan, à qui l'on doit *Je ne sais pas maigrir*, publié en 14 langues, a été menacé d'être radié de l'Ordre des médecins pour la mise en marché de sa méthode de type hyperprotéinée extrêmement critiquée pour les déséquilibres alimentaires connus qu'elle suscite. Le Dr Dukan avait proposé une option «anti-obésité» au baccalauréat en France[30].

[28] *Ibidem*

[29] *«Encyclopédie Top Santé, Régimes amaigrissants : quels sont les risques ?»*, 26 novembre 2010

[30] Agence France-Presse, «Régimes : le Dr Dukan radié de l'Ordre des médecins à sa demande», *La Presse*, 16 mai 2012

Les produits dérivés de l'amaigrissement sont multiples, de la pilule minceur miracle aux aliments Slim Fast. En 2013, les autorités sanitaires ont été en état d'alerte au Québec. Environ 20 personnes auraient été intoxiquées après avoir consommé des médicaments pour perdre du poids qui étaient en fait destinés aux chevaux[31]! Ce type de produits promet toutes sortes de résultats : «augmente votre énergie, perte de poids superflu, améliore votre métabolisme, brûle les graisses, stimule la thermogénèse, brûle les calories[32]...» À croire qu'ils sont des solutions magiques aux problèmes engendrés par la surconsommation alimentaire.

[31] Gabrielle Duchaine, «Une pilule pour maigrir fait des ravages», *La Presse*, 23 octobre 2013

[32] «Pilules Minceur à base de plantes. Slim Fast», *Blogue Pilules minceur*

En France, la pilule minceur miracle, Alli, a également fait grand bruit ces dernières années. Elle a généré un chiffre d'affaires annuel de l'ordre de 230 millions de dollars à la compagnie phar-

[33] GSK en France, *Notre organisation*

[34] *Ibidem*

[35] Colette Roos, «Alli : la pilule qui fait maigrir fait surtout aller aux toilettes», Rue 89, 19 février 2009

maceutique GlaxoSmithKline (GSK). Sur leur site officiel, on peut apprendre que la compagnie, en termes d'activités commerciales, était la première filiale européenne et la deuxième filiale mondiale[33]. Son chiffre d'affaires en matière pharmacologique s'élève à 1293 millions d'euros en moyenne pour l'année 2009[34]. *Rue 89* faisait un constat moins mirobolant de la pilule miracle: «Alli vous propose un contrat simple et radical à la fois: si vous mangez trop gras, il vous fait éliminer à coups de fortes diarrhées. GSK vise 150 000 clients, essentiellement des clientes, pour la première année[35].»

[36] *Ibidem*

[37] *Forbes «Global 2000 Leading Companies»*, «GlaxoSmithKline»

Dans l'article, Martine Ferrey, directrice médicale chez GSK, ajoute: «Si l'on ne fait pas le régime qui va avec, on n'a que les inconvénients «c'est-à-dire la diarrhée!», mais on ne perd pas de poids. C'est un encouragement à avoir une alimentation saine et vertueuse: si on mange trop de gras, il tire la sonnette d'alarme. Alli permet de prendre conscience de ce qu'il faut faire[36].» Je vais m'abstenir de commenter cette citation! Notons que GlaxoSmithKline est inscrite au palmarès des entreprises de Forbes au 119e rang sur un total de 2000[37].

[38] Agence France-Presse, «GlaxoSmithKline paiera une amende record pour une fraude historique», *Le Devoir, 3 juillet 2012*

[39] *Ibidem*

[40] Matthew Herper, «The Best Drug Companies of 2020», *Forbes*, 30 juin 2011

La pilule miracle, parmi les plus populaires en France, émane d'une compagnie qui vient d'écoper d'une amende record de trois milliards de dollars «pour mettre fin à des poursuites des autorités américaines qui l'accusaient d'avoir fait la promotion illicite de médicaments et d'avoir publié des déclarations trompeuses[38].» La compagnie a été accusée de «promotion illégale de certains médicaments, de ne pas avoir dévoilé certaines données liées à la sûreté [des médicaments] et d'avoir fait de fausses déclarations sur les prix», ont affirmé les ministères américains de la Justice et de la Santé, lors d'une conférence de presse[39]. Amusant à noter, la compagnie qui vend la pilule miracle a été créée en 1715, lors de la première révolution industrielle en Grande-Bretagne, en plein balbutiements du capitalisme. D'ailleurs, selon les analyses de Forbes, GlaxoSmithKline se situe dans le top 5 des compagnies mondiales pharmaceutiques et le sera toujours dans une perspective de 8 ans, selon les analyses de Forbes[40].

En clair, une partie du culte de la minceur est générée elle-même par les compagnies à qui cela profite. La société de consommation crée des problèmes et y répond par des solutions qui en provoquent d'autres. Le cercle vicieux consumériste nourrit l'illusion de l'épanouissement personnel.

MON CRI DE LA FAIM

Assez de chiffres qui nous prouvent le danger des régimes miracles. J'ai envie de me commettre. La singularité de cette démarche tire ses racines d'une expérience personnelle et profondément difficile. Au début de ma réflexion, je ne voyais pas la pertinence de la partager. Aujourd'hui, je crois au contraire que ce témoignage est crucial. Vous comprendrez peut-être mieux l'objet de ma démarche. J'opte pour la vérité et l'honnêteté. Les lignes qui suivent sont à l'origine de cet essai, elles sont au cœur de ma quête.

Je me rappelle avoir 12 ans. Je me rappelle ce sentiment de lourdeur, de désespoir, de dégoût, et surtout, d'impuissance. Tout ça n'est pas rationnel. Tout ça n'est pas normal. À 12 ans, je n'arrivais pas à accepter que je devienne une femme, que je ne sois plus une enfant. Mon échappatoire était *Harry Potter*. Je rêvais de quitter le monde normal pour vivre à Poudlard. Peut-être que, là-bas, j'aurais enfin la paix.

« Ouache, t'es tellement moche ! T'es tellement laide ! T'es tellement grosse ! Comment oses-tu te montrer devant les autres ainsi ? »

La petite voix intérieure qui me parlait était comme celle des vilaines sorcières de Walt Disney. Celles qui avaient alimenté l'imaginaire de mon enfance. La petite voix était méchante, diabolique, omniprésente. Je ne serais jamais assez pour elle : assez belle, assez intelligente, assez mince. Elle me tuait à petit feu par sa mesquinerie et était ma plus grande ennemie. Un jour, j'ai décidé de la tuer. C'était ma revanche à moi. J'ai aussi pris plusieurs années à arrêter de m'excuser d'exister. J'ai décidé de vivre. Mais ça n'a pas été facile. J'ai compris que mon pire

Extrait de mon journal intime de fillette, 2003, 12 ans

Je suis grosse
Je suis grosse
Je suis grosse
Je suis grosse Je suis grosse
Je suis grosse Je suis grosse
Je suis grosse Je suis grosse
Je suis grosse Je suis grosse
Je suis grosse Je suis grosse
Je suis grosse Je suis Grosse
Je suis grosse Je suis grosse
Je suis grosse Je suis grosse
Je suis grosse Je suis grosse
Je suis grosse Je s uis grosse
Je ~~suis~~ suis grosse Je suis
Je suis GROSSE Je suis GROSSE
Je suis Grosse Je suis Grosse
Je suis grosse JE suis Grosse
Je suis grosse
Je suis gro

Extrait de mon journal intime de fillette, 2003, 12 ans

ennemi, c'était moi-même. Vieillir est profondément angoissant. À 12 ans, j'ai frôlé la mort en comptant les calories. Comme Narcisse, je me suis noyée à force de me regarder dans le miroir. L'anorexie, c'est l'antiraison. C'est la fin de la vie ou le début de la folie. Et ça laisse des cicatrices profondes.

À 12 ans, la puberté fait en sorte que l'on gagne quelques formes. Rien de majeur, mais assez pour qu'on remarque la transformation. Mes fesses n'étaient plus aussi petites qu'elles étaient, mes seins ont commencé à grossir bizarrement. Quelques boutons ont poussé sur mon visage. J'étais propulsée, bien malgré moi, dans le monde inconnu des adultes. Il fallait accepter de vieillir, mais je n'étais pas prête. Je vous avoue avoir cru au père Noël jusqu'à l'âge de 10 ans. C'est étrange, non? Presque anormal et probablement de l'ordre du déni. J'avais un imaginaire extraordinaire et, en même temps, je m'aventurais à lire des ouvrages très sérieux, très difficiles pour une gamine. Mais toute naïveté prend le bord lorsque les seins deviennent plus lourds et qu'on a l'impression étrange de devoir devenir un objet désirable. D'un Noël à l'autre, je sentais que je n'étais plus tout à fait pareille aux yeux des oncles et des tantes. Je sentais alors le regard de l'Autre qui changeait: «Ah, mais ça passe donc ben vite, la vie! Hein, elle devient vite adulte, Léa. Wow, tu es devenue presque une femme.» Mais, non, je n'étais pas une femme. Et c'était sans doute ce refus d'accepter que la vie passe qui m'a rendue malade.

Je ne sais pas si cela a à voir avec la détestation de soi-même ou avec la peur du futur, mais il arrive à certains individus de devenir obsédés par eux-mêmes. Il n'y a pas plus narcissique que l'anorexique. Je n'ai jamais été aussi obnubilée par ma propre personne qu'à 12 ans. Peu à peu, j'ai pris le contrôle de ma transformation physique, de mon corps. Je n'allais pas le laisser s'arrondir. J'allais moi-même décider de la femme que je deviendrais. Et je ne voulais pas développer ces formes que ma mère avait et que les femmes en général avaient aussi. J'avais un dégoût profond de la féminité, ça m'écœurait. Je trouvais faibles ces gens qui se résignaient à se laisser aller. Rapidement, ma vie est devenue un enfer. Et je détestais tout le monde — surtout moi.

La nuit, je ne dormais pas. Je pensais uniquement à bouger mes jambes pour dépenser constamment de l'énergie (des calories). Je faisais des exercices du coucher du soleil jusqu'au lever du jour. Je ne me permettais de dormir que quelques heures par nuit afin de prendre un peu de repos. Je m'imposais un régime de vie aliénant. J'étais esclave de ma lubie. Si j'avais été capable de ne pas dormir, je l'aurais fait. Dormir, c'était pour les faibles. Il ne fallait pas perdre une seconde de mon temps à me reposer. Après avoir passé la nuit à faire des exercices de jambes, je me levais tard, après les autres, afin de sauter le petit-déjeuner. La rôtie que voulaient me faire manger mes parents me levait le cœur. J'avais du dégoût pour mon père qui bouffait une rôtie au beurre de pinottes chaque matin. Pour moi, manger un quart de rôtie, c'était déjà trop. Une demi-rôtie, c'était l'enfer. Une rôtie au complet était un désastre épouvantable. J'aurais voulu mourir. Toutes mes pensées étaient reliées à mon corps. J'éprouvais ce sentiment indicible d'échec profond lorsque mes parents parvenaient à me faire manger cette maudite rôtie au beurre d'arachides. Ouache. Après avoir mangé, je tentais de recracher ma nourriture et j'allais courir pendant une heure. J'étais trop jeune pour en courir deux. Et je n'avais pas assez de force. Le reste de ma journée était consacré à prévoir comment j'allais perdre du poids. Dans certains moments de repos, j'avais des pensées noires et je pleurais.

Chaque seconde de mon existence était un cauchemar. Je voyais mes parents se déchirer. « Qu'est-ce qui te prend, Léa ? Pourquoi tu fais ça ? Pourquoi tu nous fais ça ? » Je suis rapidement devenue le centre d'attention familial. Par contre, on ne voulait pas parler de ma « maladie » aux autres, c'était tabou. J'ai rarement vu mon père pleurer. Mais à ce moment-là, il pleurait souvent de rage, de désespoir, d'amertume. Je m'en veux encore. À 12 ans, je voulais mourir.

Dans cette période de folie et de narcissisme, je me regardais constamment dans le miroir. C'était bien, au début. Plus je maigrissais, plus j'étais fière. Mais, rapidement, le miroir est devenu mon enfer. Plus je me regardais, plus j'avais le goût de mourir, littéralement. Je me trouvais immonde, obèse, grosse et moche. J'ai commencé à déformer la réalité. Le miroir est devenu mon pire ennemi, alors que c'était un objet de jouissance. La balance est devenue un fardeau tout aussi ingrat. Me peser relevait de l'enfer. Je maudissais cet outil tout comme je l'adorais. Je prenais en note mon poids quotidiennement. Si j'avais le malheur de prendre une livre, je rageais contre mes parents qui m'obligeaient à me gaver. C'était leur faute ! Et j'avais envie de m'ouvrir les veines.

Extrait de mon journal intime de fillette, 2003, 12 ans

Léa C. Dion

, chose qui puisse m'arriver

J J'ai plus d'espoir en

rien du tout. J'haïs

jes infirmières re, je HAIR

me haïs,

TUER

Shiote

Suicide

désespoir

OBÊSE

Extrait de mon journal
intime de fillette, 2003,
12 ans

Léa ClermonT-Dion

28 Juillet 2003

Dieu j'em peux plus
d'emgraisser c'est trop dur
pour moi. Je pèse 37,3
J'em ai pleim mom christ de
Truck. Aide-moi dieu, aide-moi
a être heureuse. J'ai
plus riem, pas um petit
espoir. Riem. Riem. J'em peux
plus. Je veux ma maman.

Je les détestais tous profondément. Tous, car tous voulaient ce que je considérais comme une fatalité. Tous semblaient avoir le besoin de me contrôler. Et l'anorexique n'a pas d'allié sauf elle-même. Égocentrique, elle rejette l'aide de tous. Elle ne fait confiance à personne. Elle doute toujours, se méfie, ment. Elle fait semblant. Elle est hypocrite. Elle rage intérieurement à chaque invitation au restaurant. Elle n'établit pas de liens durables avec les autres de peur de devoir manger en leur compagnie. Et cela serait s'imposer des contraintes supplémentaires. Il faudrait se cacher encore une fois pour ne pas manger.

À l'école, j'ai passé des mois à agir comme une sauvage. Je ne voulais parler à personne. Chaque jour, je levais mes pieds en classe : c'était mortel de penser être assise toute la journée à ne rien faire, il fallait que je lève mes pieds pour perdre du poids. Encore et toujours. Comme s'il n'y aurait jamais de fin à cet enfer. J'étais triste, c'est le moins qu'on puisse dire…

Jamais dans ma vie ensuite je n'ai ressenti une telle angoisse. Ma rage et mon sentiment d'échec étaient constants, et ma folie n'avait plus de limite. Je voulais maigrir, maigrir, maigrir et maigrir. Mais ce n'était pas assez, ça ne le serait jamais ! Et j'ai voulu disparaître, tellement je trouvais les autres faibles de ne pas se soumettre à ce régime de vie. Cette existence était un enfer insoutenable. Manger était l'ultime échec.

J'espère ne plus tomber dans cet abîme infernal où le poids de la solitude est si aliénant. J'ai voulu me balancer par la fenêtre, mourir, pour ne plus penser à cette obsession grave et profondément lourde. J'aurais voulu me pendre, me voir morte. Je me faisais violence comme personne n'aurait pu le croire. Car je ne serais jamais assez mince, jamais satisfaite : je voulais que la balance affiche 0. J'étais obsédée.

Mais comment t'en es-tu sortie ? m'a-t-on souvent demandé.

C'était une question de survie. Je n'avais plus le choix. J'ai été hospitalisée pendant un mois à l'hôpital Sainte-Justine. De force. J'ai été forcée de manger. Contre mon gré. J'étais loin de chez moi, je n'allais pas bien du tout. Je dépérissais. Ma mère m'a reprise à la maison en échange de « ma collaboration ». À la maison, ensuite, j'ai continué mon petit bout de travail, appuyée par mes proches.

Un jour, j'ai donc décidé de vivre. C'était LA solution à la maladie. Accepter la vie. M'accepter.

J'ai réalisé que je n'allais pas baisser les bras face à mon aliénation. Un jour, je me suis levée sans réfléchir. J'ai décidé que j'allais gagner. Que j'allais achever mon démon. Et j'ai gagné. Je l'ai tué. Plutôt que de me tuer moi-même. Je l'ai tué le jour où j'ai accepté que je m'aimais.

Parallèlement à ce combat, j'ai mené celui pour la charte. Je l'ai fait pour aider les autres. Et ça m'a aidée aussi.

Pho
J'av
trou

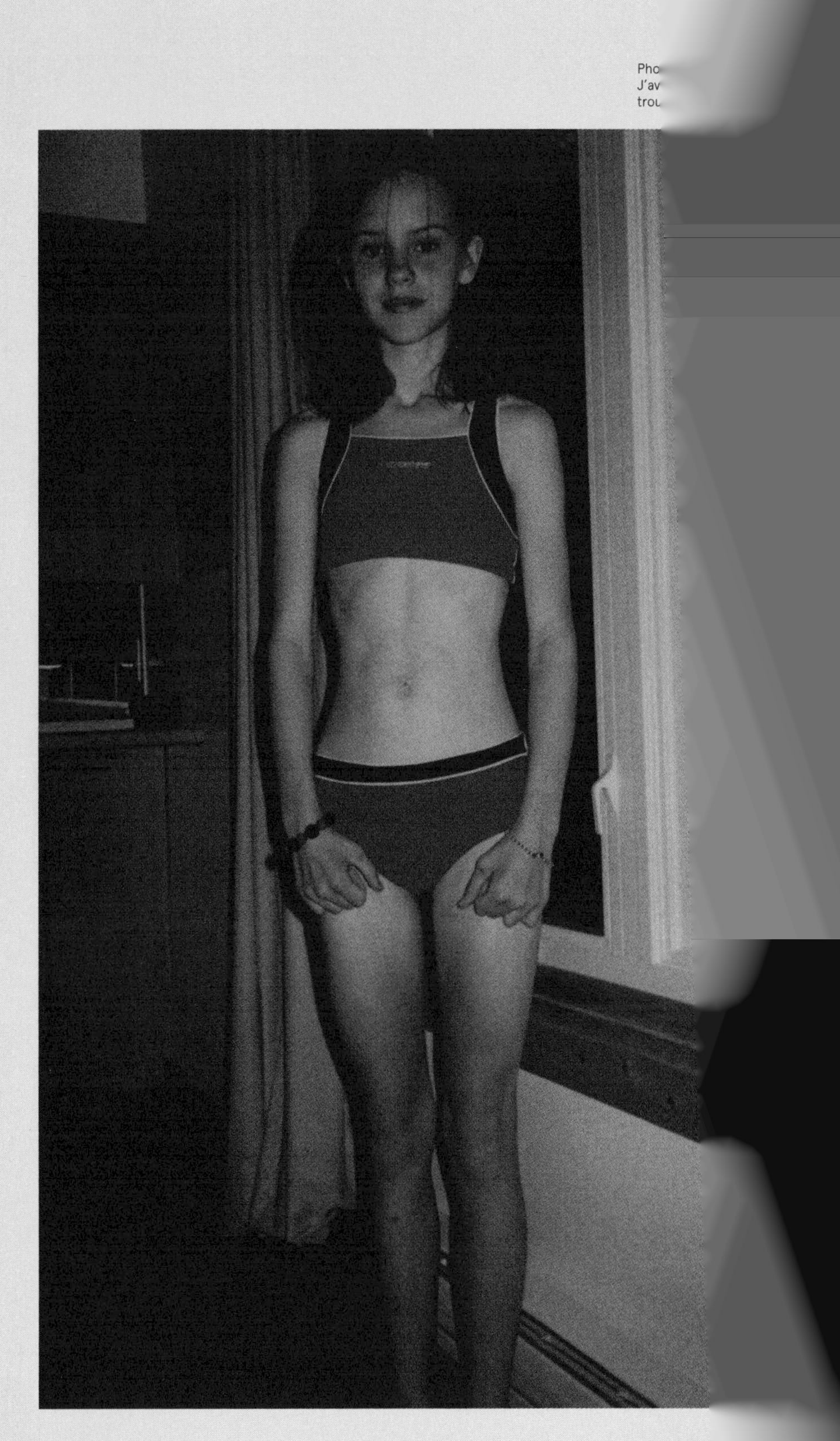

UN TABOU ULTIME

Pour beaucoup d'hommes, la question du poids est un tabou. Encore davantage que pour les femmes. Celles-ci ont longtemps été associées à la beauté : le beau sexe réfère à la gent féminine. Mais l'obsession des apparences fait fi du sexe de l'individu. Les troubles alimentaires en sont un exemple flagrant.

L'anorexie nerveuse est une maladie mentale que nous avons pris du temps à nommer. Ce sujet délicat est difficile... Dans l'imaginaire collectif, il semble moins « normal » que la maladie se développe chez les hommes. Pourtant, elle existe aussi chez les garçons, qui sont de plus en plus soucieux de leur image corporelle. Entre 5 % et 10 % des malades sont des hommes[41]. Lorsque j'aborde ce sujet, c'est une remarque qui s'impose naturellement : « Et les hommes, eux ? » Oui, les hommes. Ne les oublions pas.

Quand je vois des amis se rendre malheureux devant l'absence de muscles, je me dis que les femmes ne sont pas les seules aliénées. « Me trouves-tu beau ? » est devenu presque aussi commun que le fameux : « Me trouves-tu belle ? » *La revanche des moches*, ce n'est pas qu'une affaire de femmes. Les temps changent. Chez la gent masculine, l'idéal du corps est différent. Une étude doctorale menée à l'Université de Nantes par une étudiante en psychiatrie illustre cette singularité : « Finalement, dans les deux cas (l'anorexie masculine et féminine), la "phobie de la graisse" détermine une volonté apparente d'atteindre un idéal corporel. La tentative de se rapprocher au plus près de l'idéal masculin que constitue le V-Shape fait écho à la recherche féminine de minceur[42]. »

[41] « Anorexie nerveuse atypique chez l'homme. Particularités des troubles endocrino-sexuels de la dysmorphomanie », Dr A.E. Brukhin, *Revue Médicale Suisse*, 2012

[42] Charlotte Charoy, « L'anorexie mentale masculine: une anorexie comme les autres ? », Thèse, Diplôme d'État de Docteur en médecine, Qualification psychiatrie, 15 janvier 2008

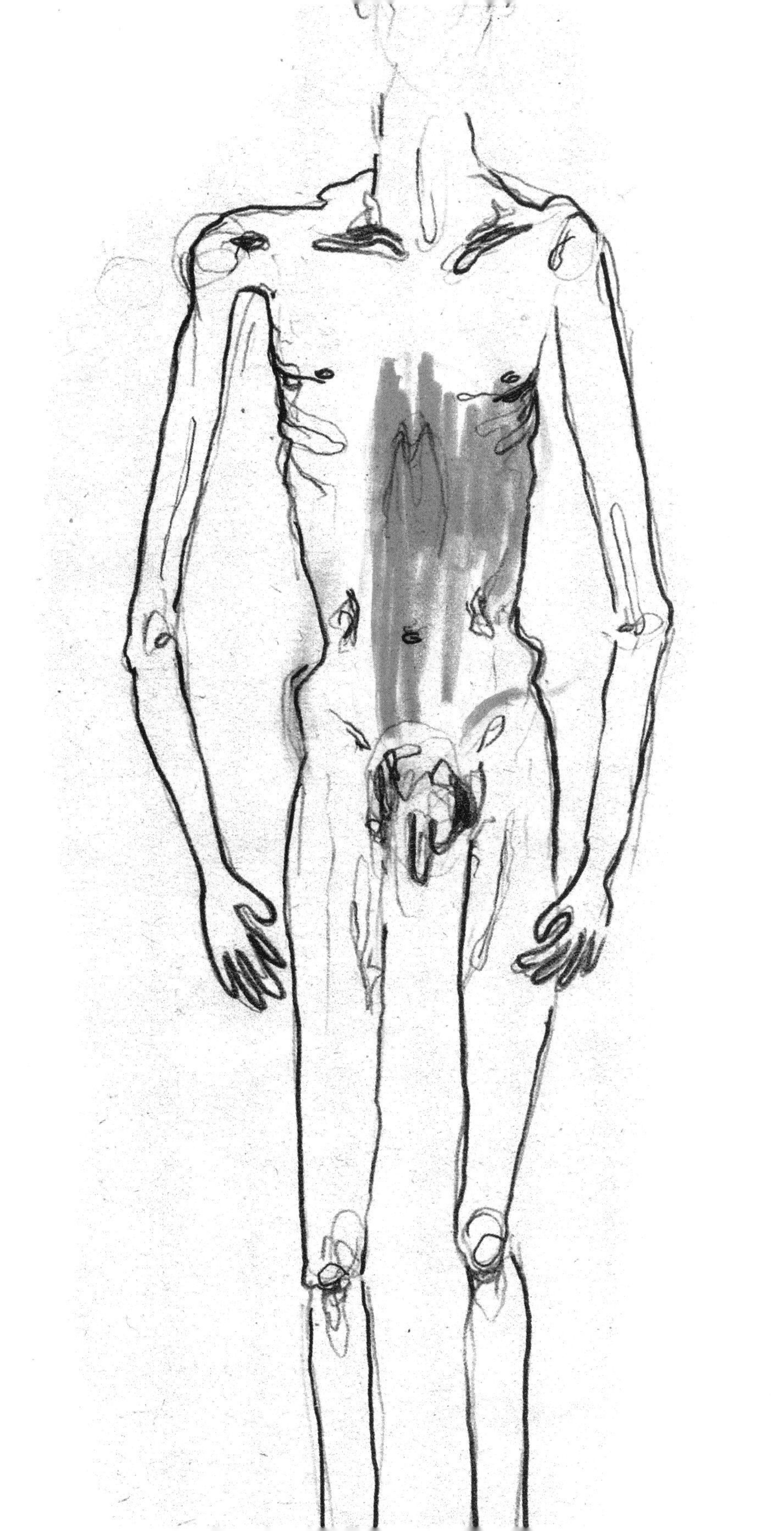

Marie-Michèle Dion
Bouchard

C'était devenu une drogue. Retrouver ma beauté d'enfant svelte et gracieux, ma beauté Originelle.

SIMON BOULERICE

AUTEUR ET COMÉDIEN

Simon Boulerice fait partie des jeunes créatifs de sa génération. Lors de mon exil à Paris, il travaillait sur un prochain roman sur le thème de l'anorexie masculine. Je l'ai rencontré dans le sixième arrondissement, au métro Odéon, en plein mois de février. Il était de passage dans la Ville lumière alors qu'il y présentait une pièce pour enfants. C'était magique de le voir dans ma ville d'adoption autour d'un verre. Un seul, le mien, car Simon ne boit pas... C'est vrai qu'il y a quelque chose qui rappelle l'enfant en lui. Pas étonnant, cet auteur de littérature et de théâtre jeunesse s'inspire de la juvénilité pour écrire. Et son passé l'inspire tout autant.

Quelles ont été les causes de tes troubles alimentaires? **Mes troubles alimentaires sont venus avec la perte de ma beauté. Car c'était vraiment de ça qu'il s'agissait: une perte. Comme celle d'un trousseau de clés. Un trousseau que je désirais retrouver coûte que coûte. Enfant, comme la plupart de mes amis à la garderie ou à la petite école, j'étais mignon. D'ailleurs, dans l'autobus scolaire, les grandes de 6e année me suppliaient de leur donner des bisous parce qu'elles me trouvaient trop cute. Dents de lait blanches, délicates et ciselées comme des perles, malingre de corps, mais joues légèrement pulpeuses. J'étais presque banal de beauté (il est en effet plutôt rare de voir sur les photos scolaires de la maternelle des enfants au physique ingrat...). Il faut généralement attendre l'arrivée d'une batch de dents d'adultes pour chambouler un physique d'enfant. Parce qu'un sourire troué, c'est beau. C'est encore beau, plutôt, ça a même un petit quelque chose de touchant. C'est véritablement quand les dents jaillissent une seconde fois, immondes, hypertrophiées, trop grandes pour la bouche juvénile, que le portrait peut se gâcher. C'est ce qui m'est arrivé comme aux autres, vers mes 7 ou 8 ans. Mais chez moi, les choses se sont particulièrement corsées: lors d'un voyage en Floride, en 2e année du primaire, en même temps que mes dents se prenaient pour des adultes, je me suis mis à manger comme un adulte. Je trouvais la nourriture réconfortante, voire calfeutrante. Je mangeais autant que mon père. J'étais affamé comme lui! Mon estomac a suivi l'amplitude de ma faim: je suis devenu gros. Un petit gros, mais un gros quand même. Je suis revenu de la Floride avec un bon surplus de poids, mais convaincu que ma beauté était inchangée. J'ai continué à suivre mon appétit vorace.**

C'est d'abord dans le regard des autres que j'ai pris conscience que mon poids dévastait petit à petit ma beauté. D'abord dans

le regard de mes camarades de classe, de ma famille, puis dans celui d'étrangers. J'entendais surgir les épithètes méchantes et ça me désespérait. On me surnommait « Bouboule », ce qui rendait autant justice à mon nom de famille qu'à mon tour de taille. J'ai terminé mon primaire chagriné, déçu de mon apparence. Ma sœur aînée finissait sa deuxième année du secondaire alors que je terminais ma 6e année du primaire. Elle m'a prévenue : ce serait dur pour moi. Comme je ne voulais plus être la risée, j'ai pris les choses en main pour redevenir mince. La danse, activité physique que j'ai toujours chérie, ne laissait aucune trace sur mon corps autre que ma souplesse. Je me suis donc attelé comme je le pouvais. Mais je ne pouvais pas ne pas manger. Or, la nourriture avalée me culpabilisait. J'ai donc entrepris, à l'été de mes 12 ans, de m'astreindre à un régime libérateur : me faire vomir. Mon but était de commencer le secondaire avec ma taille d'antan et de perdre mon surnom.

Je me suis mis à me faire systématiquement vomir après chaque souper. Au départ, j'appréhendais d'enfoncer les deux doigts dans le fond de ma gorge. Mais rapidement, le geste m'apaisait. Au troisième haut-le-cœur, je savais que tout le repas avalé en famille allait disparaître dans la toilette. Je me débarrassais de ma culpabilité. J'acceptais maintenant en toute bonne foi d'avaler les repas caloriques et infiniment québécois de ma mère parce que je savais que j'allais éliminer le tout en provoquant mon vomissement de fin de soirée. Mon vomissement quotidien. Je me couchais toujours le ventre vide (vidé, plutôt), et je trouvais difficilement le sommeil tant la faim me tiraillait l'estomac. Mais peu à peu, la faim s'est fait moins ressentir. Mon corps a pris l'habitude de cette routine violente : souper généreux, vomissement intégral dudit souper, puis dodo.

C'était devenu une drogue. Retrouver ma beauté d'enfant svelte et gracieux, ma beauté originelle, redevenir l'enfant de maternelle qui charmait les filles de 6e année dans l'autobus scolaire. Et ça a plutôt bien fonctionné : ma taille s'est réduite rapidement. Peu avant la rentrée, ma tante Chantal a soulevé mon t-shirt pour me dire que je fondais. J'avais fondu, en effet. J'étais gonflé de fierté. « J'espère que ce n'est pas un ver solitaire », qu'elle a dit. Ma boulimie de fin de soirée était mon précieux ver solitaire. Le secret de ma réussite : deux doigts disciplinés dans l'antre de ma gorge. J'ai perduré, fièrement. Je suis entré au secondaire mince, j'en suis sorti maigre. Mes deux doigts ont maintenu cette rigueur pendant un peu moins de cinq ans.

Pourquoi les troubles alimentaires sont-ils encore plus tabous chez les garçons que chez les filles ? **Parce qu'elle est contraire à la majorité, à la norme de cette « anomalie ». J'ai la vive impression que les gens sont mal à l'aise quand on sort de leur norme à eux. Or, pour la plupart des gens, l'anorexie est un mal étrange et ridicule. Une maladie stupide. « Pourquoi s'empêcher de manger ? Pourquoi se faire vomir ? Tu es mince, tu es rendu à un stade parfait. Cesse maintenant. » C'est un discours courant. Mais c'est plus complexe que ça. L'anorexique se voit de façon biaisée. Ma perception l'était. Même quand j'étais mince, ce n'était pas assez. Je me pesais quotidiennement et m'obligeais à poursuivre dans cette lutte aux kilos, synonymes du mal, de la laideur. La grande majorité des gens considèrent ce comportement comme anormal, oui, mais féminin. Qu'un garçon éprouve ce problème relèverait d'une double anomalie, en quelque sorte.**

Dans mon cours de formation personnelle et sociale en troisième secondaire, on présentait les adolescents comme des futurs hommes ambitionnant un corps hypertrophié, large, immense. Un Arnold en devenir. À l'opposé, notre prof nous expliquait que les adolescentes visaient le corps-enfant. Rester menues le plus longtemps possible. Je trouve que ce sont des propos caricaturaux, sectaires et sexistes à l'os. Même un peu nocifs, selon moi. Je n'avais aucunement envie de prendre de l'expansion comme Arnold. Je me sentais doublement isolé.

Encore récemment, à l'émission *Les Docteurs* à Radio-Canada, au cours d'un segment consacré à l'anorexie, la docteure spécialiste a abordé le sujet en ne parlant que des filles. « Les adolescentes peuvent être… » À la fin, de mémoire, elle a reconnu que des garçons pouvaient être touchés par la maladie. Mais en féminisant d'emblée le phénomène, j'ai l'impression que ça ostracise et marginalise encore plus l'anorexique mâle.

Donc, mon sentiment est le suivant : si l'anorexie demeure un tabou chez les filles, chez les gars, elle représente le tabou ultime et total. La marginalité sur toute la ligne.

Trouves-tu que c'est répandu ? **Je suis de nature transparente. Je n'ai pas de problème à me livrer et encore moins à me faire tirer les vers du nez. Or, il m'est arrivé que je parle de ces problèmes alimentaires, problèmes qui sont plutôt loin derrière moi. Et chaque fois que je me suis ouvert, que ce soit à des amis proches ou plus éloignés, j'ai été un peu surpris de voir à quel point je n'étais pas un cas extraterrestre. Souvent, la**

Simon Boulerice en 5e année du primaire, photo tirée de la page Facebook de l'auteur

Simon Boulerice en secondaire 5, photo tirée de la page Facebook de l'auteur

personne à qui je parlais connaissait un autre cas masculin dans son entourage.

Toutefois, puisqu'il est hautement tabou, j'ignore si c'est un phénomène réellement répandu. Mais je dois admettre que je suis loin d'être le seul à être passé par là.

Comment tes parents ont-ils réagi? Ma grande sœur s'est rendu compte que je me faisais vomir après chacun des repas familiaux. Je ne suis plus certain de comment elle a fait sa découverte, mais je sais qu'elle a gardé ça pour elle pendant un bout de temps. Et un soir, paf! En plein souper avec une grande tante, elle stoppe ma mère qui vante son fils qui s'est discipliné et qui a réussi à perdre tant de poids. «Simon se fait vomir.» Ma mère a fait les yeux ronds, a dit une phrase du genre: «Ça, c'est moins bien, par exemple.» Et on n'en a plus jamais reparlé.

Je la comprends: ça la dépassait totalement. C'était une tache inconcevable à ma réussite de bon fils, moi qui performais à l'école, qui remportais souvent les honneurs dans les galas d'excellence de fin d'année, qui étais toujours poli avec tout le monde, qui faisais partie de plein de comités scolaires dont une mère peut se vanter, qui ne m'absentais jamais de la maison sans prévenir (et qui ne m'absentais pas tout court!). Elle a, je crois, voulu maintenir cet équilibre. Elle n'a pas voulu rompre quoi que ce soit, et c'est super compréhensible. Le malaise devait prendre toute la place. Mon père n'en a jamais rien su. Et ça me va. Mes problèmes alimentaires ne découlaient pas d'une pression directe que mes parents m'auraient mise sur les épaules. La pression venait du reste de mon entourage et surtout de moi-même. C'est moi le premier qui ai tout fait pour maintenir l'ordre originel.

Sommes-nous une société obsédée par les apparences physiques? Je ne connais personne, fille comme garçon, qui ne soit pas modérément préoccupé par son apparence. Quant à l'obsession, oui, même si elle n'est pas généralisée, elle est bel et bien là. À la télévision, au cinéma, en publicité, elle est partout. La société s'en gave.

Heureusement, il y a des champs d'activité plutôt protégés. Le théâtre en fait partie. Par exemple, une jeune actrice avec un problème de strabisme exotropique comme celui de Jean-Paul Sartre verra très certainement les portes de la télé et du cinéma se fermer dès sa sortie de l'école de théâtre, peu importe l'étendue de son talent. Il y a des exceptions, bien sûr (le strabisme de Dalida, par exemple), mais elles sont si rares.

Remontons dans mon adolescence. Je crois que c'est en 1998 que j'ai véritablement compris l'impact de la beauté dans notre société. C'est avec l'émission *La Fureur*, diffusée à Radio-Canada. Le concept était simple : deux équipes de vedettes, gars contre filles, s'affrontaient et répondaient aux questions musicales que leur posait Véronique Cloutier. Et derrière eux, dans les gradins, des spectateurs du même sexe que les artistes participants. Mais les gens captés par la télé étaient tous d'une beauté plastique typique. Les hommes étaient jeunes, bronzés et musclés. Les femmes fraîches, minces et avantageusement maquillées. C'était surprenant. Une lettre ouverte dans un journal populaire avait confirmé mes doutes, peu de temps après les premières émissions. L'auteur de cette lettre avait été figurant lors d'un enregistrement, et on l'avait relégué au fond de l'estrade, question de télégénie. On favorisait clairement les physiques heureux, dont les kodaks sont amoureux, au détriment des autres, les plus quelconques. Ç'a été tout un choc pour l'adulte civilisé que j'étais sur le point de devenir, c'était une découverte injuste et horripilante.

Depuis, je vois peu de répit à ce culte obsédant, dans notre société. Mais heureusement, il y a eu Manon Massé récemment. Cette femme politique, pour moi, a fait le plus beau pied de nez à cette obsession maladive en refusant de s'épiler le duvet de poils au-dessus des lèvres sur les affiches électorales en août 2012. Quel puissant affront ! J'ai été agréablement touché par son statement moustachu, tellement que j'ai été incapable de ne pas lui écrire un message de félicitations sur Facebook. Mais des gens comme Manon Massé, il y en a peu. Les jeunes gavés de vidéoclips avec des figurants aux corps parfaits et retouchés n'ont pas de tel exemple. Je suis moi-même un enfant de la télé. J'ai grandi devant mon écran cathodique, admiratif des corps musculeux de Jean-Claude Van Damme ou de ceux de toute la distribution d'*Alerte à Malibu*. Je regrette sincèrement qu'il n'y ait pas plus de Manon Massé à la télé.

Quels critères de beauté ont la cote dans la société, selon toi ?

Ils sont nombreux : le poids en deçà du poids santé, le muscle, la blancheur des dents, la douceur de la chevelure et de la peau, la netteté des traits du visage, la finesse d'un nez et la démesure des yeux. La symétrie est souvent garante de succès.

Mais bien que la quête de la symétrie soit populaire et recherchée, j'ai l'impression que les beautés qui ont la cote sont celles équilibrées, mais avec de légers accidents de symétrie, de petits accidents de parcours.

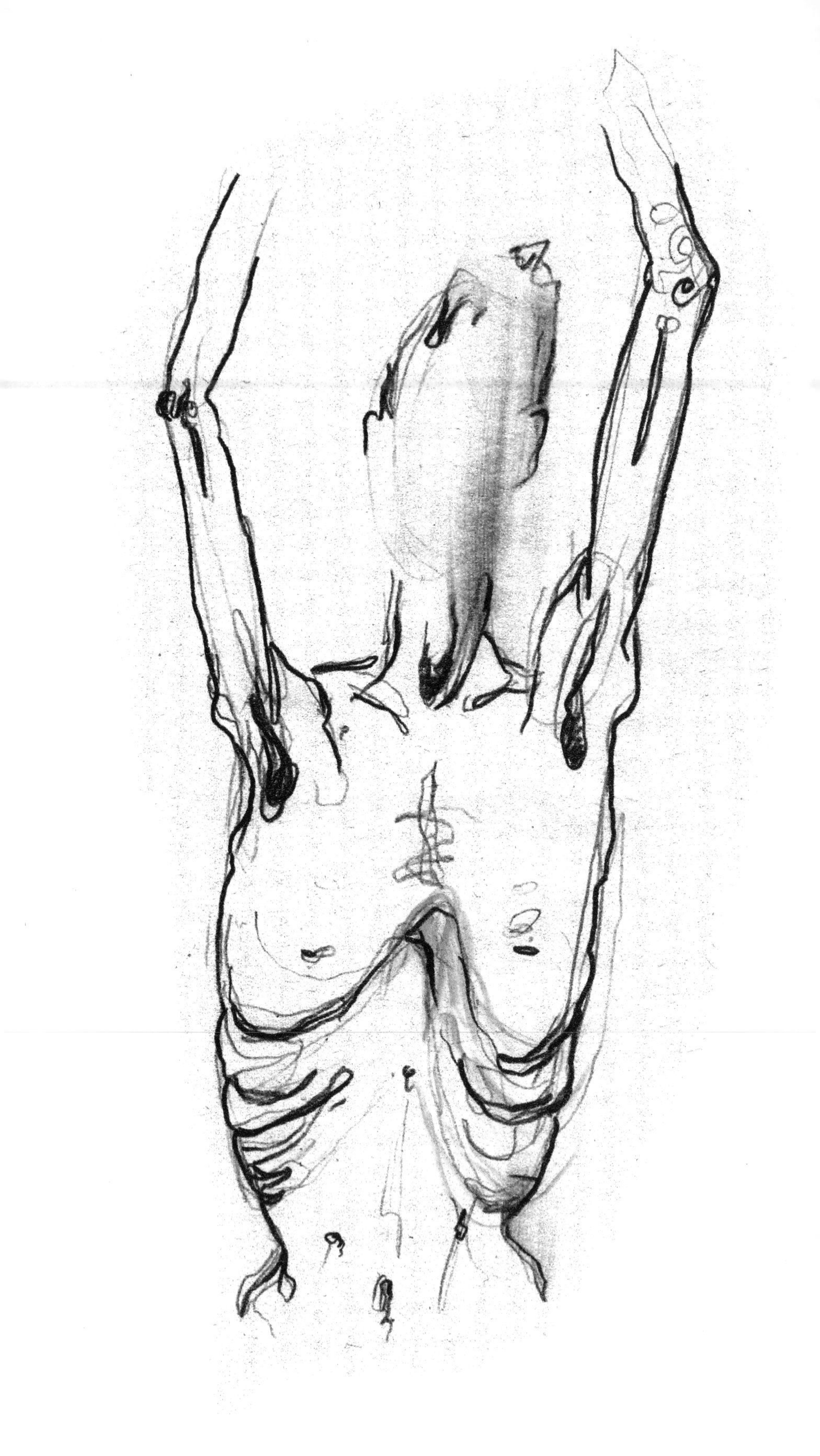

Le nez aquilin d'Uma Thurman ou, chez nous, de Mahée Paiement. Celui croche de Penelope Cruz ou immense d'Adrien Brody. Le strabisme léger et sexy de Ryan Gosling. Le front proéminent de Reese Witherspoon et de Matt Damon. Le cou de girafe gracieux de Tilda Swinton ou d'Anne-Marie Cadieux, et leurs yeux d'extraterrestres. Les bouches infinies de Julia Roberts, Cameron Diaz ou de Lana Del Rey. Les oreilles de Garou, décollées comme celles d'un judoka. Les sourcils pileux et fournis de Jennifer Connely. Les taches de rousseur de Julianne Moore. Le grain de beauté savamment placé (mais de manière plus naturelle que celui Marilyn Monroe) de Cindy Crawford. L'écart entre les deux palettes de Madonna ou de Vanessa Paradis. La dentition générale de Gael Garcia Bernal. Tout ça crée un petit supplément à leur beauté. Leur imperfection met leur beauté en valeur. Et une beauté sans imperfection, ça fait peur, je crois. C'est louche, surtout.

Dans le milieu du théâtre et de la danse que tu connais particulièrement, est-ce que tu ressens cette préoccupation excessive du poids? **À l'école de théâtre, heureusement non. Évidemment, on nous incite à être en forme, car le corps est l'outil du comédien, mais un excédent de poids n'est plus aussi mal vu qu'avant. C'est une préoccupation de plus en plus tempérée, je dirais. À une certaine époque, au début des années 1980, on refusait des actrices enrobées dans les écoles sous prétexte qu'elles ne travailleraient pas de toute façon, et que le costumier ne contenait pas de corsets et de robes suffisamment larges pour elles. Les temps ont changé, alléluia! Des actrices rondes peuvent mener des carrières flamboyantes sur les planches. Kathleen Fortin et d'autres en font foi. Comme je disais, oui, la télé est plus frileuse, mais elle n'est plus totalement fermée.**

La danse, c'est plus embêtant. Oui, les danseurs plus ronds ont de plus en plus leur place dans les écoles de danse contemporaine, mais certains milieux sont plus récalcitrants. En danse, les écoles de ballet classique font un peu office du monde de la télé ou de la pub. Au sens où c'est encore conservateur. C'est tellement codé. On préconise le corps symétrique. Gracile pour la fille, sculptural pour le garçon. Dans une structure aussi rigide et passéiste, mais néanmoins plutôt compréhensible (la symétrie et la netteté sont le but ultime, et les gars doivent tous soulever leur partenaire à l'unisson et de manière identique), il est dur de bousculer les regards en ce qui concerne la diversité des corps.

En tous les cas, de plus en plus, en théâtre ou danse contemporaine (chez Dave St-Pierre, notamment), on renouvelle la vision du corps. Les artistes créent davantage à partir de leur physique. Ils composent véritablement avec leur outil unique. Un corps rond sur une scène ne dit pas la même chose qu'un corps malingre. La diversité est inspirante. Je pense que le milieu des arts de la scène s'en rend compte depuis plusieurs années déjà. C'est rassurant.

J'ai lu l'article de Nathalie Petrowski à ton sujet, elle semble avancer que tu avais un côté «enfant», est-ce que ça a un lien avec ton anorexie[43]? **Tu vois, le côté «enfant», on m'en parle souvent. Je le trouve surutilisé sur ma personne, mais sans doute suis-je mauvais juge de moi-même. Il est vrai que j'ai la nostalgie aiguisée. Que j'aime me rappeler mon enfance, que j'écris beaucoup sur l'enfance ou pour les enfants, que j'étais très alerte et éveillé, que je me souviens de tout au point que ça fasse peur à ma sœur. Mais je me sens ancré dans le présent.**

[43] Nathalie Petrowski, «Simon Boulerice: un enfant pas comme les autres», *La Presse*, 10 novembre 2012

Certains refusent de vieillir. Ce n'est pas mon cas. Ou plutôt, ce ne l'est plus. J'ai récemment eu 30 ans. Ça m'a donné un petit coup, mais ça va. Je suis épanoui, même si mon corps a épaissi avec les années. Je n'ai plus la sveltesse de mes 6 ans ni celle de mes 17 ans. Ce qui m'a sauvé de ce culte de la minceur et de la performance scolaire, c'est quitter mon coin de pays. Je viens d'une petite ville (Saint-Rémi). J'y ai vécu toute mon enfance jusqu'à 17 ans. Je suis parti vivre à Montréal pour mes études collégiales en littérature. Ç'a été une délivrance, une réelle émancipation. Pas parce que j'étais malheureux. Parce que je m'étais inscrit en victime dans mon patelin. J'étais modérément ostracisé au début de mon secondaire et, bien que je me sois épanoui vers la fin, j'étais confiné à vivre dans le regard des mêmes camarades de classe depuis la maternelle. Ceux-là mêmes qui un jour, quelque part en 3e année, m'avaient sacré «Bouboule». Adolescent, de la part de personne, je ne sentais aucun désir pour mon corps. Je ne représentais absolument rien sur le plan charnel. Je n'étais qu'un cerveau, qu'une réussite académique. Charnellement, j'étais invisible. Je poursuivais ma vie d'enfant cute et adorable, bien que les aptitudes me faisaient défaut. Je suis parti de Saint-Rémi. Ma vie à Montréal, parmi un nouveau réseau d'amis qui ne me connaissaient ni d'Eve ni d'Adam, a été une bénédiction pour ma santé. J'ai étonnamment cessé de me faire vomir dès que j'ai senti que je pouvais exercer un pouvoir de séduction sur certaines personnes.

Quelles sont tes œuvres marquantes qui traitent de la beauté ?

Trois livres sortent du lot pour moi.

La Bâtarde **de Violette Leduc (1964). Un chef-d'œuvre sur l'impact de la laideur dans une vie. La laideur défigure sa vie. C'est une œuvre autofictionnelle, car Leduc utilisait toujours sa propre existence pour écrire. D'ailleurs, dès qu'elle en a eu les moyens, elle a fait refaire son nez, qui la tourmentait tant, à une époque où personne ne faisait ça. Surtout chez les intellectuels !**

La Danse juive **de Lise Tremblay (1999). Le rapport à la beauté à la laideur n'est pas traité de façon aussi frontale que chez Leduc, mais ça reste férocement évoqué. Il y a des passages très bouleversants dans ce livre. Comme ce moment où la narratrice obèse morbide (150 kilos) joue paresseusement du piano pour des classes de ballet où les petites danseuses malingres se font vomir entre les séances. Le décalage est percutant.**

L'Enfant dans le miroir **de Nelly Arcan (2007). Je ne suis pas précisément un admirateur d'Arcan, mais ce texte s'avère un conte cruel et puissant sur le refus de la laideur, la quête de la minceur et la sacralité de la jeunesse. Avec habileté et honnêteté, Arcan traite du culte du corps et du visage parfaits. Les dessins à l'encre de Chine de Pascale Bourguignon ainsi que les fioritures de la calligraphie du texte ajoutent au contenu tendre amer. C'est une œuvre très forte en plus d'être un objet unique.**

Simon est un garçon réfléchi. Son image le préoccupe encore aujourd'hui. Il met les mots sur une réalité peu connue, l'anorexie masculine. La préoccupation excessive du poids est un fléau actuel autant pour les gars que pour les filles. C'est bien la preuve que l'obsession pour les apparences n'est pas exclusivement féminine.

Simon Boulerice n'est pas le seul à prouver que l'anorexie touche également les garçons. Je suis arrivée aux mêmes réflexions à la suite de ma rencontre avec Marc Béland.

maintenant, j'ai gagné en raffinement intérieur.

MARC BÉLAND

COMÉDIEN ET DANSEUR

Photo personnelle fournie par le comédien

Marc Béland est né en 1958. Danseur, comédien et metteur en scène, il a marqué la scène culturelle québécoise. Il a fait partie de la troupe renommée de danse contemporaine La La La Human Steps de 1984 à 1989 aux côtés d'Edouard Lock et de Louise Lecavalier. Avant de se consacrer au jeu comme metteur en scène et acteur au théâtre, au cinéma et à la télévision, il a étudié, scruté, sculpté, travaillé et perfectionné son corps ! J'avais envie de le rencontrer pour son expérience diversifiée comme créateur. Je n'ai pas été déçue. Surprise ? L'ancien danseur a aussi souffert d'anorexie nerveuse.

C'est par un après-midi d'été que je convie Marc au Café Cherrier, à Montréal. Il arrive, lunettes fumées au bout du nez, un peu inquiet comme les comédiens peuvent l'être. Je perçois sa nervosité, mais je tente de le rassurer. Marc m'apparaît comme un type honnête, vivant et transparent : un livre ouvert. Je sens tout de même la retenue dans ses propos.

[44] « Marc Béland passe aux aveux », *Elle Québec*, février 2012

Je l'aborde d'abord avec une entrevue accordée au magazine *Elle Québec*, où il reprenait les propos de Nancy Huston : **« Le corps de la pute ou de la femme qu'on traite comme une pute, c'est le corps de la mère qu'on maîtrise enfin. On paie pour pouvoir la contrôler comme elle nous a contrôlés, enfants[44]. »** Marc Béland est féministe comme moi. Sa vision du rapport au corps en est profondément influencée. Mais les hommes sont aussi très touchés par la pression sociale... Il en est lui-même un exemple patent.

Marc Béland ne s'en cache pas. L'image, la sienne, le préoccupe. Son métier de comédien le rend vulnérable face à ce qu'il voit dans le miroir. Préoccupé par son physique depuis toujours, il a dû gérer ses insécurités.

Pendant des années, il fait du karaté et du yoga, ce qui lui permet de pratiquer ce qu'il appelle la « mise en disponibilité » de son corps, comme il doit le faire lorsqu'il monte sur les planches. **« C'est un état dans lequel se mettent toutes les personnes qui s'exposent devant le public, explique-t-il. C'est un instant où on est complètement dévoué à ce que l'on fait, où l'on vit le moment présent. »** Il croit qu'en atteignant cet état qu'il qualifie de « mini-transe », son image extérieure reflète automatiquement ce qu'il ressent à l'intérieur.

Dans sa vingtaine et sa trentaine, Marc était sculpté au couteau.

« J'avais un corps qui répondait aux exigences de ce que j'avais à faire : danser. Maintenant, je n'ai plus besoin de ça, donc mon corps change. D'une certaine façon, je dois en faire un deuil, mais d'un autre côté, j'ai gagné en raffinement intérieur. Il y a donc eu une perte, mais un gain ailleurs. »

Lorsqu'il a cessé de danser pour se consacrer au jeu, il s'est rendu compte que son image corporelle devait aussi s'adapter à ce nouveau métier où les personnages ont souvent des corps bien différents de ceux des danseurs. **« Je m'en suis aperçu le jour où je jouais un personnage qui était torse nu. Un spectateur m'a dit un soir qu'il avait du mal à s'identifier à moi parce que mon corps était trop musclé, comme si je n'étais pas un vrai homme ! »** Il s'est donc mis à « humaniser » son corps en ne lui exigeant plus que les exercices physiques nécessaires dans la vie de tous les jours.

Béland a un grand besoin du regard des autres. Il lui arrive donc de se demander s'il en fait assez pour être remarqué. Sinon, il a l'impression de ne pas exister et de ne pas être en relation avec les autres. Adolescent, cela s'est traduit par des épisodes d'anorexie. Il croit qu'inconsciemment, c'était une façon de crier à l'aide, de forcer les autres à tourner leur regard vers lui et d'être aimé. **« Je n'arrivais pas à m'aimer comme tel. J'étais obsédé par mon corps. C'était un moment extrêmement difficile pour moi. »** La danse l'a aidé à s'en sortir parce qu'il a réalisé que, s'il ne mangeait plus, son corps n'aurait pas l'énergie nécessaire pour se développer comme l'exigeait son travail.

Comme comédien, il a dû accepter que son corps soit à la fois un outil pour faire vivre des personnages et, en même temps, une contrainte, puisqu'une part de lui-même sera toujours visible. **« Je ne peux rien contre le fait que ça restera toujours Marc Béland qui est derrière le masque… »**

À part lui dire qu'il n'était pas rasé de près, on n'a jamais recommandé ou exigé de Marc qu'il modifie son apparence. Il le fait avant même qu'on le lui demande. **« Pour certains personnages, je perds du poids. Quand je dois en prendre, là, c'est plus difficile. »**

Pour les comédiens, les apparences ont une influence décisive sur les rôles qu'ils auront. **« Je connais un acteur qui était profondément triste parce qu'il était conscient qu'on lui donnait toujours des rôles de losers. C'est dur, ça ! Faut être fort intérieurement pour assumer ces rôles. »**

Marc a parfois l'impression que certaines personnes sont devenues obèses inconsciemment pour se protéger du monde extérieur. **« Ça me touche énormément de voir toutes ces différences : chaque corps porte son histoire, ses failles, ses fragilités. »**

© Photo Sylvie Trépanier, tirée du site de son studio de yoga, le Wanderlust à Montréal

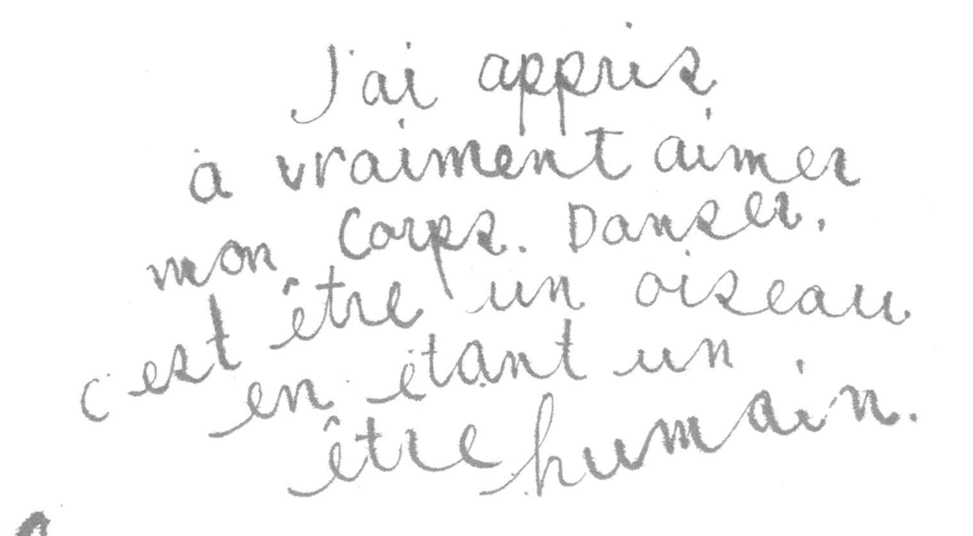
J'ai appris
à vraiment aimer
mon corps. Danser,
c'est être un oiseau
en étant un
être humain.

GENEVIÈVE GUÉRARD

BALLERINE ET ANIMATRICE

Comme Marc Béland, Geneviève Guérard, ex-première danseuse des Grands Ballets canadiens de 1999 à 2006 et animatrice télé a beaucoup dansé, on s'en doute ! Son cheminement est singulier. Geneviève a traversé vents et marées à ses débuts comme danseuse. Un jour, elle a décidé d'arrêter de lutter contre son poids et de danser avec, littéralement. Après sa carrière de ballerine, Geneviève s'est mise au yoga et c'est ce faisant qu'elle a vraiment accepté son corps. Entièrement. Voilà un parcours positif que j'avais envie de découvrir.

Je la rencontre dans son studio de yoga situé sur la rue Laurier, le Wanderlust. L'ancienne banque remise à neuf respire la tranquillité. Les vieux planchers de bois franc verni éclairent le hall d'entrée où deux employés m'accueillent gentiment. L'atmosphère empreinte de sérénité donne le goût de s'y installer de longues heures. Je m'assois sur un pouf confortable près des amateurs de yoga qui planifient calmement la logistique des cours en attendant Geneviève. On se sent dans un cocon chaud, un monde à part.

Geneviève, rayonnante, me rejoint. Elle ne fait pas ses 40 ans. Vraiment pas. Zen, éblouissante, aucune ride au visage, elle me reçoit chaleureusement comme si nous étions des copines. L'ex-ballerine sait aussi où elle s'en va : on ne perd pas de temps. On s'installe dans une loge de son studio de yoga alors qu'un cours est donné simultanément. Et nous allons au vif du sujet.

LA QUÊTE DE MINCEUR

Geneviève a débuté en danse par hasard. Elle rêvait d'être comédienne alors qu'elle faisait du théâtre avec une amie. Pour l'aider, elle l'accompagne aux auditions de l'école de ballet de l'époque à Montréal, Pierre-Laporte, à Ville Mont-Royal. Le rêve de sa copine est clair : devenir ballerine. La vie fait drôlement les choses. Geneviève, qui n'avait jamais fait de pointes ni même jamais dansé, est acceptée, mais pas sa complice. **« Ils m'ont découvert un talent, et moi, je me suis trouvé une passion. »** Le déracinement n'a pas été facile. Elle venait d'une famille de la classe moyenne de La Prairie — maman infirmière, papa agent d'immeuble — pour aboutir parmi la classe aisée de Ville Mont-Royal.

Rapidement, elle se fait dire qu'elle a de belles jambes et de beaux... pieds !? Elle est ainsi plongée sans le vouloir dans un univers obsédé par le poids, où elle réussit tout de même à performer. En deuxième secondaire, ses camarades et elle ressentent déjà la pression d'être minces. En troisième secondaire, elles n'ont plus le choix. Elles doivent être encore plus minces. **«Et en quatrième secondaire, beaucoup d'entre nous étaient anorexiques et boulimiques.»**

Geneviève se rappelle même avoir cessé de manger le temps d'une semaine: **«Je l'ai essayé. Je ne mangeais que de la gomme le matin et le soir et un Sprite. Sans compter que je dansais quinze heures du lundi au vendredi.»** Pendant quelques mois, elle a souffert de troubles alimentaires. **«C'était mon rêve d'être un cure-dent.»** Un idéal inatteignable? À l'école, les professeurs leur montraient des images des prestigieux ballets de Balanchine où les danseuses avaient l'air plus anorexiques les unes que les autres. C'était leur modèle à suivre, un modèle d'extrême maigreur.

LA CEINTURE DE COTON

Pendant sa phase anorexique, elle se couchait toutes les nuits avec une immense ceinture de coton pour comprimer ses seins en espérant cesser leur croissance. La famille ne s'en est pas rendu compte. **«Les ados sont faits pour passer en dessous du radar. Cette histoire-là, je ne l'ai racontée à personne. Tu es la première à qui je le dis.»** Un jour, Geneviève se réveille et oublie sa ceinture sous sa jaquette. **«Je pense que c'était un acte manqué. Quand ma mère m'a vue, elle s'est mise à pleurer toutes les larmes de son corps. J'ai allumé. Ça a été fini d'un coup quand j'ai compris la douleur de ma mère. À l'intérieur, ça a fait fuck it, je vais danser avec le corps que j'ai ou je ne danserai pas. Et j'ai tenu mon bout. J'ai accepté le petit "cinq livres de trop" selon mon milieu. Être ballerine professionnelle, c'est beaucoup plus qu'être un corps.»**

D'où vient cette obsession pour la maigreur? Il se pourrait que cela soit l'idée de Balanchine, le chorégraphe russe très célèbre, fondateur du New York City Ballet, qui ne jurait que par une chose: les lignes, pas les formes. «I want to see lines», disait-il à ses danseuses. Le rapport d'autorité avec un tel maître n'est pas discutable. **«C'est comme en mode. Qui oserait contredire Karl Lagerfeld? Personne.» C'est Balanchine même qui avait dit à l'une de ses anciennes danseuses, Gelsey Kirkland, dans son ouvrage *Dancing on my grave*, où elle raconte le côté sombre de travailler avec le grand maître: «I want to see bones. Don't eat less, eat nothing.»** L'ex-ballerine raconte sa phase

cocaïnomane et anorexique sous la direction du génie tyrannique et adulé.

LE YOGA POUR GUÉRIR

Il aura fallu les larmes de sa mère pour que Geneviève se guérisse. Le temps nous prouve qu'il est possible de faire sa marque en danse sans se rendre malade. Ne devient pas première danseuse des Grands Ballets canadiens qui veut !

La transformation de Geneviève s'est complètement achevée avec le yoga qu'elle a commencé par hasard (encore !) il y a huit ans. **« Quand j'ai commencé le yoga, j'ai appris à vraiment aimer mon corps. Auparavant, j'avais juste des reproches à lui faire. On dit souvent que danser, c'est être un oiseau en étant un être humain. »**

C'est donc seulement il y a huit ans, après sa carrière de ballerine où elle nous faisait toutes rêver, que Geneviève s'est sentie parfaite pour la première fois. Et pourtant, elle a réussi à inspirer bon nombre de petites filles et de femmes à danser comme elle l'a fait, avec le corps qu'elle avait, mais surtout avec toute son âme ! Un modèle à suivre.

L'ESTIME DE SOI

Parce que le courant psycho-pop a galvaudé selon moi la notion d'estime de soi, le privant de tout sens pertinent, j'ai longtemps sous-estimé le concept. Or, j'ai eu tort : cette notion est très importante au sein de mon cheminement

Qu'est-ce que l'estime de soi, au juste ? Cette idée a été développée par William James dès 1890. Le self-esteem est le rapport avec ce que nous sommes comme individu (réussite sociale et apparences) et ce que nous voudrions être. L'estime de soi se construit dès l'enfance[45].

[45] William James, *The Principles of Psychology*, 1890

Le culte des apparences a de sérieuses conséquences sur notre estime de soi. Cela souligne un autre paradoxe si flagrant: nous vivons dans une société où le bonheur de l'individu n'a jamais été aussi important. Pourtant, nous nous obligeons à obéir à des normes esthétiques qui nous rendent malheureux. C'est moi ou c'est profondément illogique ?

Le culte des apparences est composé, en grande partie, par l'obsession de la minceur. Certains chiffres le prouvent.

LE SAVIEZ-VOUS ?

75 000

Le culte de la minceur est tellement présent dans la culture occidentale qu'au Québec même, 75 000 femmes souffriraient de troubles alimentaires[46].

Le groupe québécois ANEB (Anorexie et boulimie Québec), estimait que 8 % de femmes souffrant soit d'anorexie mentale, soit de boulimie[47].

[46] National Eating Disorder Information Centre (NEDIC)

[47] American Psychistric Association Work Group on Eating Disorder, *Practice guideline for the treatment of patients with eating disorders, American Journal of Psychiatry*, n° 157, 2000, p 1-39

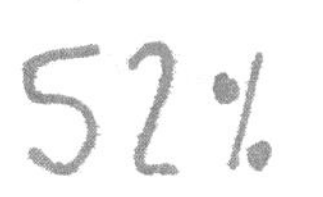

52 % des filles commencent un régime avant l'âge de 14 ans[48].

[48] C. Johnson, C. Lewis, S. Love, L. Lewis, M. Stuckey, *Incidence and correlates of bulimie behaviour in a female high school population*, *Journal of youth and adolescence*, nº 1, 1984, p. 15-26

S'il existe une obsession d'extrême minceur dans notre société, qu'en est-il des personnes plus rondes ? Qu'en est-il de leur estime de soi ? Plutôt facile à deviner. À en croire un témoignage comme celui de Maryse Deraiche, les gros sont encore et toujours ostracisés. Maryse met d'ailleurs les mots justes sur un autre tabou de notre époque, la réalité d'une ex-obèse.

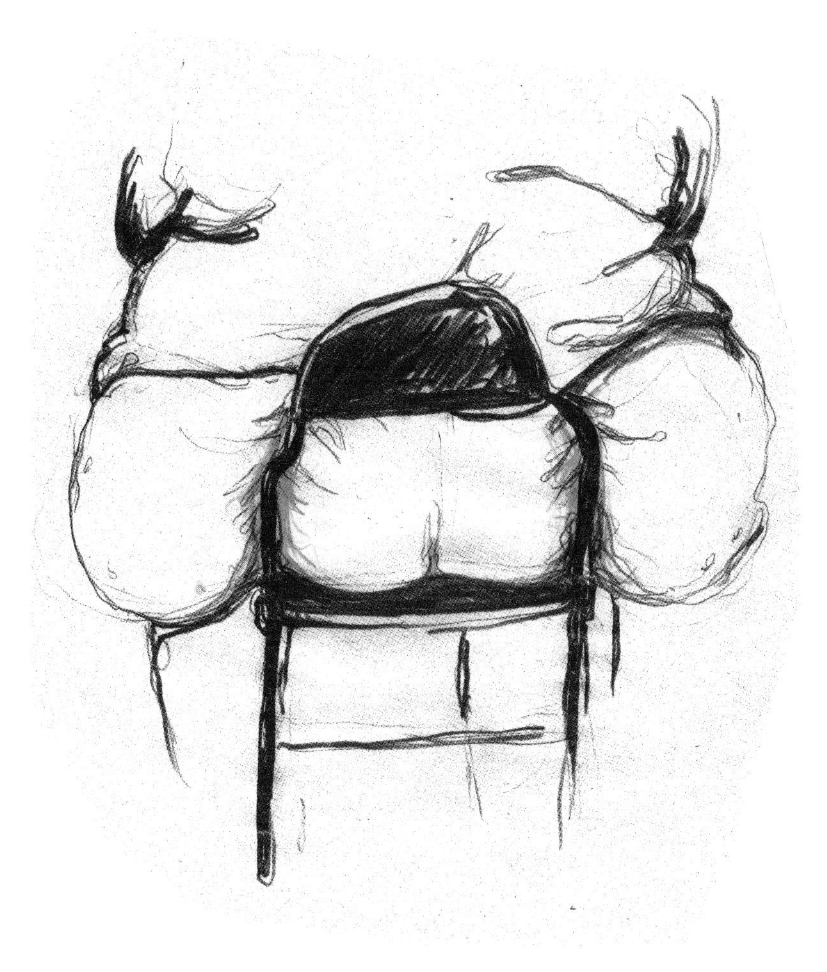

Les marques
sur le corps/. ça parle
d'une vie. Pourquoi
vouloir se
conformer à ce
point?

MARYSE DERAÎCHE

EX-OBÈSE

On connaît Maryse Deraîche pour son témoignage coup-de-poing publié par *Urbania*. Dans son billet « Qui gagne perd... », elle exprime la réalité bien intime d'une ex-obèse. Maryse portait du 28 avant son opération bariatrique. Aujourd'hui, elle est toute petite. Difficile d'accepter une telle transformation extrême quand on passe de 360 à 140 livres en peu de temps. Qu'est-ce qui a motivé ce changement physique ? L'obésité est-elle un tabou ? Pas pour la jeune femme.

Je la rencontre dans un café d'Hochelaga-Maisonneuve où elle habite maintenant. Je la reconnais au loin, une jeune femme blonde, svelte, ultra féminine... un pétard ! C'est elle qui vient vers moi. Avec un air convaincu, déterminé et complètement assumé, elle aborde de front sa réalité passée.

LA PLACE DES GROS DANS NOTRE SOCIÉTÉ

Depuis qu'elle est enfant, Maryse se bat contre les préjugés. On la traitait de tous les noms à l'école secondaire. C'est le regard des autres qui la détruisait. « Je vivais ma vie, mais j'étais triste. J'étais hyperactive et pourtant, il y avait ce sentiment d'injustice. Pourquoi moi ? L'image qu'on se fait des obèses est sombre. Le regard des autres est assez insupportable. » Les obèses sont jugés. On les traite de goinfres paresseux. **« Quand tu es obèse, tu ne veux pas te montrer. Je faisais moins de sorties sociales. Je n'allais plus au cinéma. Il y a une femme qui m'a regardée un jour de la tête aux pieds et qui m'a lancé un YARK. On n'a pas de valeur quand on est obèse, c'est moins facile d'être pris au sérieux, c'est difficile de se trouver un emploi. »**

« Oui, il y a un problème avec l'outre-mangeur qui se gave pour fuir ses émotions. Il y a peut-être une raison si une personne se goinfre ? On devrait se mettre à la place de ces gens là plutôt que de les juger. Les alcooliques, les toxicomanes, on les aide. Pourquoi un gros, on peut pas l'aider ? Pourquoi un alcoolique, c'est plus grave ? »

C'est par souci de santé qu'elle a fait ce choix radical. Au-delà du look, pour Maryse, c'était un choix de vie. **« Plus tu vieillis, plus c'est difficile d'accepter le regard des autres. »** À la mi-vingtaine, sa santé était en jeu. Elle commençait à souffrir d'hypertension et de cholestérol. Rapidement, la solution de la chirurgie bariatrique s'est imposée. Maryse a tout lu ce qu'elle avait à lire sur la question. « **L'opération est difficile. Ce n'est pas évident et c'est loin d'être une solution miracle. Il y a un suivi. Il faut faire attention. »**

LA TRANSFORMATION

Le temps d'une opération ou presque, Maryse s'est transformée en objet de désir pour les hommes. **«Quand j'étais obèse, j'étais tannée de me faire regarder parce que j'étais grosse, là, je suis écœurée de me faire siffler. C'est incroyable à quel point j'attire plus l'attention! On écoute plus les belles personnes»**, me raconte-t-elle, encore surprise de récolter des compliments.

Avant, ce n'était pas le cas. On la jugeait et on la traitait de paresseuse: elle était ostracisée. Être gros est associé à une certaine laideur.

Qu'est-ce qu'elle retient de sa chirurgie? Malgré les petites complications, elle voit ce processus positivement. Les médecins veulent vaincre l'obésité. Ce sont les seules personnes qui comprennent vraiment les obèses morbides.

Aujourd'hui, elle veut se battre pour l'acception des différences. Le monde n'est pas aussi tolérant qu'on le prétend.

On a une certaine image des obèses, elle est sombre et méprisante, et Maryse critique cette dictature de la beauté. **«Ma vision du monde n'est pas fermée. Je crois que le problème se situe surtout chez les jeunes, surtout les jeunes femmes et les adolescentes. Ce sont les adultes de demain. Je trouve ça dommage de voir une certaine forme de manipulation d'un être qui n'est pas encore mature. Ce qui est intéressant, pour un adolescent, «c'est d'appartenir à un groupe.» Pourtant, le corps reste une enveloppe. Quand j'étais adolescente, j'étais attirée par les garçons qui avaient une cicatrice dans le visage. Ça parlait. Les marques sur le corps, ça parle d'une vie. Pourquoi vouloir se conformer à ce point?»**

À travers tout son processus, Maryse a également développé une critique de la chirurgie plastique. Elle connaît bien les blocs opératoires. **«Je distingue la chirurgie réparatrice de la chirurgie esthétique. Je trouve ça triste qu'on soit rendus là. La chirurgie est parfois une obsession. J'ai passé un après-midi avec un chirurgien plasticien. Même si le médecin est humain, le sujet est tellement superficiel. Je me suis sentie comme si je revenais à mes 8 ans. Je me suis posé un tas de questions: As-tu vraiment besoin de prendre tous ces risques-là? As-tu besoin de te mettre du silicone? Je me bats contre le culte du corps, mais là, j'y adhèrerais?»**

Au-delà de la chirurgie, elle se questionne sur l'obsession de la minceur. **«Il y a un vide fondamental. Pourquoi on vend autant**

© Photo Paul André Larocque

d'antidépresseurs dans notre société ? On est dans une société très méritocratique. C'est une société de performance ! Il faut être beau, parfait et riche. On a beau être une battante, ce n'est jamais assez. » La perfection devient un dictat en tant que tel. Bref, il faut entrer dans le moule pour être accepté. « Quand j'étais obèse, on me disait : ah ouin... Tu réussis dans la vie pareil ? Comme si les obèses étaient dans une classe sociale en dessous ! Comme si les normes esthétiques étaient associées à une classe sociale dirigeante. Comme si les gros étaient moins intelligents. »

J'avais envie de laisser la parole à Maryse qui a su mettre les mots sur une condition unique, la sienne. Avec son autorisation et celle du magazine *Urbania*, revoici son texte.

QUI GAGNE PERD...[49]

[49] *Maryse Deraîche*, « Qui gagne perd... », *Urbania*, 10 avril 2012

De nos jours, si nous ne mangeons pas six portions de fruits et de légumes quotidiennement, si nous ne faisons pas trente minutes d'exercice soutenu ou si nous avons le malheur de fumer, nous méritons nos malheurs ! Les polémistes radiophoniques s'en donnent à cœur joie en pointant du doigt et en jugeant un problème complexe en l'attribuant à une seule cause : les mauvais comportements individuels.

À tout ceci je réponds « fuck you » ! On dit qu'il ne faut jamais juger avant d'avoir marché un mille dans les souliers d'un autre. Je reprends ces sages paroles en vous disant : si vous n'avez jamais été obèse ou proche d'une personne obèse, gardez vos petites réflexions insipides pour vous !

Je me nomme Mariz, j'ai 31 ans, je mesure 5 pieds et 8 pouces, je pèse 145 livres, je suis blonde et belle ! Il y a deux ans j'aurais plutôt affirmé ceci : « je me nomme Mariz, j'ai 29 ans, je mesure 5 pieds et 8 pouces, je pèse 360 livres, je suis obèse ! »

Comment la deuxième Mariz est devenue la première me demanderez-vous. Simple ! Science et logique ! En faisant expertiser, par des professionnels de la santé, un problème métabolique récurrent et en procédant à une intervention chirurgicale complexe, lourde de conséquences et encore expérimentale. Solution facile! Certains le pensent, beaucoup le disent et plusieurs me rendent malade…

Après trois ans d'attente, de rencontres avec mon médecin, mon chirurgien, ma nutritionniste, ma kinésiologue, après avoir assisté à plusieurs conférences données par des chercheurs en obésité, après avoir lu tout ce qui a été écrit sur le sujet, après tout cela, je suis sortie du bloc opératoire.

Solution facile, le pensez-vous encore? Lorsque votre intérieur a été brûlé, découpé, rebranché, recousu… Lorsque vous ouvrez les yeux et que la seule chose que vous souhaitez c'est qu'ils se referment au plus maudit parce que la douleur est insoutenable… Lorsque vous avez l'impression qu'un train vous a traîné sur des kilomètres, à ce moment même, vous croyez qu'elle était facile cette avenue?

Vous souhaitez connaître la première phrase qui est sortie de ma bouche après avoir été modifiée de l'intérieur? Bien sûr… Lorsqu'un infirmier est venu m'aider à me lever, trois heures seulement après l'intervention, je l'ai regardé, les yeux noyés de morphine, et j'ai dit: «Si jamais un jour quelqu'un vient me dire que c'était la solution facile, je lui CÂLISSE mon poing sur la yeule!» Ma copine l'a trouvée pas mal bonne et elle a su que tout allait bien, que j'étais toujours en vie!

Le portrait qui est peint des obèses n'est en fait qu'une partie de la réalité et moi, je ne m'identifie pas à cette réalité. Je ne me suis pas mise à engraisser à la suite d'un échec amoureux ou parce que mon père m'a violée étant enfant, je n'entretenais pas de rapports conflictuels avec la nourriture, je ne m'isolais pas dans un 2 ½ crasseux parce que j'avais peur du regard des gens, je ne m'empiffrais pas de junk food toute la journée, je ne couvrais pas mon corps de vêtements trop grands… Quoi que je fasse, les kilos ne faisaient que s'accumuler avec les années. Pourquoi ? Malgré les régimes, l'entraînement physique, la restriction, je n'arrivais à rien. Tout ce qui augmentait, c'était mon sentiment de culpabilité et d'injustice. Malgré cela, j'avais une vie relativement normale ! J'avais des amis, des amoureux, des amants, une vie sexuelle… J'allais à l'université même si les sièges étaient trop petits pour mon derrière, je sortais dans les bars et les soirées, je tentais de me réaliser malgré les regards. Vous savez, ces regards accusateurs qui me laissaient croire que mes difficultés corporelles m'étaient entièrement attribuées et que c'était « bien fait » pour moi. Ces regards de dédain qui me scrutaient des pieds à la tête. Ces regards, ces foutus regards ! Lorsqu'ils étaient accompagnés de chuchotements et de rires, ils étaient sanglants ! Malgré tout cela, je fonçais dans la vie ! Je savais qu'un jour on me jugerait pour ce que je suis et ce que je fais et non pas parce que je prends deux sièges dans l'autobus…

On éprouve rarement de la compassion pour les personnes obèses… Pourquoi se mettre à la place d'un obèse, il a juste à arrêter de manger !

Tu as une vie normale aujourd'hui me direz-vous. Peut-être, vu par des yeux extérieurs, mais je serai à tout jamais une obèse. Il y a deux côtés à ma médaille et je dois apprendre à accepter le revers. Je devrai à tout jamais « dealer » avec les regards. Ils sont différents certes, mais toujours existants, toujours aussi accusateurs... Lorsque je raconte mon récit, il y a certaines personnes qui me regardent comme si je ne méritais pas ma beauté. Pour eux, je ne ferai jamais partie des leurs, je serai à tout jamais la grosse qu'on méprise. Lorsque j'étais obèse, on ne pouvait s'y méprendre… Lorsque je faisais une rencontre, mon partenaire était parfaitement conscient qu'en enlevant mes vêtements, il y trouverait un corps gros et déformé. Maintenant,

mon apparence devient un mensonge sans que je ne le veuille. Si j'effectuais des rencontres aujourd'hui, je n'aurais d'autres choix que d'en parler avant que les événements s'enchaînent, car la surprise serait mauvaise! Comment expliquer que même si je suis jolie, une fois nue, je suis une tout autre personne? Et si je ne disais tout simplement rien… Quels types de réaction pourraient produire mes seins vides et mes cuisses flasques? À quel point est-on ouvert d'esprit?

Certains individus, adeptes du positivisme, me diront: «Mais tu peux t'habiller où tu veux maintenant, tu n'as plus ce problème et tu peux t'asseoir dans un siège étroit.» Vrai! Par contre, le bonheur ne se résume pas à ce que l'on perçoit. Mes os sont heureux, mon rythme cardiaque me remercie, mes articulations trépignent de bonheur, mais ma peau est triste… Elle est toujours là! Plus molle, plus plissée… Notre société nous inculque qu'une femme perd sa beauté au même rythme qu'elle accumule les années. Pour ma part, ma jeune beauté est un euphémisme. Ce n'est qu'une illusion d'optique. Il ne faut pas juger un livre à sa couverture. Vrai, tellement vrai! Ma couverture est magnifique, mais mes pages sont fripées, usées, elles ont été bafouées, pliées et même déchirées…

Suis-je heureuse aujourd'hui? OUI! J'apprends à aimer mon nouveau livre, car malgré son apparence, il est rempli de force et de courage. J'aurai sûrement recours à la chirurgie esthétique un jour, mais même si je réussissais à accumuler l'argent nécessaire à la réparation de mon corps, je devrai tout de même apprendre à vivre avec ces blessures. Je suis de celles qui croient que la force et l'équilibre sont puisés dans le fait d'assumer qui on est, et cela, dans son intégralité. La grande question: «reproduirais-tu les mêmes gestes à la suite du résultat connu?» OUI, sans hésitation! Il faut seulement être conscient que, comme dans tout, une action conduit toujours à des résultats inattendus et il faut être en mesure de les accepter.

Vous croyez toujours que cette intervention est une solution facile? Je mènerai un combat jusqu'à ma mort. Il est juste différent maintenant...

Le culte de la minceur constitue un grand paradoxe, on l'a vu. La malbouffe est omniprésente. Manger mal est facile. Les tours de taille augmentent tout comme les troubles alimentaires. L'idéal de minceur nous est vendu par l'offre débilitante de régimes miracles. Montignac a fait fortune en promouvant un mode de vie malsain. De la pilule miracle aux régimes amaigrissants, on entretient le culte de la minceur. Un esprit sain dans un corps sain ? Un leitmotiv pas si populaire qu'on le croit.

L'anorexie nerveuse est plus répandue que jamais chez les femmes... et chez les hommes. Simon Boulerice ou Marc Béland en sont des exemples. L'ultime tabou perdure, presque autant que pour les individus très ronds. Dans le milieu de la danse, l'extrême maigreur est idéalisée. L'ex-ballerine Geneviève Guérard a troqué le ballet pour le yoga, une pratique qui se popularise. Il y a de l'espoir ?

Dans tous les cas, le poids des uns est soumis au jugement des autres. Le témoignage de Maryse Deraîche renforce une idée : les gens en surpoids sont ostracisés. Le rôle de l'industrie de la mode dans ce culte de la minceur est tout aussi important. Nous y reviendrons dans la section des « Mains ». Faisons d'abord un détour du côté des pieds... parce que pour comprendre l'évolution du culte de la minceur, il faut s'intéresser aux racines, à l'histoire.

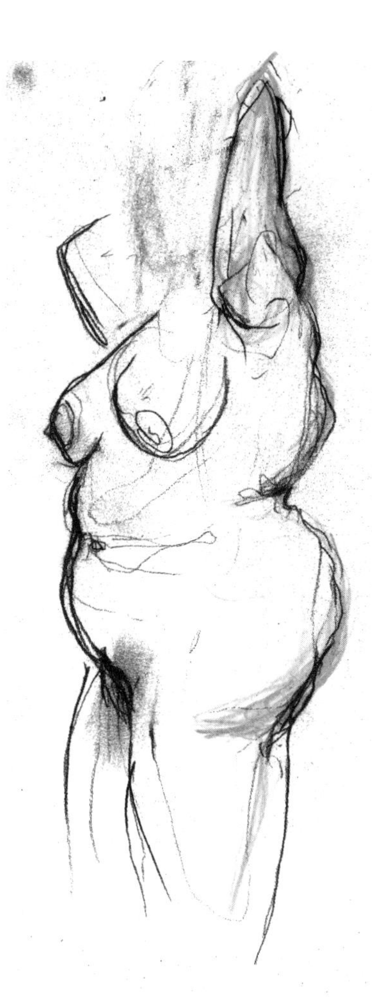

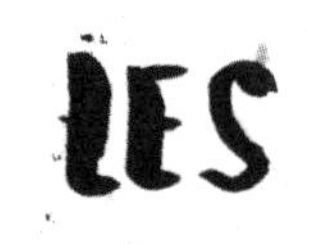

« La beauté est une courte tyrannie. »

Zénon de Kition, philosophe grec

[50] Jean-Philippe Dubois et Claude Gillot, *Pied*, « Encyclopédie Universalis »

[51] John King Fairbank, *La grande révolution chinoise 1800-1989*, traduit de l'anglais par Sylvie Dreyfus, Flammarion, 1997

J'AIME PENSER QUE LES PHILOSOPHES GRECS DEVISAIENT DÉJÀ SUR LA PÉRENNITÉ DE LA BEAUTÉ ! ILS NE CROYAIENT PAS SI BIEN DIRE ; UN RETOUR AUX RACINES S'IMPOSE. LES PIEDS DONNENT DE LA STABILITÉ À NOTRE POSTURE, ASSURENT NOTRE ÉQUILIBRE ET JOUENT ÉGALEMENT LE RÔLE DE PROPULSEUR ET D'AMORTISSEUR[50]. À UNE CERTAINE ÉPOQUE, ILS ONT ÉTÉ L'OBJET D'IDÉALISATION : C'ÉTAIT LE CAS AVEC LA COUTUME DU BANDAGE DES PIEDS DES JEUNES CHINOISES ISSUES DE CLASSES SOCIALES FAVORISÉES DU 10e JUSQU'AU DÉBUT DU 20e SIÈCLE[51].

LES PIEDS, C'EST NOTRE CONTACT AVEC LE SOL, LA RÉALITÉ ET NOS ORIGINES : ILS SONT NOS RACINES, À L'IMAGE DE L'HISTOIRE QUI FAÇONNE NOTRE SOCIÉTÉ. FOUILLONS L'HISTOIRE POUR COMPRENDRE D'OÙ NOUS VENONS ET OÙ NOUS ALLONS.

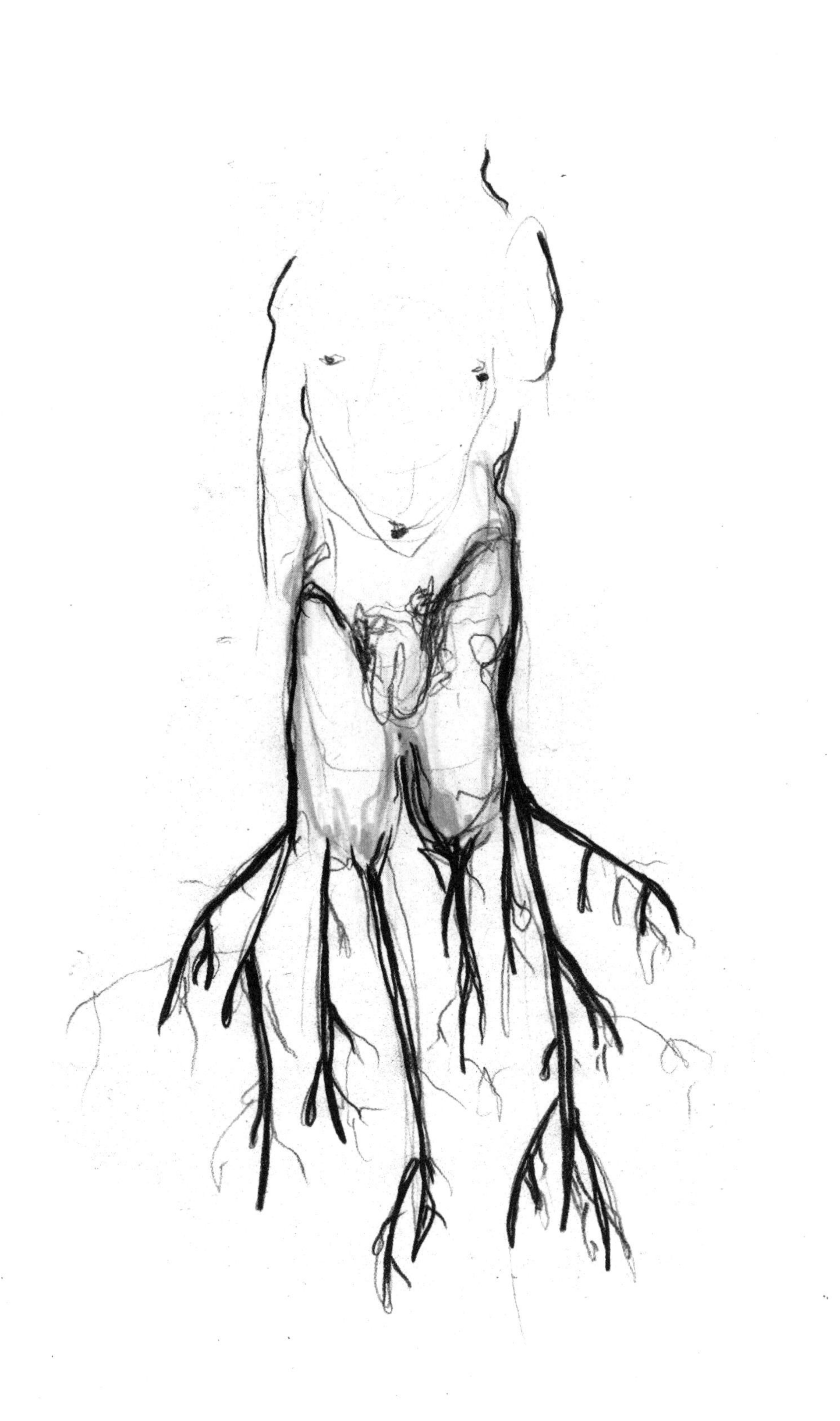

Pierre Lapointe m'a fait réaliser précédemment l'importance du rôle que joue la beauté dans nos vies. On pourrait même l'associer à un patrimoine culturel. La représentation de la beauté a évolué beaucoup au fil des siècles. Elle prend différentes formes tant chez les individus qu'en art. Toute personne n'est pas considérée comme belle. Certains critères comme la taille, la couleur, l'harmonie des formes, etc, la déterminent. Quoi qu'il en soit, elle constitue un culte universel.

Oui, la représentation du corps se transforme[52]. C'est l'objet d'études de Georges Vigarello, directeur de recherche à l'École des hautes études en sciences, spécialiste de l'histoire de l'hygiène, de la santé, des pratiques corporelles et des représentations du corps. Préoccupé par les apparences physiques à travers le temps, l'imaginaire des fonctionnements corporels et l'image du corps, il a écrit *Histoire de la beauté*[53], *Le corps redressé*[54], *La silhouette*[55], etc. Vigarello souligne comment la beauté est culturelle.

Umberto Eco, universitaire italien, titulaire de la chaire de sémiotique et directeur de l'École supérieure des sciences humaines à l'université de Bologne, s'est aussi intéressé à ce thème, notamment à travers *Histoire de la laideur*[56] ou *Histoire de la beauté*[57]. L'uniformisation de l'idée du beau a évolué. Elle est intrinsèquement liée à la mondialisation et à la modernisation. Si les modèles d'esthétisme ne sont pas nouveaux (voir ligne du temps), on peut constater leur démocratisation par l'avènement de la société de consommation. Ce tournant historique s'ancre dans le développement de la société démocratique et du libéralisme économique. Je me suis intéressée aux travaux d'Eco et de Vigarello pour élaborer une ligne du temps décrivant l'évolution des canons de beauté.

LIGNE DU TEMPS

Les images du passé ont traversé le temps grâce à des sculptures, des toiles, des dessins, des créations imaginées par des hommes. Le beau serait une notion distincte du désirable, c'est-à-dire de la volonté de posséder quelque chose[58]. Quelque chose ou quelqu'un peut être désirable sans être considéré comme beau ! Cette conceptualisation s'imprègne dans les relations interpersonnelles. Selon le *Dictionnaire du corps en sciences humaines et sociales,* le beau et le laid seraient des « qualités attribuées à un corps par un individu ou une société

[52] Georges Vigarello, *Histoire de la beauté : Le corps et l'art d'embellir de la Renaissance à nos jours*, Paris, Éditions du Seuil, collection « Histoire de la France politique », 2004

[53] *Ibidem*

[54] Georges Vigarello, *Le corps redressé*, Paris, Éditions Armand Collin, coll. «Dynamiques», 2004

[55] Georges Vigarello, *La Silhouette, Naissance d'un défi, du XVIIIe siècle à nos jours*, Paris, Éditions du Seuil, coll. « Beaux livres, 2012

[56] Umberto Eco, *Histoire de la laideur*, Paris, Flammarion, 2007,

[57] Umberto Eco, op. cit

[58] Umberto Eco, *Histoire de la beauté*, Paris, Flammarion, 2004

donnée. La question du beau et du laid n'est qu'une question de goût, de choix subjectifs qu'il serait vain, en cela, de questionner[59].

« C'est dire qu'un beau corps est à même de prendre les allures d'une icône, et de devenir l'image emblématique de ce qui est admis, de façon universelle, comme la beauté en matière corporelle[60]. » Les canons de beauté prônés depuis la Grèce antique jusqu'à la Renaissance nous permettent de constater comment la notion de beauté est loin d'être immuable.

Le culte du corps s'ancrait autrefois généralement dans la consécration artistique. Les artistes étaient les porteurs des idéaux de beauté, puisqu'ils étaient amenés à en créer des représentations[61]. Voici donc une ligne du temps de certains modèles de beautés inspirés par le travail des historiens Georges Vigarello et Umberto Eco[62].

[59] Bernard Andrieu (dir), *Dictionnaire du corps en sciences humaines et sociales*, Paris, CNRS Éditions, 2006

[60] *Ibidem*

[61] *Ibidem*

[62] Georges Vigarello, *Histoire de la beauté*, Éditions du Seuil, 2004

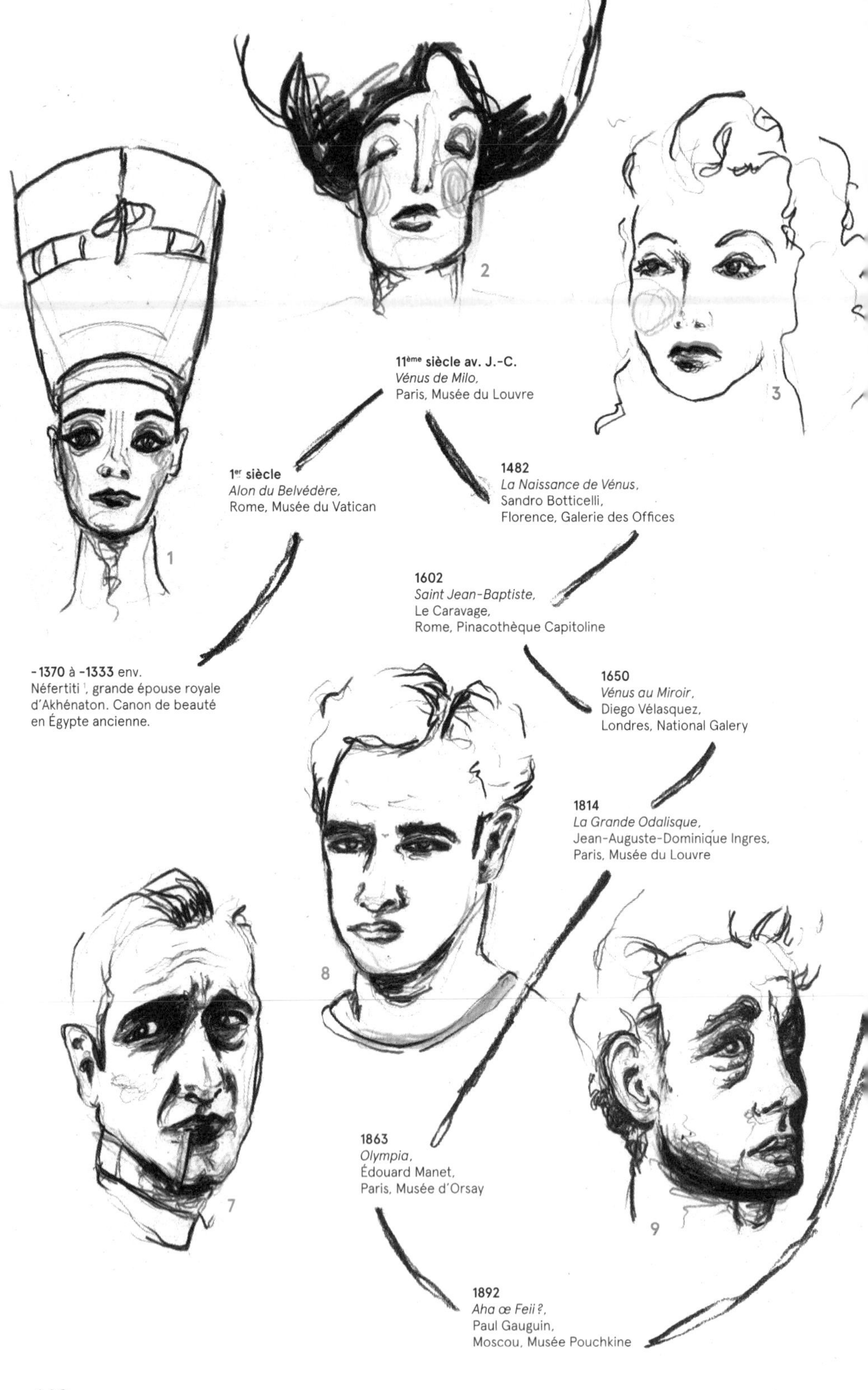
-1370 à -1333 env.
Néfertiti 1, grande épouse royale d'Akhénaton. Canon de beauté en Égypte ancienne.
1er siècle
Alon du Belvédère,
Rome, Musée du Vatican
11ème siècle av. J.-C.
Vénus de Milo,
Paris, Musée du Louvre
1482
La Naissance de Vénus,
Sandro Botticelli,
Florence, Galerie des Offices
1602
Saint Jean-Baptiste,
Le Caravage,
Rome, Pinacothèque Capitoline
1650
Vénus au Miroir,
Diego Vélasquez,
Londres, National Galery
1814
La Grande Odalisque,
Jean-Auguste-Dominique Ingres,
Paris, Musée du Louvre
1863
Olympia,
Édouard Manet,
Paris, Musée d'Orsay
1892
Aha œ Feii ?,
Paul Gauguin,
Moscou, Musée Pouchkine
1
2
3
7
8
9

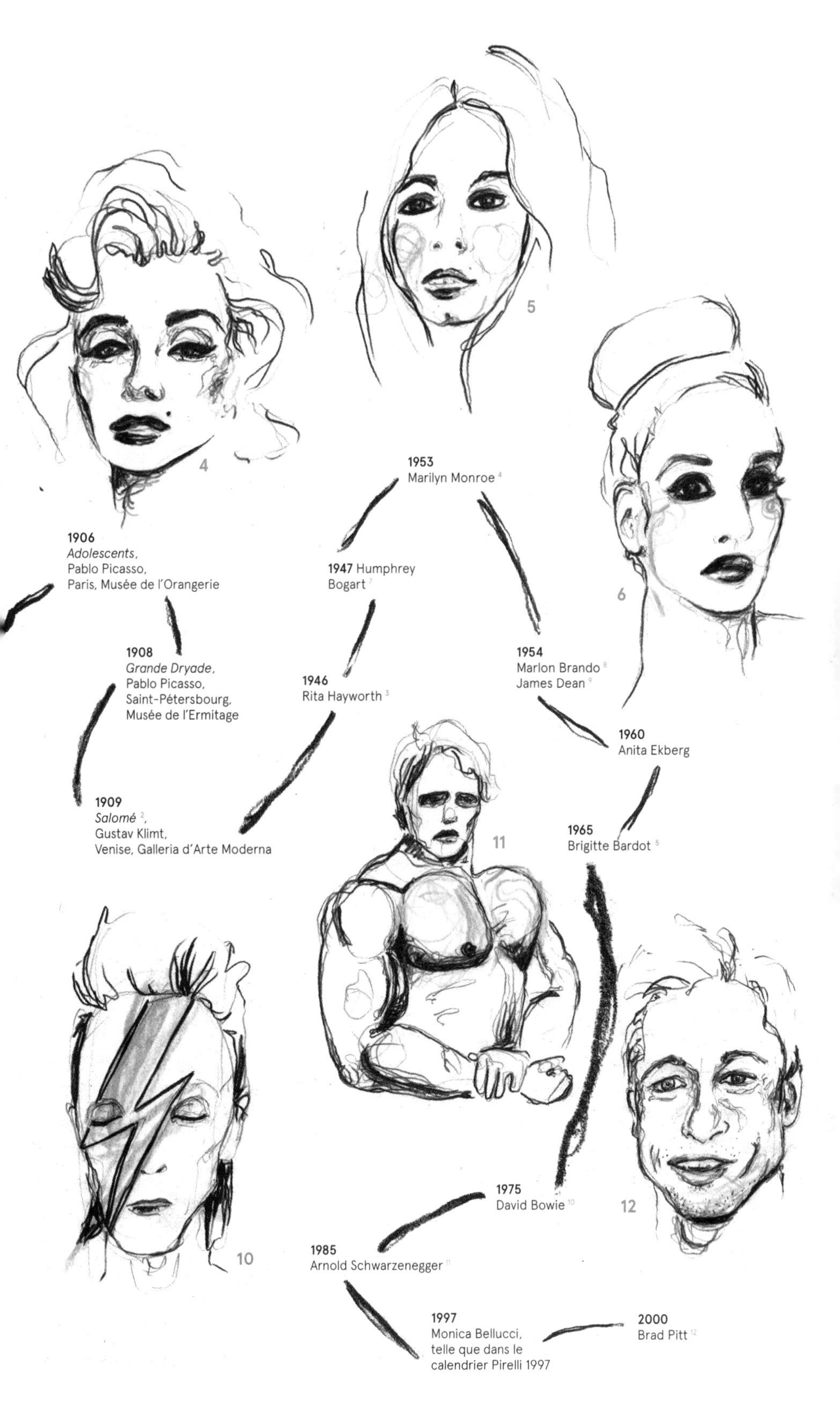
5
4
6
1953
Marilyn Monroe [4]
1906
Adolescents,
Pablo Picasso,
Paris, Musée de l'Orangerie
1947 Humphrey
Bogart [7]
1908
Grande Dryade,
Pablo Picasso,
Saint-Pétersbourg,
Musée de l'Ermitage
1946
Rita Hayworth [3]
1954
Marlon Brando [8]
James Dean [9]
1960
Anita Ekberg
1909
Salomé [2],
Gustav Klimt,
Venise, Galleria d'Arte Moderna
11
1965
Brigitte Bardot [5]
1975
David Bowie [10]
12
10
1985
Arnold Schwarzenegger [11]
1997
Monica Bellucci,
telle que dans le
calendrier Pirelli 1997
2000
Brad Pitt [12]

PETITE LEÇON DES RACINES DE LA BEAUTÉ

Je sais, c'est peut-être rébarbatif pour certains d'entre vous. Qu'à cela ne tienne, si vous n'en avez pas envie, vous pouvez sauter cette section, je ne vous aimerai pas moins pour autant. (Mais tant pis pour vous, ce qui suit est SUPER intéressant.)

Ce sont souvent des facteurs ou contextes politiques qui influencent les critères de beauté. Par exemple, le renversement du pouvoir monarchique, en Europe comme en Amérique, aura donné lieu à une plus grande accessibilité à la richesse. Marie-Antoinette, sa cour et l'élite ne seraient plus parmi les rares privilégiés à avoir droit aux soins de beauté !

Retraçons rapidement, avec quelques sauts dans le temps, cette évolution rapide qui a donné lieu à une réelle explosion économique ; de la Révolution française au développement de la société de consommation. Comment l'émancipation individuelle et corporelle a-t-elle évolué ? Comment les techniques de beauté ont-elles pu rejoindre les masses ?

LA RÉVOLUTION FRANÇAISE, BERCEAU DE LA DÉMOCRATIE MODERNE

Le corps, notre corps, nous appartient. Un slogan popularisé par les mouvements sociaux des années 1970. Mais on sait qu'il n'en a pas toujours été ainsi. Avant même la lutte d'émancipation sexuelle des femmes face au pouvoir religieux dans les années 1960, il aura fallu différentes révolutions pour faire reconnaître ce droit.

La Révolution française a façonné un nouveau visage à la démocratie. Puisqu'elle coïncide avec le développement du capitalisme au sein d'une période industrielle singulière, personne ne s'en surprendra. Ce moment explosif, coloré et marqué par des changements cruciaux est aussi celui des premiers balbutiements du système juridique tel que nous le connaissons. Faut-il rappeler la règle de droit fondamental circonscrite à l'article premier de la Déclaration des droits de l'homme de 1789? «Tous les Hommes naissent et demeurent libres et égaux en droits[63].» Si tous les hommes naissent et demeurent libres et égaux, est-ce que leur corps leur appartiendra à l'avenir? L'époque de servitude est-elle terminée? La liberté des uns et des autres serait-elle envisageable?

[63] Article 1, Déclaration des droits de l'homme et du citoyen de 1789

Quelques années avant l'adoption de la Déclaration, Jean-Jacques Rousseau, l'écrivain philosophe, condamne la domination de l'homme par l'homme dans le chapitre IV de son *Contrat social*[64]. Esclave est un terme issu du latin médiéval sclavus, issu lui-même de slavus, «slave», les Germains ayant réduit de nombreux Slaves en esclavage. Quiconque n'ayant pas la liberté de son propre corps peut-il être considéré comme un esclave? Rousseau affirmait qu'aucun homme ne pouvait détenir une autorité naturelle sur son semblable. Le corps des individus n'est plus considéré comme un simple objet. Cette transformation sociale est intéressante, car elle mène à l'émancipation individuelle, qui aura une influence sur le mouvement de la révolution sexuelle.

[64] Jean-Jacques Rousseau, «De l'esclavage», Chap. In *Du Contrat Social*, 1762, Livre I, Chapitre 1.4

Vous connaissez peut-être, par ailleurs, le sexisme légendaire de Rousseau? On le repère facilement dans son essai *Émile ou de l'éducation*, publié aussi en 1762. «Si la femme est faite pour plaire, pour être subjuguée, elle doit se rendre agréable à l'homme au lieu de le provoquer; sa violence à elle est dans ses charmes; c'est par eux qu'elle peut le contraindre à trouver sa force et à en user. (...) De là naissent l'attaque et la défense, l'audace d'un sexe et la timidité de l'autre, enfin la modestie et la honte dont la nature arma le faible pour asservir le fort[65].»

L'idéal anti-esclavagiste instaure un avancement, mais comprend tout de même une lacune majeure: le mouvement anti-esclavagiste n'incluait pas la moitié de l'humanité, les femmes! Quel oubli singulier et volontaire que celui du beau sexe! La Révolution française a ouvert la voie à une émancipation individuelle et corporelle. Les femmes devront attendre des années avant d'atteindre leur réelle libération: leur corps ne leur appartiendra pas tout de suite.

[65] Jean-Jacques Rousseau, *Emile ou De l'éducation*, Paris, Flammarion, 1966

LA DEUXIÈME GUERRE MONDIALE – EXPLOSION ÉCONOMIQUE

Comment la technologie a-t-elle permis la démocratisation de la beauté ? La popularité montante du pays de l'Oncle Sam explique ce phénomène ! L'American Way of life qui s'est en effet répandu tellement vite. Et qui dit États-Unis dit consommation. Après la Deuxième Guerre mondiale, la société américaine prospère. Résultat ? Elle a les moyens de s'offrir une beauté ! Les femmes ont maintenant l'argent pour s'acheter des cosmétiques ou se payer une manucure. La montée de l'individualisme et le développement de la société de consommation aux États-Unis a renforcé le culte des apparences. Après tout, jamais la beauté n'avait été aussi accessible.

Après la Deuxième Guerre mondiale, les États-Unis victorieux se retrouvent enrichis[66]. Les Américains ont de l'argent plein les poches, tellement qu'ils sont prêts à tout pour consommer. C'est le développement de la société de consommation. L'expression vient de l'économiste John Kenneth Galbraith[67]. Plus tard, Jean Baudrillard explique comment la consommation nous isole. C'est le développement de l'individualisme. « En tant que consommateur, l'homme redevient solitaire, ou cellulaire, tout au plus grégaire (la télé en famille, le public de stade ou de cinéma, etc.) », affirme Baudrillard dans son essai[68].

À partir des années 1950, on assiste à un raffinement rapide du progrès technique dans toutes sortes de domaines[69].

Par ailleurs, les salaires augmentent, tout comme la consommation des ménages[70]. Durant ces années de forte croissance économique et de plein emploi, on remarque l'apparition de la consommation de masse et le développement rapide du pouvoir d'achat[71]. L'avancement technique changera aussi la vie des gens ! Les moyens de communication seront facilités. La société de consommation naissante contribue à l'ascension des femmes sur le marché du travail par l'entremise de l'effort de guerre. Tout en accédant à leur autonomie, elles deviendront des consommatrices ciblées.

Comment cela s'est-il produit, au juste ?

[66] Franz Gress, *The American Federal System, : Federal Balanace in Comparative Perspective*, New York, Peter Lang, 1994, p.20-36

[67] On doit à Galbraith une série d'ouvrages tels que *La Crise économique de 1929* (1955), *L'Ère de l'opulence* (1958), *Le Nouvel État industriel* (1967), *L'Argent* (1975), *La Pauvreté de masse* (1979), etc.

[68] Jean Baudrillard, La société de consommation, Denoël, 1970

[69] *Ibidem*

[70] *Ibidem*

[71] Jean Fourastié, *Les Trente Glorieuses, ou la révolution invisible de 1946 à 1975*, Paris, Fayard, 1979

L'ÉMANCIPATION DES FEMMES

Au Québec, l'émancipation féminine s'exprime en quelques dates. Les faits suivants sont tirés d'une recherche publiée par le Conseil du statut de la femme, *La constante progression des femmes*, en 2008 :

[72] Conseil du statut de la femme, *La constante progression des femmes*, Québec, 2008

1791 — L'Acte constitutionnel permet à tout propriétaire d'être électeur. Certaines femmes ont ainsi le droit de vote.

1833 — L'abolition de l'esclavage met fin à l'exploitation des femmes noires et amérindiennes.

1866 — Le Code civil du Bas-Canada est promulgué en s'inspirant du Code Napoléon de 1804. L'incapacité juridique de la femme mariée est officialisée telle que le perpétrait la Coutume de Paris. Elles ne peuvent donc pas être tutrices, intenter des procès, se défendre, contracter, elles ne disposent d'aucun salaire non plus.

1891 — 1 femme sur 10 occupe un emploi rémunéré. La majorité d'entre elles a pour métier d'être domestique.

1919 — Les allumettières (qui fabriquaient les allumettes) prennent part au premier mouvement de grève impliquant des femmes.

1934 — La guerre de la « guenille » est la première grève dans l'industrie de la confection de vêtements pour femmes. Les femmes y sont largement impliquées.

1937 — Yvette Charpentier est la première Québécoise employée dans une usine de vêtements au Québec à signer un contrat.

1940 — La guerre incite les gouvernements à favoriser l'emploi des femmes dans les différentes industries. À Montréal, six garderies sont alors créées.

1940 — Les femmes obtiennent le droit de vote après 14 années de lutte[72].

L'on sait très bien maintenant que la guerre aura été déterminante dans la quête d'émancipation des femmes. Elles sont soudainement devenues essentielles au bon fonctionnement de la société. À cause du manque de main-d'œuvre masculine, elles ont envahi le marché du travail. Elles ont gagné des salaires et pu dépenser à leur guise ; maquillage, produits de beauté, vêtements, souliers, etc. Les publicités de produits de mode et de beauté ont pris d'assaut l'espace public. Les femmes sont alors devenues une cible lucrative...

LA RÉVOLUTION SEXUELLE

Les différentes revendications nées dans le contexte des années 1970 sont cruciales pour expliquer un rapport nouveau au corps. Elles prennent une importance particulière notamment en regard au mouvement social de mai 68. Deux changements majeurs sur le plan politique marqueront ces années :

- la quête de l'émancipation des mœurs ;
- le rapport des femmes à leur corps.

Mai 68 voit apparaître un nouveau schéma des interactions sexuelles basé sur le principe répandu de libertinage[73]. Ce sont les différentes revendications reliées aux relations sexuelles qui amènent les femmes à s'interroger sérieusement sur leur rapport au corps. Elles revendiquent le droit au plaisir, le droit à l'avortement, le droit au divorce, etc[74]. Les femmes critiquent la notion de patriarcat[75]. Le corps se libère, est affranchi des contraintes économiques. Les conséquences de ce renversement sont importantes pour l'émancipation des femmes. Cela nous permet maintenant non seulement d'occuper des emplois, mais de faire carrière dans les domaines de notre choix, aussi controversés ou étranges peuvent-ils paraître...

[73] Conseil du Statut de la femme, *La constante progression des femmes*, Québec, 2008, p. 115

[74] Florence Rochefort, « La politisation des corps », in Philippe Artières et Michelle Zacharini-Fournel (dir.), *68. Une histoire collective* (1962-1981), La Découverte, 2008

[75] *Ibidem*

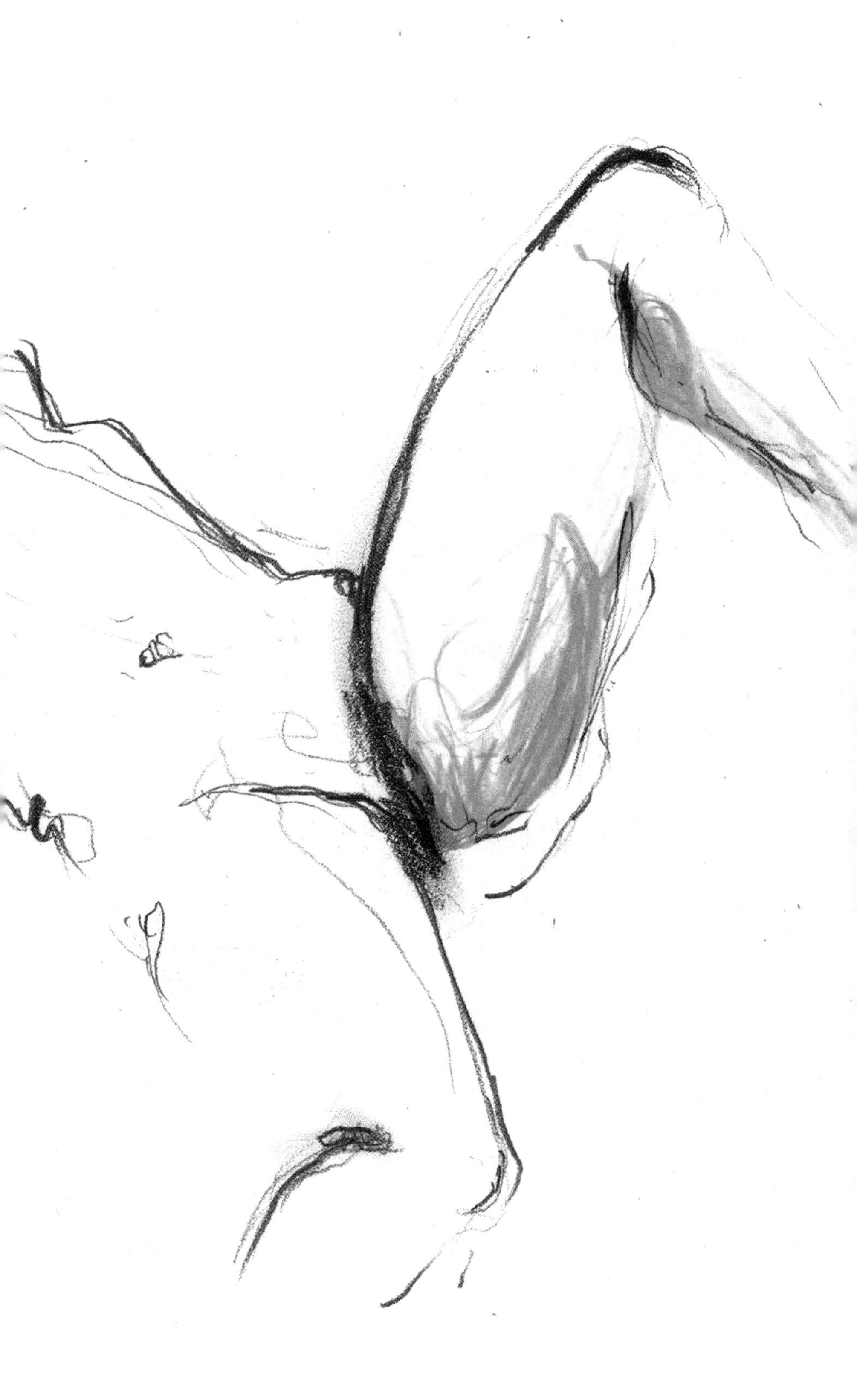

Photo fournie par le modèle vivant

les étudiants
en arts cherchent
la variété, car il
y a des détails
qui diffèrent dans
les corps
particuliers.

LUCIE BONENFANT

MODÈLE VIVANT

Lucie Bonenfant utilise son corps à des fins lucratives. Elle n'est ni prostituée ni danseuse nue, son métier relève d'une patience soutenue, d'un don de soi pour l'Art avec un grand A. Elle est modèle vivant. Bien sûr que ça existe encore, des gens qui vivent de la pose artistique ! Au fait, comment devient-on modèle nu ? Faut-il faire ses classes ? Faut-il aimer son corps pour le montrer à tous ? Je contacte Lucie par téléphone. Enjouée, enthousiaste et sans prétention, elle répond à mes questions. Malgré le côté anachronique de son métier, elle reste actuelle. Ce n'est pas tous les jours qu'on peut parler à un modèle vivant toujours vivant !

Pourquoi exercer ce métier ? Ça sort quand même des sentiers battus, non ? **J'ai toujours aimé mon corps, malgré ses imperfections parfois gênantes dans ma vie privée, mais un atout dans le cadre de mon travail. Je suis une femme épanouie et peu pudique. J'ai pratiqué la danse pendant de nombreuses années. C'est mon conjoint de l'époque qui m'a proposé de tenter ma chance dans le métier. Me faire dire par mon chum que cet emploi était fait pour moi, c'était quelque chose ! Je me suis dit que je devais essayer ça. Pourquoi pas, au fond ? Je n'avais rien à perdre. C'est quand même particulier de se mettre à nu devant des centaines d'étudiants et de garder la même position pendant des heures. Ça n'a l'air de rien, mais il faut être en forme !**

Parle-moi de la façon dont ça se déroule. **Une soixantaine de fois par année, je me rends dans un local d'arts devant une trentaine d'étudiants pour dévoiler mon corps, le plus souvent nu, qui devient l'objet des esquisses de jeunes dessinateurs en devenir. Chaque fois, le rituel s'installe. Je me déshabille, jette un coup d'œil dans le miroir et pose devant les artistes. Généralement, je m'installe sur le podium et suis les directives que l'enseignant m'a données. Je pose, respire, respire ET respire. Il y a quelque chose qui ressemble au yoga dans ce que je fais. Si je n'ai pas d'instructions, j'y vais de mon cru par inspiration ou créativité.**

Est-ce que l'âge est un facteur de contrainte ? **Malgré la cinquantaine passée, ça marche encore pour moi. Et je ne cherche pas à plaire, je reste moi-même. La vieillesse, en dehors des normes dominantes, est acceptée. Ce n'est pas si compliqué, mais physiquement plutôt exigeant. Il n'y a pas de réflexion sur ma personne. Je montre mon corps tel quel. Je ne pense pas à ma cellulite, à mes rides ou à mes formes. « What**

you see is what you get!» C'est vrai que ça prend un certain courage, mais tu t'habitues avec la pratique.

Quels critères de beauté ont la cote dans ton domaine? **Il existe une diversité de corps dans mon milieu. Ce n'est pas toujours une bonne idée pour les modèles vivants de perdre du poids. J'ai même manqué ma chance pour un documentaire parce que je n'avais pas assez de rondeurs. D'ailleurs, les obèses sont les bienvenus... Dans les universités, les étudiants en arts cherchent la variété, car il y a des détails qui diffèrent dans les corps particuliers. Et c'est ainsi qu'ils apprennent! C'est ce qui fait la beauté de la chose. Les étudiants aiment les rondeurs. Une jeune femme filiforme n'est pas le modèle idéal. Elle est trop simple à dessiner. Dans l'œil des artistes que je rencontre, une femme début soixantaine, avec des formes, est belle.**

Depuis de nombreuses années, Lucie Bonenfant pose nue devant des créateurs, en toute confiance et sans gêne. Il faut être prêt à accepter son corps pour le dévoiler ainsi de la sorte. Elle appartient à une génération de femmes qui ont vécu la révolution sexuelle. Autant de jeunes des nouvelles générations sont-elles aussi à l'aise avec leur corps? Le modèle vivant témoigne d'un laisser-aller original et rare. On aimerait avoir son aisance, son bien-être. Elle respire la sérénité. Dans son milieu, la diversité corporelle est valorisée. N'est-ce pas la preuve qu'il existe une réelle ouverture à la différence? La modèle vivante a joué un rôle important dans ma démarche: non seulement celui de me démontrer qu'il existe des milieux où on peut vivre sans devenir fou avec la recherche de la perfection physique, mais aussi que, grâce aux femmes qui nous ont précédées, nous pouvons être et paraître comme bon nous semble. Tant mieux.

LE CORPS DES FEMMES LIBÉRÉ !

Carole Pateman, féministe britannique, politologue et doctorante de l'Université d'Oxford, définit la notion du privé qui est public dans son ouvrage phare, *The Sexual Contract*[76]. La chercheuse avance que les Lumières ont laissé en héritage une distinction marquée entre le privé et le public, ayant entraîné une séparation des genres : aux hommes l'espace public, aux femmes l'espace privé. La constitution physique des femmes fait qu'elles sont socialement associées à l'émotionnel, contrairement aux hommes considérés comme raisonnables. La sphère privée fait partie de la société, mais elle est séparée de la sphère publique. Avec l'ensemble des revendications liées à l'émancipation sexuelle des années 1970, on observe une évolution notable sur cette question : les réflexions entourant le corps passent de la sphère privée à celle publique. Elles deviennent ainsi politiques.

[76] Carole Pateman, *Le contrat sexuel*, Paris, La Découverte, 2010, « La fin de l'histoire ? », p. 301-318

Les femmes peuvent alors faire ce qu'elles veulent de leur corps. L'idée que le corps des femmes leur appartient est cruciale pour comprendre comment, plus tard, celui-ci a pu être récupéré par la société de consommation. Effectivement, nous sommes passés de l'émancipation individuelle, c'est-à-dire qu'on peut faire ce qu'on veut de son corps en s'émancipant de la tutelle religieuse, à un corps objet, un corps marchandise. Pol Pelletier fait partie des femmes de cette génération qui ont vu le rapport au corps changer du tout au tout. Cette évolution colore la vision des féministes de sa trempe.

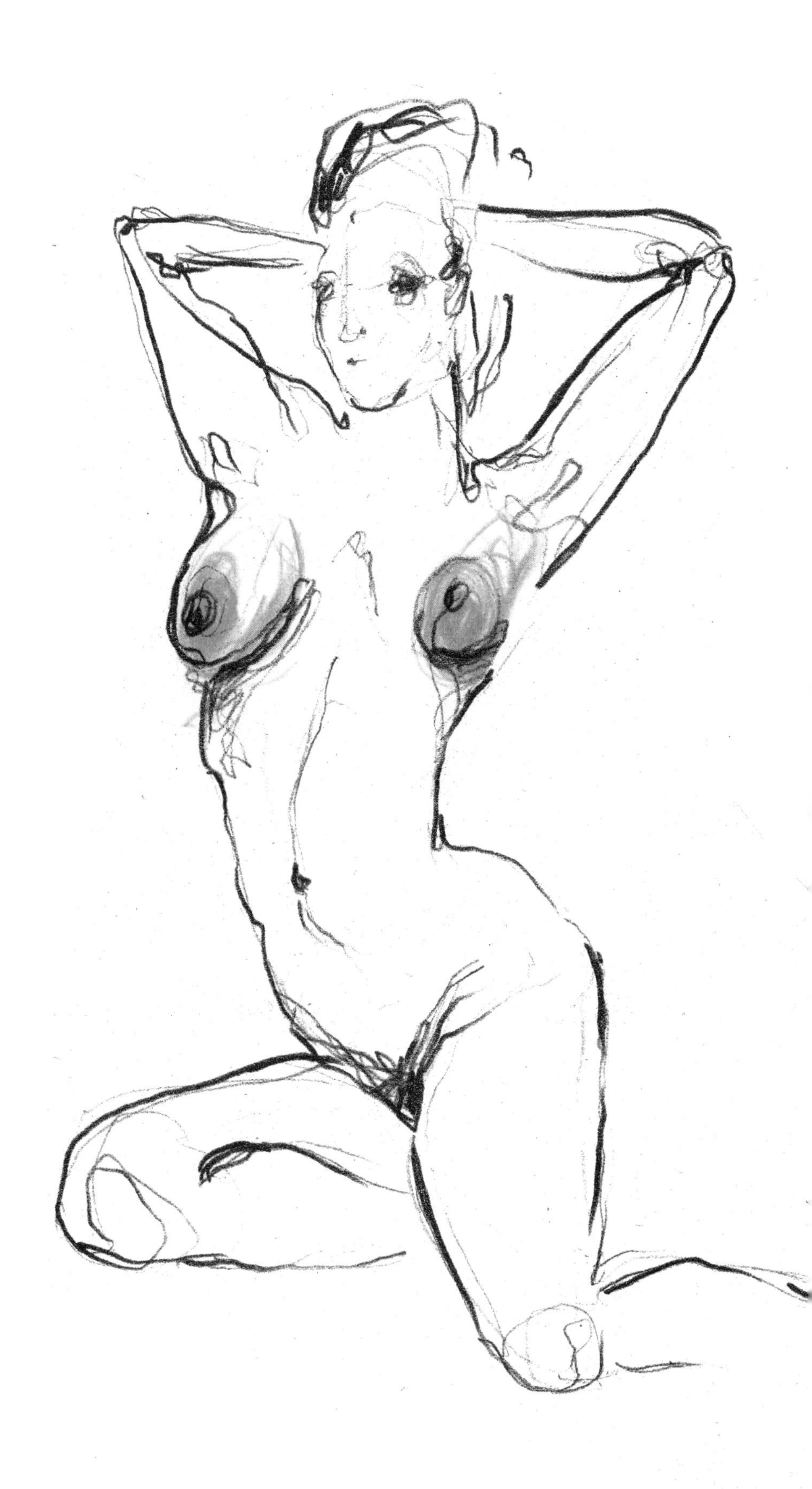

C'est l'histoire de l'humanité. L'intérêt d'être femme, c'est d'avoir un utérus. C'est pour cela que le lien entre beauté et féminin est si fort.

POL PELLETIER

FEMME DE THÉÂTRE

constru

p

ôté sup

Photo fournie par la femme de théâtre

Co-Fondatrice du Nouveau théâtre expérimental (1975-1979), et du Théâtre expérimental des femmes (1979-1990), Pol Pelletier est une femme de théâtre, auteure et pédagogue féministe québécoise. On lui doit entre autres *Nicole, c'est moi* et *Une Contrée sauvage appelée courage*. Elle fonde en 1988 le Dojo pour acteurs, une technique d'entraînement sur l'état d'éveil dans la pratique du métier.

À 64 ans, Pol Pelletier est en pleine possession de ses moyens. Son rapport au corps est profondément complexe. Elle pose un regard sur la vieillesse propre à la créatrice et à la féministe qu'elle est.

Tu exerces un métier de représentation, quel est ton rapport au corps ? **Tu ne peux pas faire un métier de représentation, monter sur scène, même en politique, sans réfléchir au rapport au corps. Monter sur scène, c'est la définition même de la représentation. Tu te déplaces pour voir un corps. Au départ, je me faisais imposer des rôles de jeune première. J'ai eu une très grande révolte par rapport à ça. J'ai alors fondé un théâtre qui laissait la place aux femmes. Mon insatisfaction a donné la méthode Dojo. J'ai décidé de donner un sens au rapport au corps. Et la question m'est venue en tête : « Qu'est-ce qu'un corps ? »**

Les corps que tu voyais sur scène te laissaient indifférente ? **Les corps ne me disaient rien, ils ne me parlaient pas. Il y a une grande séparation entre le corps et l'être de nos jours. Mais qu'est-ce que l'être ? L'essence ? Je considère l'invisible. Une de mes expériences les plus importantes a été la mise en scène de *La terre est très courte* de Violette Leduc, jouée par Luce Guilbault. Violette Leduc, un grand écrivain, avait un culte de la beauté, une obsession d'elle-même. Elle se détestait. Luce Guilbault était une immense actrice, mais elle se détestait elle-même aussi. Ça a été très difficile. Elle sentait que sa mère pensait : « Mon Dieu que tu n'es pas une belle petite fille. » Voyant la censure de son immense talent, j'ai fondé la méthode Dojo. Nous naissons avec un poids dans l'inconscient. Il faut l'avouer, c'est presque irréparable.**

L'obsession du corps est-elle plus féminine que masculine ? **L'obsession du corps, c'est le féminin, c'est l'inconscient. Écoute ton corps, ses désirs refoulés, son trouble. Le corps est souvent confus, inconscient. Cette obsession collective** pour le corps est une obsession sur le féminin. On ne laisse sortir que ce qui est acceptable. L'une des grandes caractéristiques du féminin, c'est la beauté. C'est pour cette raison que c'est difficile pour les femmes de vieillir, car la beauté est leur principale caractéristique. Il y a des critères de beauté, des lois, etc. C'est la définition même des femmes, la beauté. Quelle est la définition de ce corps ? Pourquoi tiens-tu tant à le montrer ? Pourquoi ai-je un tel besoin d'être exhibitionniste ? Tant de questions que je me suis toujours posées.

Ça t'a déçue, cette pression sociale pour la beauté ? **J'ai toujours mis l'accent sur la parole, pas le corps. Après 40 ans, je n'ai dit que récemment ce que j'avais à dire en acceptant les interdits issus de mon inconscient.**

Silence.

Il y a une chose, une ligne directrice : on m'a empêchée de parler enfant. Ça m'a cassée. Dans mes sept lois de la méthode Dojo, la plus importante est celle du conscient et de l'inconscient. L'inconscient *drive* les artistes. Il faut avoir le courage de dire ce qui émerge des profondeurs. Chaque fois que j'ai dit mes mots, j'ai transgressé un interdit qui menait à la mort. Les premières femmes qui ont créé ont transgressé un interdit mortel. Parler, pour moi, c'était littéralement risquer ma vie.

Est-ce que tu aimes ton corps ? **Je suis schizophrène par rapport à mon corps. J'ai été torturée et violée par un prêtre de l'âge de 3 à 5 ans et abusée par mon père de 7 à 9 ans. J'ai eu honte profondément de mon corps, de mon être. Comme j'étais très forte et intelligente, je me suis construit une personnalité fausse. Je ne suis pas Pol Pelletier. Paul Pelletier, c'est le nom de mon père. C'est une immense tragédie, être une femme. Dans ma méthode, c'est qu'il faut que tu travailles consciemment avec ton inconscient. Il ne faut pas se leurrer : quand tu as une souffrance, tu la refoules et tu refoules ce que tu es. Quand j'ai commencé à laisser émerger la souffrance, j'ai été obsédée par le suicide. Après 50 ans de refoulement, je voulais mourir. La douleur était dans tout mon être. J'ai toujours détesté mon corps. Je n'ai jamais senti que j'étais belle. Si on m'a fait des compliments ? Non, on ne m'en faisait pas. Les personnes qui m'ont dit que j'étais belle, c'étaient des femmes. J'ai passé ma vie à me protéger, car c'était l'horreur. J'étais boulimique et alcoolique. Quand tu te fais abuser : drogues, pilules, exercice. Il y en a qui deviennent pute, littéralement.**

Jeune, j'ai eu des comportements de pute. Je ne savais pas comment entrer en contact avec un homme, ça me faisait trop peur. J'allais draguer des inconnus.

Existe-t-il une différence entre le corps et les apparences ? **Il y a une grande différence entre vivre dans les apparences et le senti. Il existe une réelle et véritable expérience où il se passe quelque chose. J'ai été superficielle. J'ai tenté de montrer une image de perfection. Mais mon intuition, c'est qu'il est essentiel que les femmes parlent. Comment est-ce que je peux parler ? J'ai joué le rôle de jeune première deux fois. Ça m'a fait chier ! Toutes les saloperies qui se font dans ce métier... La drague, les tromperies. J'ai une aversion pour la fausseté. J'ai été superficielle, car je voulais me donner une dignité. Comment on se représente ? On joue la moman, la bonne ou la pute !**

Tout le monde veut-il plaire ? **On ne peut plus avoir de vraies émotions. Aujourd'hui, tout le monde veut plaire à tout le monde. Le Cirque du Soleil a détruit le Québec. Le Cirque du Soleil, c'est vide. Ce sont les apparences ! Ce que cela dit, c'est que l'art, ça te fait pas réfléchir, ça te gave de pop corn. C'est l'omniprésence du corps dans le plus exceptionnel, sexy-méchant ! Il y a dans le corps refoulé et hyperperformant toute la laideur du monde. Ce qui semble beau est profondément laid. Ces artistes sont au service du grand capital. L'inconscient veut que le grand capital triomphe, que le statut quo du patriarcat triomphe.**

Est-il difficile de vieillir comme comédienne ? **La vieillesse est associée à la détresse. Pour les hommes, c'est moins pire. Ils réussissent à se trouver des poupounes. De plus en plus, les hommes souffrent aussi. C'est tellement déchirant aussi pour les femmes. Il y a un affaiblissement biologique qui te limite. Le corps est fatigué, mais je crois que c'est à cause de la souffrance refoulée, non à cause de la vieillesse. Pour les femmes, c'est clair que tu ne vaux plus rien. C'est l'histoire de l'humanité. L'intérêt d'être femme, c'est d'avoir un utérus, c'est de donner naissance à des enfants. Un homme peut donner son sperme jusqu'à la fin. Il est utile à l'humanité. Pas les femmes. C'est pour ça que le lien entre beauté et féminin est si fort. Quand tu es jeune et belle, tu peux faire des bébés. Maintenant, la vie est plus longue pour les femmes ! Il faut continuer à vivre, malgré l'inutilité biologique.**

Comment le regard sur toi change-t-il quand tu vieillis ? **Quand tu commences à entendre Madame, tu te dis « C'est correct, c'est fini. » Tu le sens. C'est à jeter après usage, une femme. Ça, il n'y a rien à faire avec ça. La prochaine étape de l'humanité, c'est de s'en sortir. Regarde la planète. Il y a des petits progrès entre les générations ! Il y a une lueur de possibilité de liberté qui n'était pas visible avant.**

Toi, tu vis bien avec ton âge ? **Soixante ans, c'est terrible. Ton inconscient te dit : c'est fini ! Mais plus tu sais de choses sur toi, plus tu es libre. Il y a ce paradoxe dans le fait de vieillir. On arrive à un certain âge où l'on parvient à la maîtrise de nos moyens, puis on meurt. Une grande féministe britannique affirmait : « C'est dur être une femme : toutes les théories féministes ne changent rien au fait qu'à un moment donné, tu vieillis et tu prends des hanches. » Être féministe à 40 ans, ça passe. On peut t'écouter, mais à un moment donné la date de péremption est atteinte. Le corps ne sera jamais autre chose qu'une enveloppe, à moins qu'on l'habite vraiment, et ça c'est mon grand triomphe. Je pense que je suis une révolutionnaire. Les femmes sont le contenant de la souffrance de l'humanité, à cause de leur corps. Il existe un malaise dans notre société, un non-dit. Nous ne sommes pas en contact avec notre corps, nos émotions réelles.**

Pol Pelletier est une femme exceptionnelle. L'expression hors de l'ordinaire la caractérise magnifiquement. C'est qu'elle a le don de nous faire voir les choses différemment, comme une sagesse qui te fait ressentir la vie. C'est rare de rencontrer des femmes qui te chavirent, tellement elles sont intenses dans leur vérité, qu'on soit d'accord ou non avec elles.

Les pieds, les racines, forment la section politique et historique de cet essai. Le rapport au corps est politique, comme dirait la féministe Carole Pateman. Mais ça n'a pas toujours été aussi évident. Il aura fallu des années de lutte pour que cela ait lieu ; de la Révolution française, avec la fin de l'esclavagisme, jusqu'à la révolution sexuelle des années 1960. La démocratisation des critères de beauté a eu lieu aussi avec l'avènement du capitalisme. Tous n'avaient pas les moyens de se payer une beauté. Avec l'émancipation féminine, le corps des femmes est devenu un objet de débats. Des féministes comme Pol Pelletier en sont la preuve. Mais la dramaturge demeure lucide face aux défis qui perdurent pour nous.

Le travail des historiens Umberto Eco et Georges Vigarello nous montre comment les canons de beauté ont évolué. La beauté s'est tout de même uniformisée avec la mondialisation et les progrès technologiques. Les critères idéalisés du beau ne sont tout de même pas hermétiques. Un modèle vivant comme Lucie Bonenfant nous donne espoir : dans certains domaines comme les arts visuels, la diversité corporelle a la cote et la gardera probablement toujours!

Le corps des femmes s'est libéré : il a délaissé son statut d'objet. Pourtant, plusieurs voient un retour du balancier. Le corps marchandisé est-il un recul ?

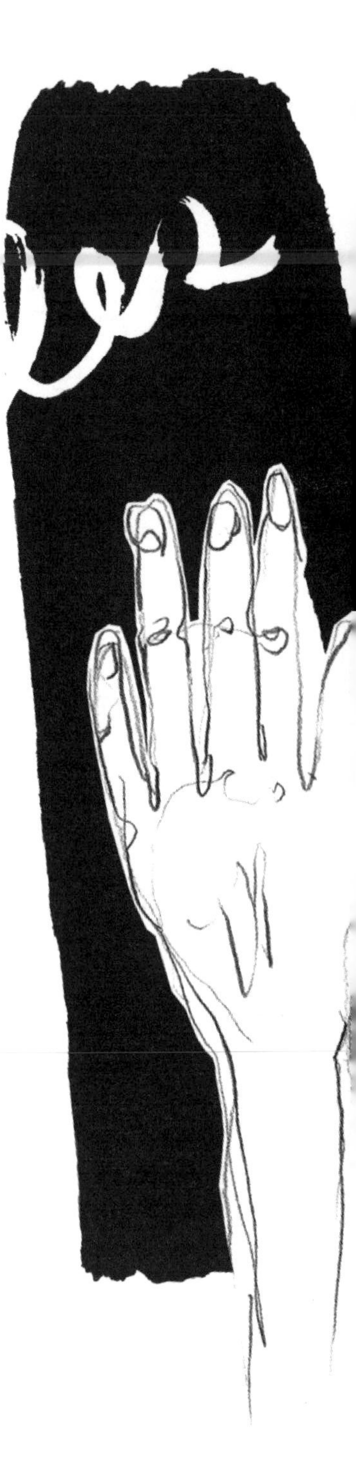

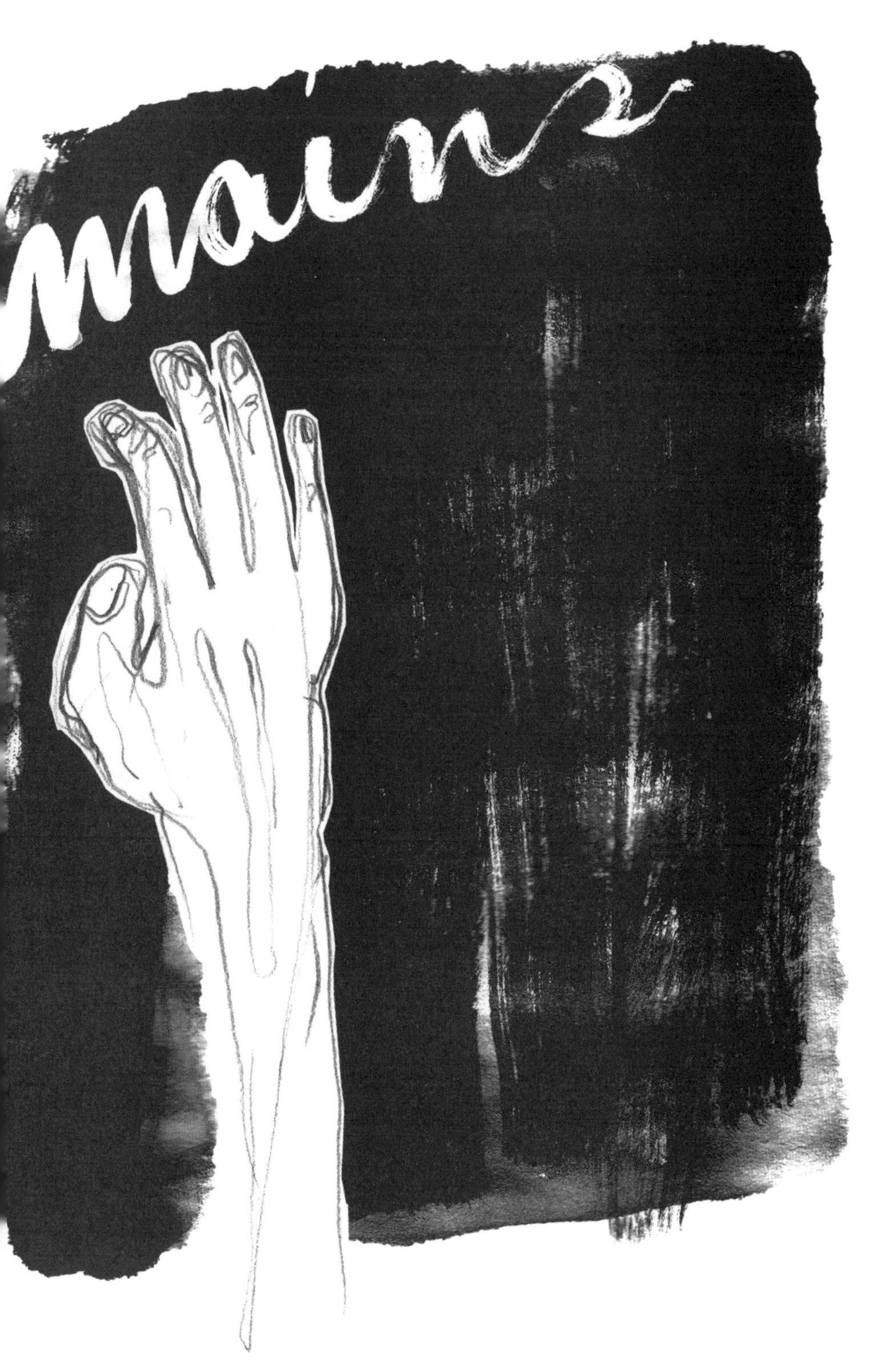

« Faire est le propre de la main. »

Valéry

LA MAIN SYMBOLISE LE POUVOIR D'AGIR, LA LIBERTÉ : AVOIR LES MAINS LIBRES, COMME LE VEUT L'EXPRESSION. LA MAIN RAPPELLE NÉANMOINS LA PRISE DE POSSESSION, LA PROPRIÉTÉ PRIVÉE : METTRE LA MAIN SUR QUELQUE CHOSE. ELLE RÉFÈRE À L'ACTIVITÉ, À L'ACTION, AU TRAVAIL : METTRE LA MAIN À LA PÂTE, PRÊTER MAIN-FORTE. LA MAIN SYMBOLISE LA FORCE, L'AUTORITÉ : UNE MAIN DE FER DANS UN GANT DE VELOURS.

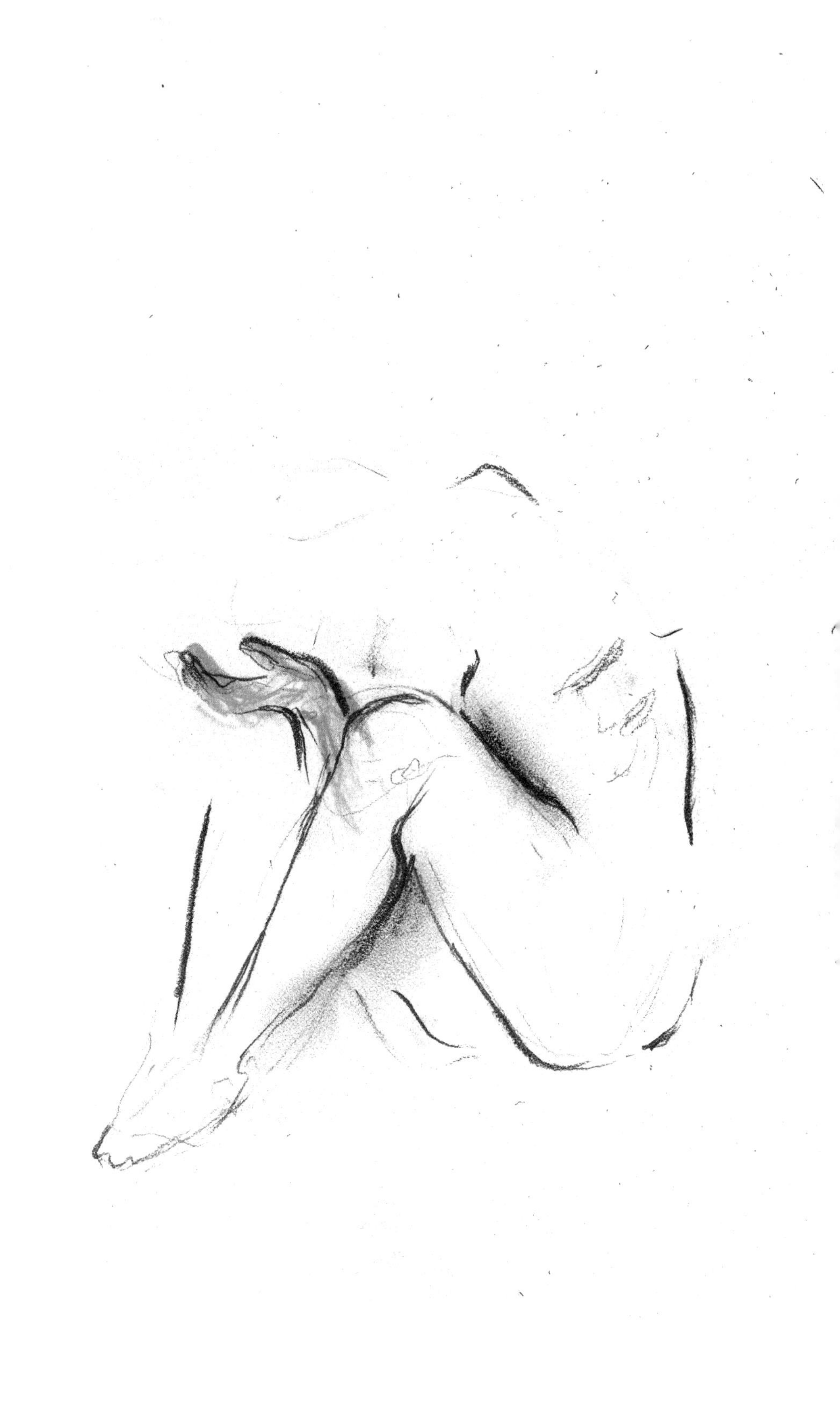

Ici, mon image de la main réfère à la marchandisation du corps. C'est le cœur de la problématique : le corps est récupéré par le marché. Hervé Kempf est l'auteur de plusieurs livres qui s'intéressent à la question. Le penseur avance que le capitalisme sauvage s'impose partout. Un exemple flagrant de cela est la marchandisation du corps humain. Mais Kempf ne s'arrête pas seulement au culte des apparences. Il fait aussi référence aux mères porteuses (la vente des bébés), au tourisme sexuel, à la vente d'organes, au commerce de prostituées, au travail forcé (expression provenant du Bureau international du travail). Autrefois, il existait un interdit : le corps humain ne devait pas être marchandisé. Kempf observe un changement important dans les mentalités, notamment aux États-Unis où le capitalisme est des plus débridés[77].

[77] Hervé Kempf, *Pour sauver la planète, sortez du capitalisme*, Paris, Éditions du Seuil, 2009

Le corps est partout, tant dans les publicités que dans les médias. Il est utilisé pour vendre une panoplie de produits : parfums, maillots de bain, automobiles, cosmétiques, déodorants, etc. Le corps est devenu marchandise. Le corps est mis en scène pour vendre. Un marché des apparences existe bel et bien. Selon l'American Psychological Association, le nombre annuel d'injections de Botox aux États-Unis est passé d'environ trois quarts de million à près de 4 millions entre 2000 et 2005. C'est une augmentation de 388 %[78]. Dire que c'est beaucoup est un euphémisme.

[78] RQASF, « Réseau québécois d'Action pour la santé des femmes », *Et alors, y a-t-il du mal à vendre du rêve ?*, 11 décembre 2012

[79] Ron Erickson, «Text TV's interactivity can lure youths back», *Television Week*, 26 juin 2006, p.16

Chaque jour, un jeune Américain a accès à un environnement comprenant plus de :

- 200 chaînes de télévision;
- 5 500 titres de magazines;
- 10 500 chaînes de radio;
- 30 millions de sites[79].

Que dire du nombre de stéréotypes vus, entendus, perçus sur une base quotidienne? Pourquoi pense-t-on au terme « bombardement » ?...

LA PUBLICITÉ

Les publicités sont omniprésentes. Elles ont évolué. Difficile de faire autrement. Dans un article paru dans le *New York Times*, on faisait un portrait global de ce paysage publicitaire en se fiant à une étude publiée par Yankelovich[80]. Cette firme de recherche de marché estimait qu'il y a 30 ans, une personne pouvait être exposée en moyenne à 2000 messages publicitaires dans une journée. En 2007, la moyenne était de 5000 publicités accessibles par jour[81]. Imaginez en 2017. Imaginez en 2027.

[80] Louise Story, « Anywhere the Eye Can See, It's Likely to See an Ad », *New York Times*, janvier 2007

[81] *Ibidem*

En 1964, Claude Cossette fondait l'agence de publicité Cossette, dont il a assuré la direction pendant des années et qui est aujourd'hui l'une des plus importantes à Montréal. Professeur associé au département d'information et de communication à l'Université Laval, l'ex-publicitaire nous rappelle ce qu'est devenu notre monde. Nous vivons dans une société de l'image et du virtuel qui dicte nos comportements et nos relations. Le publicitaire constate l'omniprésence des médias dans nos vies.

Le monde que présente la publicité est un monde de facilité : il suffit d'acheter un objet pour obtenir le bonheur, claironne la publicité. Ce genre de lavage de cerveau, le consommateur le subit ad nauseam, si bien que le monde réel apparaît bien dur à plusieurs. Les plus fragiles s'esquivent et s'enferment dans « le monde virtuel », se cramponnant à leur petit écran[82].

[82] Claude Cossette, « Épilogue », *La Publicité, déchet culturel*, Presses de l'Université Laval, 2001

Aux dires du psychologue américain Walter Dill Scott, « l'homme n'a besoin que d'imagination pour se représenter n'importe quelle marchandise de telle sorte qu'elle devienne l'objet d'émotion [...] suscitant ainsi le désir au lieu du simple sentiment de nécessité[83]. » Il ajoute que « les produits présentés comme

[83] Walter Dill Scott, *Influencing men in business : the psychology of argument and suggestion*, The Ronald press compagy, 1919, p.176

moyens vont augmenter le prestige social, font appel au plus fondamental des instincts de l'homme».

QUELQUES CHIFFRES SUR LA PUB !

En 1979, le chiffre d'affaires du secteur de la publicité représentait 20 milliards de dollars aux États-Unis[84].

1999

En 1999, il était passé à 180 milliards et les Américains étaient exposés à plus de 3000 publicités par jour[85].

3

En moyenne, les Américains auront passé près de 3 ans de leur vie à visionner des publicités télévisées.

[84] Jean Kilbourne, *Killing us Soflty 3*, Advertising's Image of Women, 2000

[85] *Ibidem*

Photo de placardages publicitaires parisiens tels que croqués par Léa en 2013

© Photo Mario Jean

la fille
choisie pour figurer
en première page
d'un magazine
devient rentable
ce que la masse désire
acheter demeure
le meilleur
selon l'implacable
loi de l'offre et de
la demande.
vendre
rapporte

IANIK MARCIL

ÉCONOMISTE

VENDRE SON CORPS ?

[86] Richard Therrien, « Musimax retire Mini Miss et Honey Boo Boo », *Le Soleil*, 26 septembre 2013. Voir section « Mini-Miss » p.194

Ianik Marcil est un économiste indépendant spécialisé dans le domaine des transformations économiques, industrielles et technologiques. C'est un ami avec qui j'ai lancé la pétition dénonçant l'arrivée des concours de « mini-miss » au Québec en septembre 2013 ! Avec lui et le médecin Alain Vadeboncoeur, nous avons réussi à faire retirer deux émissions de télé-réalité à Musimax en plus de l'annulation de l'événement[86]. Ianik n'a pas son pareil pour vulgariser des enjeux économiques. Je voulais qu'il nous présente le concept de « marchandisation du corps », un concept fondamental à insérer dans ma quête de compréhension.

Qu'est-ce que la marchandisation ? **La marchandisation est un phénomène qui est organique à l'histoire du capitalisme. Le capitalisme, pour se développer, doit transformer ses rapports en marchandise. Cette conception serait particulièrement symptomatique : le capitalisme a besoin d'un intermédiaire pour établir la neutralité dans les relations sociales afin de faciliter les rapports monétaires. Le capitalisme ne peut pas exister sans ces rapports de marchandisation. Cela a un effet pervers, car tout devient économique. Le profit prime sur le reste. C'est une force hallucinante ! Il y a toutes sortes de marchandisation : celle de l'eau, du livre, de l'art et du corps...**

Quel impact a la marchandisation dans nos vies ? **La monétarisation de nos rapports a une force extraordinaire. Elle incarne la seule norme évaluative. Marchandiser le corps, c'est exiger des autres de se conformer au modèle répandu. En évacuant toutes les autres normes, on sintègre que ce sont des choses moins importantes. En fait, c'est un comportement plutôt totalitaire que de se conformer à une seule norme. Cette soumission à une norme unique semble tellement universelle et objective qu'on**

ne la remettra jamais en question. C'est devenu normal de penser le monde selon l'idée unique du coût-bénéfice. Dans cette logique, la marchandisation s'applique un peu à tout: la pollution, l'eau, la beauté. La fille choisie pour figurer en première page d'un magazine devient rentable. L'argent est le dénominateur le plus fort, ce que la masse désire acheter demeure le meilleur selon l'implacable loi de l'offre et de la demande.

Ianik Marcil explique ce qui est au cœur du culte des apparences: la marchandisation (du corps). C'est la première valeur louable promulguée dans la société. Le reste ne compte pas. On a envie d'une pitoune pour vendre un char, c'est acceptable parce que ça rapporte de l'argent. On ne se questionne pas sur le sens de cette représentation ou la symbolique de l'exploitation. Tout revient à faire du profit. Mais ça n'a pas toujours été le cas...

À la suite de la création de la plate-forme controversée *trouble.voir.ca*, Ianik signait un papier percutant pour annoncer sa démission du *Voir*. Son plaidoyer est clair et rejoint l'idée qu'il explique: l'offre entraîne la demande et non l'inverse. **«Si on vend plus de livres merdiques que de recueils de Rimbaud, c'est entre autres parce que l'on n'élève pas assez le niveau dans les médias grand public. Si le Voir avait mis l'énergie à promouvoir un *poètes.voir.ca* à la place, par exemple, peut-être que le monde serait meilleur. La demande est créée par l'offre, pas l'inverse, quoi qu'en dise une majorité de mes confrères.»**[87]

[87] Ianik Marcil, «L'appel du vide», 17 novembre 2013, Site personnel, www.ianikmarcil.com

Je n'avais jamais pensé à l'envers ainsi! Le concept d'offre et de demande est tellement considéré dans cet ordre que l'on ne questionne même plus laquelle des deux entraîne l'autre! Et si, effectivement, l'offre précédait la demande? Cela voudrait donc dire qu'en réduisant l'offre, la demande serait également diminuée... Intéressant! Mais qu'en est-il de ces gens qui marchandent leur propre personne?

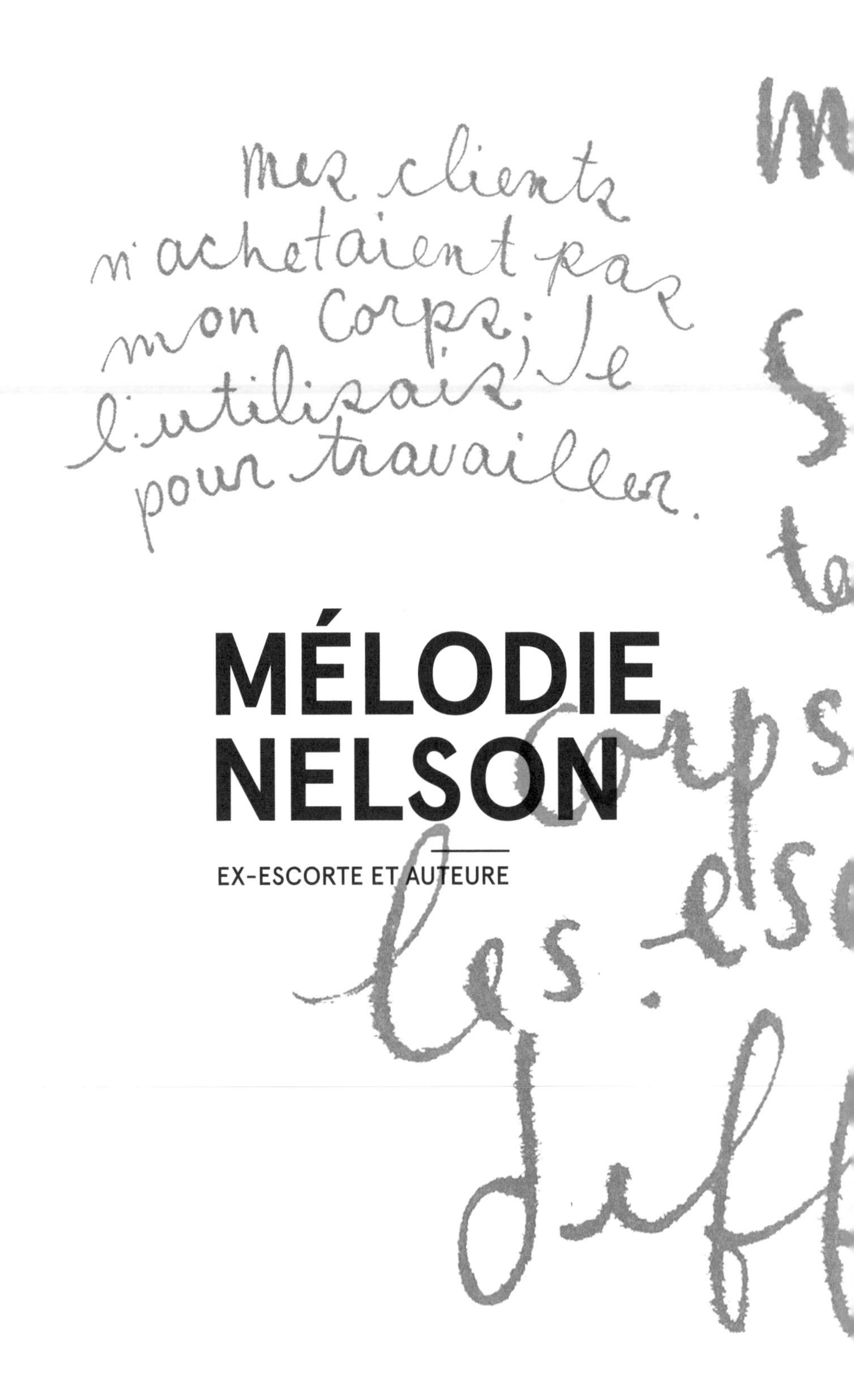

Mes clients
n'achetaient pas
mon corps; je
l'utilisais
pour travailler.

MÉLODIE NELSON

EX-ESCORTE ET AUTEURE

Photo fournie par l'auteure

On dit de la prostitution qu'il est le plus vieux métier du monde. Mais vendre son corps est-il synonyme d'asservissement? Les débats entre abolition, légalisation et décriminalisation sont complexes. La jeune auteure Mélodie Nelson (baccalauréat en études littéraires et certificat en histoire de l'art) a publié *Escorte* et de nombreux textes dans les revues *Zinc*, *Moebius* et *Lurelu*.

Mélodie est une femme de sa génération qui semble tout à fait épanouie dans ses choix. Sa position est claire et contredit l'idée que j'avais tenue pour acquise. Elle avance que la prostitution n'est pas la mise en marché de son propre corps. J'ai rejoint Mélodie par Internet, là où elle est le plus active comme blogueuse. J'étais à Paris et elle à Montréal. J'ai réussi à obtenir certaines confidences d'une jeune femme qui est loin de se plaindre de sa condition d'ex-escorte.

« Les escortes ne vendent pas leur corps, pas plus que les athlètes professionnels, les mannequins, les danseuses de ballet et les cascadeurs ne le font. J'utilisais mon corps pour travailler. Mes clients n'achetaient pas mon corps; ils payaient pour mes services sexuels et ma compagnie. Mon corps m'a toujours appartenu. Prétendre ou penser qu'il en est autrement est beaucoup plus méprisant que ce tout ce qui peut se passer entre un client et une escorte », affirme-t-elle. Mélodie croit qu'il y a beaucoup de préjugés de la part des gens qui ne connaissent pas l'industrie du sexe. Ils croient que toutes les personnes se prostituant sont maintenues dans l'industrie par obligation et coercition. Pas selon elle.

Et qu'en est-il du culte du corps dans le métier? Après tout, le physique des escortes n'est-il pas leur principal attrait? Je pose la question en bonne néophyte...

UNE DIVERSITÉ DE BEAUTÉS...

Existe-t-il des critères de beauté véhiculés par la prostitution? Selon Mélodie, si on se fie à l'imaginaire populaire, les prostituées de rue sont moches tandis que les escortes sont superbes, avec de gros seins, des cheveux blonds et des lèvres pulpeuses. Mais, la réalité est tout autre. **« Quand j'ai commencé à être escorte, à 19 ans, je ne pensais pas du tout être populaire, puisque je ne correspondais pas au modèle de l'escorte idéale (mince, gros seins, blonde, visage symétrique, lèvres à la Angelina Jolie).**

J'avais de longs cheveux noirs, un gros nez, de petits seins. Pourtant, je me suis rapidement rendu compte que les escortes sont toutes très différentes. J'en ai côtoyé des voluptueuses qui étudiaient en design d'intérieur, des petites au visage marqué par l'acné, des rouquines qui ne parlaient que de clubbing et de souliers, des vraies blondes qui faisaient du bénévolat en Afrique, des sosies d'actrices porno, des obèses… » C'est donc un univers où l'on côtoie toutes sortes de femmes.

L'ancienne escorte avait ses complexes comme tout le monde, quelques difficultés à accepter sa maigreur, son absence de seins et de cuisses, mais plus aujourd'hui. **« Maintenant, après une adolescence marquée par l'envie, quelques années de travail dans l'industrie du sexe, puis une grossesse, j'accepte mon corps très facilement. Je crois beaucoup en l'expérience et à l'intelligence corporelle. Je pense qu'il est nécessaire de réhabiliter ce savoir, de ne pas le diminuer par rapport au savoir intellectuel »**, lance-t-elle.

DEVENIR ESCORTE

Et pourquoi faire ce métier? C'est la question que plusieurs personnes comme moi se posent. Euh, pourquoi donc? Je m'éloigne un peu du vif du sujet pour mieux comprendre la logique de Mélodie Nelson. **« J'ai toujours été très curieuse par rapport à la sexualité. Je n'ai jamais écouté de film porno avant d'avoir 18 ou 19 ans, je devinais que je n'y apprendrais rien, sauf de faux bruits d'orgasme et des positions plus ou moins excitantes. J'ai lu toutefois plein de livres sur l'industrie du sexe, certains écrits par des auteures ayant déjà été escorte ou par des pornstars, comme Virginie Despentes et Ovidie. J'ai toujours eu l'impression que ces femmes en savaient plus que moi, plus que les autres, non seulement sur les hommes, mais sur les rapports de désir, d'affection, les rapports fondamentaux, les rapports de pulsions de vie à la Freud »**, avance-t-elle. Elle ne s'en cache pas. Avant même la curiosité, il y avait également l'envie d'argent pour payer ses études universitaires. Devenir prostituée avait bien sûr aussi ce côté pratique.

DIFFICILE D'ACCEPTER SON CORPS?

Ses modèles de beauté sont plutôt variés. Les personnes qu'elle admire l'émeuvent également sur le plan esthétique, de Nancy Huston à Chelsea Handler en passant par sa propre maman. Son éventail semble plutôt diversifié, la beauté s'attache à des

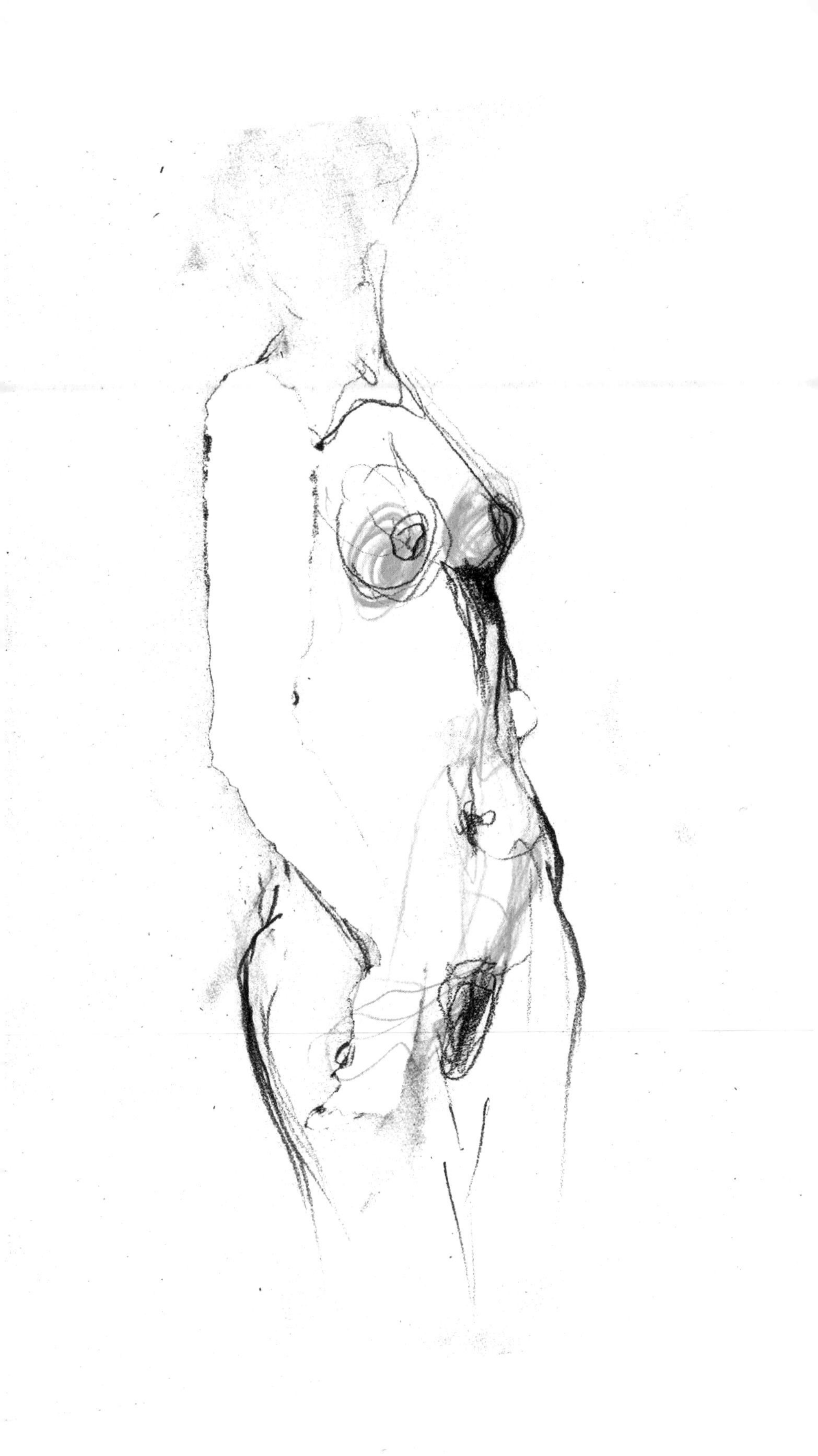

éléments qu'elle connaît. Le bonheur qui se reflète dans le regard des gens l'inspire également en ce sens. **«Je trouve l'actrice Zooey Deschanel très jolie, avec un style très mignon et féminin. Victoria Beckham a un corps superbe et des tenues qui le soulignent. Je trouve beau mon papa et ses taches de rousseur, mes frères et leur rire, mon mec, et Daniel Craig, car je trouve qu'il ressemble un peu à mon mec. Et je jalouse les gens à l'héritage métissé. Je connais deux filles qui sont chinoises, vietnamiennes et françaises, et elles sont magnifiques.»**

Mélodie Nelson n'est pas obsédée par son corps ou l'atteinte de critères de beauté inatteignables. Elle n'a jamais éprouvé de malaise à utiliser son corps pour offrir des services. Elle s'avoue bien avec elle-même, ce qui peut sembler étonnant... TOUTES ne partagent pas cet équilibre. Contre-exemple flagrant: Nelly Arcan.

Partir en guerre n'est pas mon rôle le mien consiste à devenir miroir.

NELLY ARCAN

PAR FABIEN LOSZACH

Chroniqueur pour différents médias dont l'émission *La Sphère* à Radio-Canada ou MSN, Fabien Loszach, sociologue, a été mandaté à titre de concepteur-rédacteur par la famille de l'auteure pour travailler à la rédaction du site consacré à l'œuvre de Nelly Arcan. Pendant plus de 8 mois, il a étudié les archives de l'auteure. Il a plongé tête première dans son univers. Je trouve intéressant d'avoir un point de vue masculin sur cette auteure. On sait que la perception que les autres avaient de son image l'obsédait. Fabien a répondu à mes questions.

La thématique de l'acharnement esthétique est omniprésente dans l'œuvre d'Arcan. Que peut-on retenir de ses écrits sur ce sujet ? **L'acharnement esthétique est une perversion du désir d'être belle. Il implique qu'on accepte sans aucune retenue les impératifs de beauté et que l'on tente par tous les moyens de s'y conformer. Pour Nelly Arcan, l'omniprésence des images et des représentations idéales de la femme fait qu'il est extrêmement difficile pour une femme de vivre sans se soucier de ces modèles, au point de créer de véritables obsessions. C'est dans cette logique obsessive qu'il faut comprendre l'acharnement esthétique et la chirurgie esthétique qui en est une composante : la force des images et leur emprise poussent certaines femmes à vouloir s'y conformer à tout prix, au point de se faire violence.**

Nelly Arcan aborde ces sujets dans plusieurs de ces romans et plus particulièrement dans *À ciel ouvert*. Le livre raconte l'histoire de deux femmes en guerre permanente avec leur propre image et qui multiplient les interventions chirurgicales pour tenter d'atteindre l'idéal d'un corps parfait.

Était-il nécessaire pour Nelly Arcan de se conformer aux standards de beauté ? **Oui, évidemment, même si elle répète dans ses livres et ses entrevues qu'elle les condamne. Nelly n'était pas dupe de ses contradictions non plus, elle en faisait souvent état. Au point de vue purement littéraire, Nelly fait, par exemple, dans *Putain*, son premier roman, une division radicale de la gent féminine qui met en lumière le rapport problématique qu'elle entretenait avec la beauté féminine. Celles qui se conforment aux standards de beauté, les schtroumpfettes, et celles qui ont abdiqué devant l'exigence d'être belles, les larves. La schtroumpfette, c'est la femme « désirable », « [...] celle qui « fait bander les hommes », celle qui court « les boutiques et les chirurgiens ». Au-delà de ces deux types, point de salut, elle ne parle jamais des femmes** qui refusent ou se moquent complètement de ces exigences; sûrement parce que c'était pour elle un point d'équilibre qu'elle n'a jamais trouvé.

Comment représentait-elle l'idéal type du corps féminin? De la même manière que l'envisage le monde de la mode et de la publicité: un corps jeune, mince, érotisé. On remarque à cet égard une véritable obsession pour la jeunesse dans les textes de Nelly, et ce, même dans les premiers romans, alors même que l'auteure est encore dans la vingtaine, comme en témoigne cet extrait de Folle:

«Pendant le temps de mon initiation, j'ai eu du mal à me regarder dans le miroir parce que mon image me choquait, par rapport à Jasmine, j'avais un âge avancé, j'avais l'âge des ridicules et des premiers cheveux blancs. J'ai bien failli te quitter, mais on était au début de l'hiver, le temps des fêtes arrivait et devant la perspective de franchir le cap de l'année de ma mort, il ne servait plus à rien de bouger.»

Un corps mince, ensuite, qui est rendu possible par un ascétisme quotidien et une pratique assidue du sport dont elle parle dans *À Ciel ouvert*. Et puis aussi et surtout un corps érotisé, sexuel, que décrit bien le concept de la schtroumpfette, un corps sculpté pour susciter le désir masculin et séduire les hommes.

Peux-tu me parler de ce que qualifie l'auteur de «burqa de chair»? C'est un concept intéressant qu'elle développe dans *À ciel ouvert*, son troisième roman. L'éditeur chez les éditions du Seuil, ne s'est d'ailleurs pas trompé en l'utilisant comme titre de la publication posthume. Le concept de burqa de chair est construit par analogie avec la burqa de certains pays musulmans, un voile qui, on le sait, cherche à cacher les attributs de la féminité, à dérober la femme au regard des autres hommes dans des cultures encore très misogynes.

Toutefois, avec la burqa de chair, le corps de la femme n'est pas caché par un voile matériel, un morceau de tissu, mais par un voile d'images et de représentations sociales stéréotypées. La burqa de chair, c'est le contraire du corps caché, c'est le corps dénudé, montré, exhibé, sexualisé. Autrement dit, à force d'être représenté et démultiplié, cet idéal érotique, jeune et sensuel du corps féminin impose un modèle de représentation qui devient une véritable cage pour les femmes occidentales. La femme occidentale, écrit Nelly, «est un sexe derrière lequel

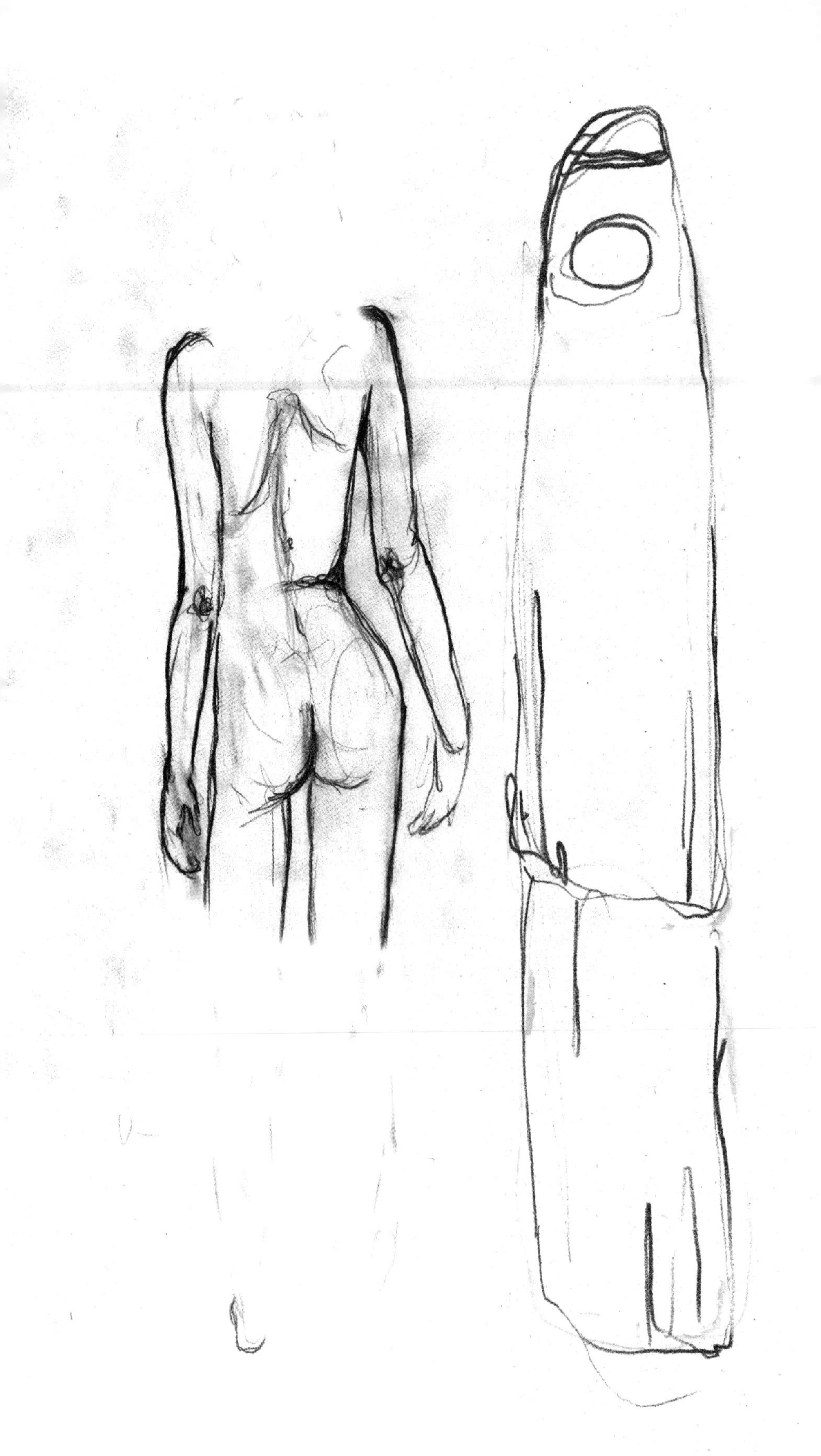

elle disparaît, alors que la femme voilée par la burqa, la vraie, est aussi un sexe, que l'on recouvre de la tête aux pieds, pour le faire disparaître».

Ce débat est d'autant plus difficile à penser aujourd'hui que les revendications féministes des années 1960 se sont en grande partie matérialisées autour de questions corporelles, vestimentaires et sexuelles. À cette époque, les féministes brûlaient leurs brassières au nom de la liberté corporelle alors que les images de nudité exposées dans les films pornographiques et la publicité étaient appréciées comme des signes d'émancipation.

Le débat sur la mise en image du corps féminin est plus que jamais d'actualité, il implique des réflexions sur la place de la femme, bien sûr, sur la liberté et le désir et soulève des questions qui n'ont toujours pas trouvé de réponses claires: les tenues dénudées et sexuelles sont-elles une forme d'asservissement ou d'autonomisation et de libération de la femme? Les conduites sexualisées chez les femmes dans les médias sont-elles un obstacle aux rapports égalitaires? Comment lutter contre les stéréotypes sexuels sans tomber dans le conservatisme?

Nelly Arcan prônait-elle vraiment une soumission à la dictature de la beauté? **Non, pas du tout, il n'y avait pas dans son discours tant littéraire que public d'incitation à être belle, elle ne disait jamais «soumettez-vous aux carcans esthétiques qui courent sur le corps des femmes». Au contraire, je pense que l'œuvre de Nelly Arcan est traversée par le sentiment d'une immense injustice envers les femmes, injustice qui se matérialise notamment dans la réduction de la femme à sa dimension physique et sexuelle. À ce sujet, Nelly dénonçait l'asymétrie fondamentale qui existe dans les critères de jugement entre hommes et femmes. On le sait, on le répète, mais rien ne change : hommes et femmes confondus jugent les femmes en premier lieu sur leur physique, alors qu'ils jugent les hommes sur leur carrière et leur statut social.**

Nelly contestait cette vision-là, mais en même temps, elle n'a pas trouvé la force de la refuser complètement, alors elle invente des formules alambiquées pour essayer de justifier cette ambiguïté. Elle se décrivait comme un miroir: **«La femme possède une valeur intrinsèque par sa beauté et sa jeunesse. Toute la société nous ancre ce message-là. Je conteste cette dictature, tout en acceptant de jouer son jeu. Partir en guerre n'est pas mon rôle. Le mien consiste à devenir miroir.»**

LE RENFORCEMENT DES STÉRÉOTYPES

[88] Walter Lippmann, *Public opinion*, Harcourt Brace Jovanovich, New York, 1992

Le culte des apparences est perpétué par des stéréotypes. Mais, qu'entendons-nous exactement par « stéréotype » ? Walter Lippman, journaliste, intellectuel et écrivain, le précise dans son livre *Public opinion*. Un stéréotype réfère à une simplification nécessaire d'un modèle pour pouvoir s'y identifier plus simplement. « Nous [en tant qu'individus] ne sommes pas équipés pour faire face à autant de subtilité et de diversité, à autant de permutations et de combinaisons. Puisque nous devons composer avec un tel environnement, il nous faut donc le réduire en un modèle plus simple avant de pouvoir le gérer[88]. » Bref, des images simples comme celles que l'on voit dans les publicités sont vendeuses. Le message est plus accessible, et sa portée bien meilleure.

[89] Sophie Bissonnette, *Être ou paraître : les jeunes face aux stéréotypes sexuels*, Office national du film, 2010, 26 minutes

Dans le film *Être ou paraître* de la cinéaste Sophie Bissonnette, certains témoignages de jeunes amenés à s'interroger sur les apparences physiques sont frappants en ce qui concerne les stéréotypes véhiculés aujourd'hui. « Comment présente-t-on les filles idéales ? Elles sont blondes, elles sont super maquillées. C'est la vie en rose : on va magasiner toute la journée dans un centre d'achats », lance l'une d'entre elles, élève de deuxième secondaire[89].

Un garçon interrogé, élève au début du secondaire, lui répond tout aussi naturellement : « Dans les faits, on te dit toujours comment être, sinon cela veut dire que t'es moche. » Douloureux pour les ados d'être moches dans une période de vie où l'on veut se faire accepter à tout prix. Selon une consultation réalisée en avril 2011 par le Forum jeunesse de l'île de Montréal en collaboration avec le Secrétariat à la condition féminine, le Y des femmes de Montréal et l'organisation Mise au jeu, les jeunes affirment, en grande majorité, que les images de femmes et d'hommes qui sont diffusées dans les médias ne sont pas réalistes et qu'elles constituent un idéal inatteignable. Et le rapport à la beauté n'est toujours pas le même selon le sexe[90].

[90] Catherine Bourassa-Dansereau et Mise au jeu. *ModÉgalité*, YMCA, Montréal, 2011

D'ailleurs :

34 %

34 % des adolescents sont insatisfaits de leur image corporelle et veulent modifier leur apparence personnel.

40 %

Le pourcentage monte à 40 % pour les adolescentes de niveau secondaire[91].

[91] Conseil des ministres de l'Éducation. *Étude sur les jeunes, la santé sexuelle, le VIH et le SIDA au Canada : facteurs influant sur les connaissances, les attitudes et les comportements*, Toronto, 2003, 162 p. (p. 34-35) – Repris dans Conseil du statut de la femme. *Le sexe dans les médias. Obstacles aux rapports égalitaires*, Avis du CSF, mai 2008 (p. 73-74)

LES FILLETTES COMME NICHE DE MARCHÉ

Les jeunes femmes sont-elles plus nombreuses à investir dans leur beauté que les garçons? Cette question est pertinente, car elle tend à démontrer une socialisation différente selon les sexes, et ce, dès l'enfance. On constate que, très jeunes, les filles sont davantage portées à consommer pour modifier leur apparence physique. Un produit comme le *Lip Smackers*, un baume à lèvres fruité, est vendu aux États-Unis et vise la niche de marché de fillettes âgées de 4 à 12 ans[92].

[92] Elisabeth Kennedy, « Tweens and Make-up : Easy Does it », *South Coast Today*, 23 octobre 2004

La Chaire d'étude Claire-Bonenfant sur la condition des femmes de l'Université Laval a mené une recherche en 2003, dirigée par la professeure Pierrette Bouchard et la chercheuse Natasha Bouchard, s'intéressant aux impacts de l'hypersexualisation sur les jeunes femmes[93]. Elles constatent que les jeunes filles sont devenues un nouveau groupe de consommation[94]. Aux États-Unis, un nom a même été donné à cette niche de marché : les « tweens », référant au terme « teens » (adolescent) mais dans une contraction du terme « between » soulignant la période entre l'enfance et l'adolescence. Les tweens seraient 2,4 millions au Canada et dépensent environ 1,4 de milliard de dollars annuellement[95].

[93] Pierrette Bouchard et Natasha Bouchard, « Miroir, miroir... » La précocité provoquée de l'adolescence et ses effets sur la vulnérabilité des filles, *Les cahiers de recherche du GREMF*, Groupe de recherche multidisciplinaire féministe, Université Laval, Québec, 2003, 62 p

[94] Pierrette Bouchard et Natasha Bouchard, *Ibid*, p.10

[95] Martine Turenne, « Tweens : même les banques s'en mêlent », *Les Affaires*, 4 juillet 1998.

Selon une autre étude de Kidzeyes Group, on constate que les fillettes consomment différemment des garçons. Vingt pour cent des filles interrogées dépensent facilement pour des vêtements et des souliers, contre 3 % chez les garçons. Elles préfèrent la mode et s'identifient à des marques comme Nike (26 %), Old Navy (17 %), Gap (13 %) et Tommy (10 %)[96]. Les jeunes filles dépensent pour des vêtements, mais aussi pour des produits de beauté.

[96] Pierrette Bouchard et Natasha Bouchard, Ibid, p.34

[97] Charles Messier, « Être petits et rester forts », *Nos magazines, Magazines du Québec*, Montréal, Édition 2011, p.8

[98] Caroline Caron, « Conservateurs ou égalitaires, les magazines féminins pour adolescentes ? », *Approches genrées de la culture*, Troisième Colloque international de la recherche féministe francophone, Toulouse, France, 18 septembre 2002

Un dossier sur l'industrie du magazine au Québec nous apprenait que le magazine *Safarir* ne tirait aucun revenu publicitaire, puisque son lectorat est formé majoritairement de garçons adolescents. L'éditeur, Sylvain Bolduc, révélait que les ventes en kiosque assuraient la pérennité de sa publication[97]. En ce qui concerne les magazines pour filles, la situation est complètement différente. Pour les magazines *Adorable, Filles d'aujourd'hui* et *Cool* qui s'adressaient en 2002 au lectorat féminin de 12 à 17 ans, le pourcentage d'annonces publicitaires pouvait atteindre en moyenne 23 %.[98]

[99] Jean Kilbourne, «The most you substract, the more you add», dans *Gender and Education*, vol. 8, n° 3, 1996, p. 311-321

[100] Pierrette Bouchard et Natasha Bouchard, Ibid, p. 35

L'Américaine Jean Kilbourne est documentariste, chercheuse et féministe. Ses documentaires *Killing Me Softly* déconstruisent l'évolution de l'image des femmes dans les médias. Selon ses recherches, le marché des cosmétiques chez les adolescentes représentait en 2003 un chiffre d'affaires annuel d'environ 4 milliards de dollars aux États-Unis[99]. Pour sa part, le groupe canadien Caroline affirmait desservir près de 40 millions de consommatrices dépensant environ 155 millions de dollars par année[100]. Le marché des cosmétiques ne cesse de s'adresser à des clientes de plus en plus jeunes avec une gamme de produits adaptés aux tweens, des tatouages parfumés aux baumes à lèvres.

[101] Jean Kilbourne, Ibid, p. 260

Jean Kilbourne note que cette tendance n'est pas sans conséquence chez les jeunes femmes : « Les femmes sont plus susceptibles que les hommes de faire de l'auto-objectivation, c'est-à-dire à évaluer leur apparence de l'extérieur, soit l'attraction physique, le sex appeal, les mensurations et le poids. Ces composantes sont apparues plus importantes, pour définir son identité, que la santé, l'énergie, la coordination ou la force physique. Cette préoccupation pour l'apparence est à l'origine d'effets négatifs dont la diminution de l'acuité mentale, la hausse du sentiment de honte et de l'anxiété, la dépression, la dysfonction sexuelle et les troubles alimentaires[101]. »

[102] Daphnée Leportois, « Concours Mini-Miss : quand Maman joue à la poupée avec sa fille », *Le Nouvel Observateur*, 23 février 2012

Les concours de beauté pour gamines, phénomène relativement récent, sont un autre exemple de ce constat. Angélique Cimelière, psychologue clinicienne, critique l'âge des participantes : « Les enfants de 6 à 10 ans (environ) traversent la période dite "de latence". C'est une phase pendant laquelle les pulsions émotionnelles sont "gelées" pour se consacrer exclusivement au développement de l'apprentissage, d'où l'appellation commune "âge de raison"[102]. »

Une proposition de loi avait d'ailleurs été déposée à l'Assemblée nationale de la France par un regroupement d'élus. Voici un extrait de leur proposition: «Depuis quelques années, le phénomène venu des États-Unis des concours de "mini-miss" mettant en scène dès l'âge de 4 ans des enfants, principalement des petites filles outrageusement maquillées, travesties et transformées avant l'âge en "femmes miniatures" devient particulièrement inquiétant. Poussé à l'extrême, ce culte de l'apparence conduit à la création d'instituts de beauté et de salons de coiffure spécialisés pour les enfants, qui sont livrés à ce genre de présentation. La dérive pourrait aller jusqu'à la pratique de la chirurgie esthétique sur des fillettes très jeunes[103].»

[103] Proposition de loi de Mme Henriette Martinez et plusieurs de ses collègues visant à interdire l'organisation de concours de beauté pour les enfants de moins de 11 ans, n° 4389, déposée le 21 février 2012 (mis en ligne le 22 février 2012 à 16 h 15) et renvoyée à la commission des affaires culturelles et de l'éducation

La socialisation des jeunes femmes, en plus de les emmener à devenir des consommatrices très tôt, est responsable d'une double accoutumance: celle de consommer et celle de plaire. Influencées par la télévision, les magazines féminins et maintenant Internet, les jeunes femmes consomment plus que jamais et de plus en plus tôt. Difficile de croire que cette omniprésence des stéréotypes sexuels soit sans conséquence sur elles... Chose certaine, elles sont exposées trop tôt à la marchandisation du corps.

«Mini-miss» ou le paroxysme du pathétique. Photo tirée du site: thegeorgetownindy.com

À BAS LES « MINIS-MISS ! »

En octobre 2013, avec mes amis Ianik Marcil, économiste, et Alain Vadeboncoeur, médecin, nous avons décrié la venue des concours de « mini-miss » au Québec. En moins de 24 heures, nous avons réussi à faire retirer deux émissions de télé-réalité, traduction de *Toddlers and Tiaras* sur les ondes de Musimax ! Cela aura pris aussi 24 heures seulement pour que 50 000 personnes adhèrent à notre cause et signent notre pétition.

En voici l'intégralité :

« Je m'appelle Jasmine, j'ai cinq ans et j'aime les paillettes », lance une gamine dans *Mini-Miss*, émission américaine diffusée sur les ondes de la chaîne Musimax.

Verra-t-on bientôt au Québec nos Jasmine, Chloé ou Camille faire une moue coquine pour gagner un concours avant la maternelle ? Il semble que oui : l'organisme National Canadian Girl et sa directrice Liz MkCinnon planifient un concours à Laval le 24 novembre prochain. Il faut s'en inquiéter.

Toddler & Tiaras et autres télé-réalités sur TLC sont loin de faire l'unanimité : des fillettes portent le talon haut, arborent le froufrou, font des sourires mièvres et roulent des prunelles, jouant aux séductrices, déhanchements en prime, sur le catwalk. Sous l'œil des parents enthousiastes.

Des questions surgissent. Comment se perçoivent ces gamines à travers ces concours ? Veut-on, comme société, valoriser le superficiel dès la jeune enfance ? Sommes-nous esclaves de ces modèles féminins pourtant remis en question dans l'univers adulte ?

Au moment où le Québec s'ouvre au phénomène, pourtant la France... l'interdit: le Sénat vient d'y adopter, à large majorité, un amendement au projet de loi sur l'égalité des hommes et des femmes: on empêchera dorénavant les concours de beauté pour moins de 16 ans. La sanction: deux ans de prison et 30 000 euros. «À cet âge, les enfants doivent se concentrer sur l'acquisition de connaissances», affirme la députée Chantal Jouanno.

Pour le gala de Laval, on prétend que c'est autre chose: «C'est vraiment la personnalité et les réponses aux questions sur scène qui sont évaluées. Il n'y a pas de maquillage permis et les filles s'habillent dans des robes qu'elles porteraient à des mariages ou à l'église» confiait madame McKinnon à TVA. Maquiller l'idée pour mieux la faire passer ne change rien sur le fond: ces fillettes n'auront rien à envier à la jeune Honey Boo Boo. Les petites recevront d'ailleurs chacune une couronne... comme une princesse!

De tels concours renforcent l'obsession généralisée de l'image corporelle, établissant plus ou moins directement un lien entre jeux de séduction, volonté de plaire et nécessité de consommer. Sexualiser à outrance les plus jeunes est pourtant insensé.

Conditionnées à plaire trop tôt, les fillettes voient les parents survaloriser leur apparence, ce qui n'est pas sans conséquence: plus de 40% des adolescentes canadiennes de niveau secondaire sont insatisfaites de leur image corporelle et voudraient en conséquence la modifier[104]. Les troubles alimentaires ne sont pas en croissance pour rien: 80% des femmes suivront un régime avant l'âge de 18 ans, ce qui peut déclencher des problèmes alimentaires encore plus graves.

[104] Conseil des ministres de l'Éducation, *Étude sur les jeunes, la santé sexuelle, le VIH et le SIDA au Canada: facteurs influant sur les connaissances, les attitudes et les comportements*, Toronto, 2003, 162 p. (p. 34-35)

Encourager ces concours est aussi un recul pour les femmes — comme pour les hommes. L'actualité regorgeant de discussions pertinentes sur la condition féminine, souhaitons-nous vraiment revenir au triomphe du miroir, qui nous dit «quelle est la plus belle»? La beauté n'a rien à voir avec l'endoctrinement des enfants.

Il ne faut pas négliger l'aspect économique: la prolifération de ces concours s'inscrit dans la logique d'une industrie lucrative, ciblant les tweens (contraction de «teen» et «between»), marché développé au début des années 1990. De l'achat de cosmétiques à La Senza Girl, les fillettes – ou surtout leurs parents – contribuent à un marché fort lucratif, tout en préparant le terrain pour celui, encore plus considérable, de la femme adulte.

Pas surprenant que les magasins Wal-Mart offrent dorénavant Geogirl, marque de maquillage ciblant les 8 à 12 ans. Croyant faire plaisir à leurs fillettes, les parents perpétuent un modèle de plus en plus difficile à remettre en question. Et dans cette obsession précoce pour l'apparence, comment développer son esprit critique? Nous devrions plutôt répondre: plaire à tout prix, non merci.

Même si les promoteurs du gala de Laval se targuent de permettre au contraire l'épanouissement des enfants et suggèrent qu'il ne faut pas se comparer au modèle américain, il est tout à fait sain de se questionner sur le sujet. Et d'agir, comme la France l'a fait.

Rejeter ces concours enverra un message clair et important. En tant que citoyens soucieux de la jeunesse et de l'avenir, nous dénonçons vivement leur arrivée au Québec.

Premiers signataires:

1. Léa Clermont-Dion, féministe.
2. Alain Vadeboncoeur, médecin.
3. Ianik Marcil, économiste indépendant.
4. Paul Ahmarani, comédien.
5. Marie-Frédérique Allard, psychiatre
6. Jérome L. Boucher, chroniqueur.
7. Dominic Champagne, dramaturge.
8. Véronique Cloutier, maman et animatrice.
9. Louis-Jean Cormier, auteur-compositeur-interprète.

Et ainsi de suite pour quelques 50 000 noms qui se sont ajoutés en 1 semaine...

GIRL MODEL

Girl Model (2011) est un documentaire réalisé par David Redmon et Ashley Sabin. L'envers de la médaille du mannequinat juvénile y est dévoilé sans artifice. On y découvre Ashley, une « scout » (dénicheuse de talent) qui explore la Sibérie pour découvrir de nouveaux minois qui tenteront de faire carrière au Japon, contrée mercantile de la mode. Elle fait la rencontre de Nadya, 13 ans, une enfant qui tentera la grande aventure à Tokyo. Mais le conte de fées est loin d'être parfait !

Le documentaire ne tombe pas dans le pathétique et ne moralise pas. Mais l'indicible malaise devant les conditions de travail des fillettes laisse plusieurs questions en suspens. Le portrait dépeint est profondément affligeant.

La Brésilienne Thairine Garcia a 14 ans[105].

[105] *Bazaar*, photo tirée du blogue « Originel » Radio-Canada de Lili Boisvert la sexologue

Je suis sortie du visionnement absolument bouleversée. La protagoniste du documentaire n'a ni hanche, ni seins. Elle est filiforme. Elle n'est pas une adulte, ni même une adolescente pleinement épanouie. On lui demande de plaire, de jouer les séductrices, mais ce n'est qu'une gamine. Sans ressource, sans réel appui ou aide psychologique, on la transforme pour qu'elle devienne une chose : une marchandise.

Je suis dubitative devant des gamines de 13 ans utilisées pour vendre des vêtements aux femmes de trente ans. C'est illogique, irrationnel et un peu aliénant. Mais c'est un symptôme parmi d'autres du culte de la jeunesse qui encourage l'exploitation.

Cette pratique est monnaie courante en Russie comme le démontre aussi un reportage éloquent de Jean-François Bélanger

© La Brésilienne Thairine Garcia, 14 ans. Elle pourrait aussi faire des séances photo pour des robes de mariées !

© Photos prises par le correspondant à l'étranger Jean-François Bélanger, pour son reportage *Novossibirsk, les belles de Sibérie*, www.ici.radio-canada.ca

[106] Jean-François Bélanger, *Novossibirsk, les belles de Sibérie*, Radio-Canada, 2013

pour Radio-Canada. On y voit des gamines de treize ans poser pour des auditions en sous-vêtements et talons hauts[106].

Entre le fantasme, le rêve caressé et la réalité difficile, où est la limite de l'exploitation des gamines ? Le paradoxe est criant : la pédophilie est condamnée dans la société. Et pourtant, les mannequins de l'heure ont 13 ans.

Inquiétant.

Le rêve vendu aux parents est souvent factice. L'argent et la célébrité ne sont pas toujours au rendez-vous.

[107] *Les Francs-Tireurs*, émission 383

La mannequin Francesca Tedeschi a témoigné de la condition de jeunes filles à l'émission les *Francs-Tireurs* avec deux autres collègues, Rachel Blais et Meredith Wright, elles aussi mannequins ou ex-mannequins. Francesca, qui a commencé à 13 ans, avoue à Richard Martineau qu'on lui a souvent demandé de dire qu'elle en avait 15, pour ne pas représenter trop de « danger » pour les employeurs.

Francesca confie (en anglais) : « En y repensant, j'étais une enfant impressionnable. Les enfants à cet âge sont comme du ciment frais, tout ce qui leur tombe dessus laisse une marque. Ils sont incroyablement impressionnables, incroyablement malléables et fragiles ! » peut-on lire dans la traduction en sous-titre[107]. À 13 ans, elle faisait des campagnes de robes de mariée sans comprendre les messages pervers qu'une si jeune « mariée rougissante » pouvait envoyer à son insu.

Il est parfaitement légal pour une mannequin de 16-17 ans de poser nue ou presque nue pour un photographe, alors que ces images dans un ordinateur privé peuvent mener son propriétaire en prison pour possession de pornographie juvénile.

La Convention internationale des droits de l'enfant interdit pourtant l'exploitation des enfants. Elle a d'ailleurs été signée et ratifiée par 191 pays à l'exception de deux, les États-Unis et la Somalie.

[108] Article 32, Convention internationale des droits de l'enfant

Voici l'article 32 qui reconnait la protection des enfants contre l'exploitation économique :

> Les États parties reconnaissent le droit de l'enfant d'être protégé contre l'exploitation économique et de n'être astreint à aucun travail comportant des risques ou susceptible de compromettre son éducation ou de nuire à son développement physique, mental, spirituel, moral ou social[108].

Des gamines comme Nadya sont prises dans un cercle vicieux mercantile où elles se retrouvent sans défense et sans moyens pour faire respecter leurs droits. Comment y échapper quand, à 13 ans, on n'a ni la force, ni la maturité, ni l'expérience pour se défendre ?

Et nous, comme consommateurs et consommatrices, avons-nous le pouvoir de ne pas encourager de tels comportements ? Comment changer les choses ? On nous fait croire qu'elles sont adultes, et ça marche : les femmes rêvent de leur ressembler.

Je me questionne sur l'avenir de ces petites. Plaire à tout prix a un prix. Dans ce milieu très peu connu du grand public, les abus existent. Sauf que le côté glamour rend la critique difficile. Se vendre, mais à quel prix ? Ce n'est pas sans conséquence... Si on connait maintenant mieux l'impact de ces images irréalistes dans nos vies, on ne sait pas quels seront les impacts dans les leurs.

© Jean-François Bélanger, *Novossibirsk, les belles de Sibérie*. Une cinquantaine d'adolescentes caressant le rêve de devenir mannequins participent à une séance de casting dans la ville de Krasnoyarsk, www.ici.radio-canada.ca

© Photo Léa Clermont-Dion

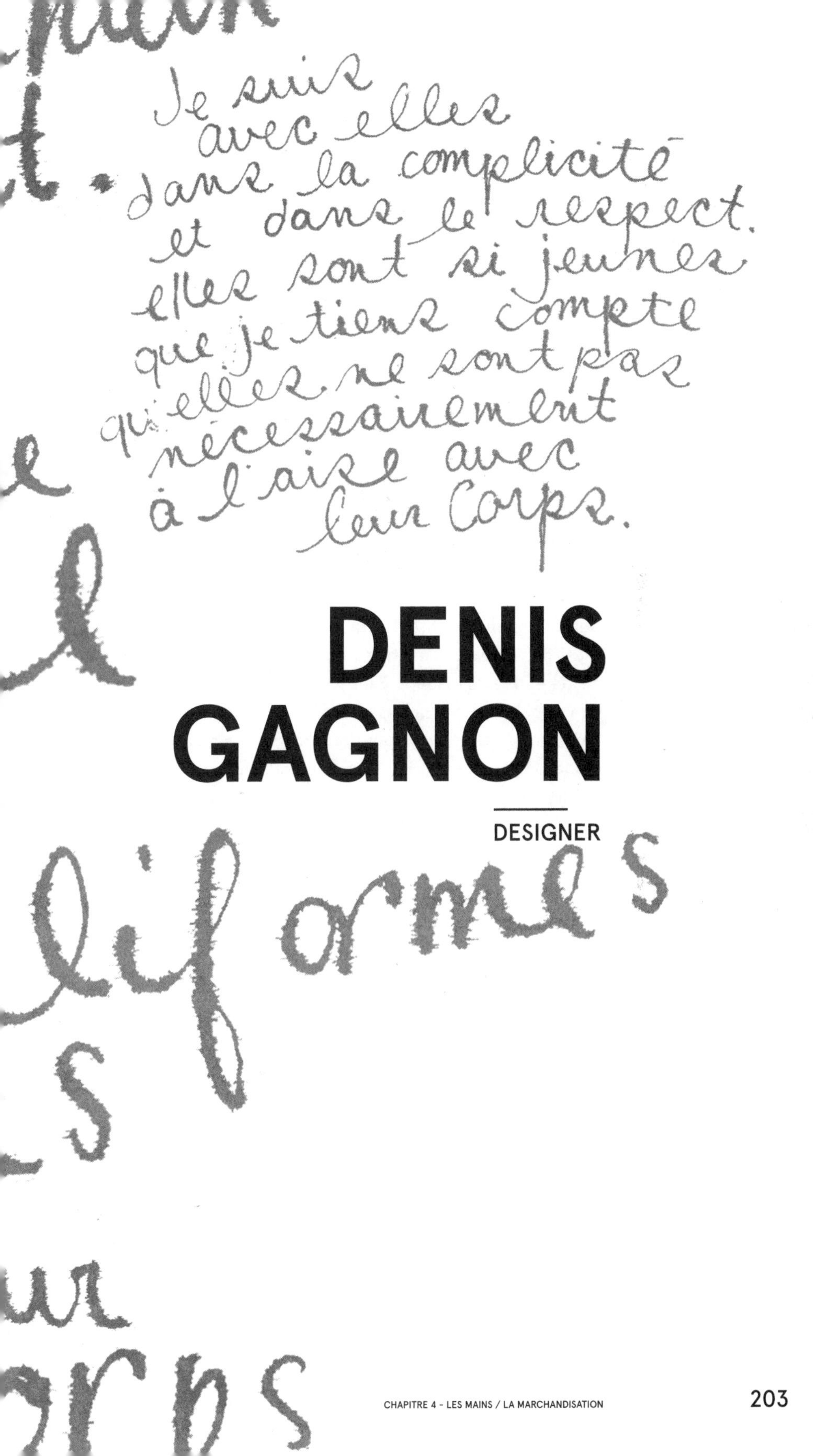
Je suis
avec elles
dans la complicité
et dans le respect.
elles sont si jeunes
que je tiens compte
qu'elles ne sont pas
nécessairement
à l'aise avec
leur Corps.

DENIS GAGNON

DESIGNER

Denis Gagnon est né à Alma en 1962. Après une formation en couture en 1988, il crée des costumes pour le théâtre, le cinéma, des boutiques et enseigne la couture au Maroc et au Collège LaSalle. C'est en 2000 qu'il lance sa première collection de vêtements, qui connaît un grand succès tant au Québec qu'à l'étranger. Denis Gagnon est une figure marquante de l'industrie de la mode.

Autour d'une grande table sur laquelle sont déposés les tissus à tailler s'affairent des assistants chevronnés qui cousent, repassent, déplacent les vêtements en devenir. Ils sont affairés et prêts à tendre une paire de ciseaux, quelques épingles ou un ruban à mesurer au designer qui, à demi-mot, indique la prochaine étape pour l'atteinte d'un objectif commun : être prêt pour le défilé qui aura lieu le mois prochain. La fourmilière est au travail. Je n'ai droit qu'à une demi-heure de leur temps précieux. J'aime être témoin de cette besogne dirigée par un perfectionniste excentrique.

Denis Gagnon souhaite des rapports qui vont au-delà du corps utilitaire avec ses mannequins. **« Je suis avec elles dans la complicité et dans le respect. Elles sont si jeunes que je tiens compte du fait qu'elles ne sont pas nécessairement encore à l'aise avec leur corps. Parfois, leur poitrine n'est même pas encore développée. Elles ont 14, 15, 16 ans. C'est pour ça qu'on s'assure qu'elles puissent avoir quelque chose pour se couvrir lorsqu'elles se déshabillent et qu'elles attendent un prochain vêtement. »**

Pour lui, la beauté, c'est aussi, et surtout, la personnalité. **« J'aime les filles qui semblent bien éduquées, qui viennent de bonnes familles et dont la beauté intérieure transparaît à l'extérieur. Cela dit, il y a des belles filles qu'on ne voulait plus après un défilé parce qu'on n'avait pas de plaisir à travailler avec elles. »**

En créant, Denis Gagnon souhaite d'abord se faire plaisir. Il aimerait porter chaque pièce même s'il s'agit d'un morceau d'une de ses collections destinées aux femmes. **« Je trouverais ça le fun de m'habiller avec mes vêtements. Si ce n'était pas le cas, je m'ennuierais à les présenter. »** Et quand il imagine son prochain morceau, il le voit sur une femme qui a une image assez précise, une « muse », dit-il. Ce sont des mannequins qui correspondent à des critères de beauté ciblés : filiformes de préférence. Elles portent mieux le vêtement. Pour certains, le vêtement est une sorte de déguisement ou une façon de se cacher derrière une image. Pas pour Denis Gagnon. Il le voit plutôt comme une extension de soi, une façon de dire haut et fort qui l'on est vraiment derrière le morceau de tissu.

Denis Gagnon s'inspire du corps des autres. Il étudie avec minutie le physique des individus pour créer un effet, un style ou une émotion. Et il réussit à toucher. Avec brio. En mythologie grecque, les muses sont les filles de Zeus, qui forment le pont entre les artistes et les dieux. La mode est peut-être aussi ce qui incarne une forme de rêve intangible, comme les divinités grecques ?

Parfois, je me questionne sur le raisonnement des designers de mode. Trop souvent, ils ne semblent pas réfléchir aux conséquences de leur travail. Karl Lagerfeld, designer de mode controversé, avait affirmé que « personne ne veut voir les rondes sur les podiums ». Il avait également affirmé à l'émission Canal + que « ce sont les grosses bonnes femmes assises devant la TV qui disent que les mannequins minces sont hideuses[109]. » Plusieurs designers homosexuels n'aiment tout simplement pas les formes féminines et considèrent que leur « œuvre » de tissu tombe mieux sur des squelettes.

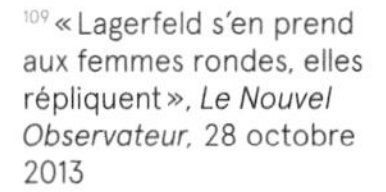
[109] « Lagerfeld s'en prend aux femmes rondes, elles répliquent », *Le Nouvel Observateur*, 28 octobre 2013

À Denis Gagnon, je n'ai pas osé poser de questions sur le culte de la maigreur. J'ai pour une rare fois, manqué un peu de cran... Je ne sentais pas une réelle ouverture lorsque j'ai tenté d'aborder le sujet avec lui. Dommage !

il existe malheureusement des contraintes pratiques dans l'industrie de la mode.

LISE RAVARY

EX-ÉDITRICE DE MAGAZINES

© Photo Sarah Scott

LES MAGAZINES — UN MARCHÉ DE COMPROMIS ?

Native d'Hochelaga-Maisonneuve, Lise Ravary a été rédactrice en chef de *Châtelaine* pendant huit ans, rédactrice en chef d'*Elle Québec* et d'*Elle Canada*, rédactrice en chef d'*enRoute* d'Air Canada, elle était enfin, jusqu'à il y quelques années, vice-présidente, publications féminines et nouveaux titres pour les publications Rogers. Très connue dans le domaine de l'édition de magazines, elle a contribué à la création de *Loulou* et de *HELLO* ! Canada. Elle est aujourd'hui chroniqueuse au *Journal de Montréal* et *C'est pas trop tôt* diffusé sur les ondes d'Ici Radio-Canada.

C'est par téléphone que je rejoins l'ancienne rédactrice en chef de *Châtelaine* :

— Bonjour Madame Ravary ? C'est Léa Clermont-Dion.
— Ah oui ? Bon. Écoute...

Lise Ravary est un véritable livre ouvert. Pas besoin de demander quoi que ce soit, elle s'empresse de partager sa vision des choses. Au détour d'une envolée enthousiaste, je lui pose une question à la fois simple et difficile : à quel modèle de femme les lectrices s'identifient-elles ?

« Cliché », avance-t-elle avec le franc-parler qu'on lui connaît. **« La femme parfaite assez grande, assez jeune, préférablement blonde, yeux bleus, élancée. C'est le stéréotype parfait d'une belle fille dans une société occidentale. Mais ce avec quoi tu ne peux pas jouer dans les magazines, c'est le poids : il n'y a jamais eu de magazines de type "plus en chair" qui ont réussi à survivre sur le marché. »**

Le regard de Lise sur son ancien milieu est celui d'une responsable au contenu, mais aussi celui de quelqu'un qui a eu des patrons qui veillaient à la rentabilité de la business. Les magazines ont comme objectif de faire des profits, comme n'importe quelle entreprise. Les compromis entre les équipes de gestion et de création ne sont pas faciles.

QU'EST-CE QUE J'ACHÈTE ?

Ravary soulève la réalité des cibles de marché que les propriétaires identifient. Tout dépend de ce qu'une consommatrice achète. Lorsqu'on se procure le *Vogue* britannique, on s'attend à une certaine image, dans sa qualité et dans ses stéréotypes. Mais cette qualité présentera peu de diversité, tant sur le plan esthétique que racial.

Elle constate également que la population entière est maintenant soumise à la standardisation des modèles de beauté, alors qu'auparavant, elle ne préoccupait que l'élite. Vrai.

« Il existe malheureusement des contraintes pratiques dans l'industrie de la mode que le consommateur ne peut soupçonner. On essayait avec *Châtelaine* d'offrir des vêtements de tailles différentes. Mais l'industrie de la mode internationale est incapable de répondre à cette demande-là. Les commandes sont faites dans une taille, la taille échantillon qui est habituellement du 2. Les échantillons sont faits à New York, Tokyo, Paris et sont les mêmes pour toute l'industrie. Ils ne sont pas disponibles pour des femmes d'autres formats. » L'ancienne éditrice n'a pas la langue dans sa poche. Son opinion, parfois tranchée, crée la polémique, mais a pourtant le mérite d'être claire. Il demeure que sa connaissance du métier est indéniable : l'industrie des magazines reste ce qu'elle est, une industrie comme une autre. Les profits riment-ils avec maigreur ? Plus nécessairement. À titre d'exemple, la couverture du *Elle Québec* de mai 2013 où l'on voyait une mannequin taille plus, Justine Legault, dans une édition consacrée à la diversité. Le mois suivant, elle faisait cependant partie d'un reportage mode complètement intégré au numéro régulier.

« Le vrai problème, ça reste le culte de la jeunesse », lance Lise Ravary à la fin de notre entretien. Elle souligne comment la chirurgie est également une industrie lucrative et florissante. Les femmes veulent rester jeunes. **« Les banques aux États-Unis offrent aujourd'hui des prêts pour obtenir une chirurgie plastique... »** Pas surprenant, avec les modèles que nous présentent les magazines. Mais cette quête éperdue de beauté a-t-elle une limite ?

La section Les mains était consacrée à la marchandisation du corps. Comme l'affirment l'économiste Ianik Marcil et l'auteur Hervé Kempf, tout est objet marchandisable. Le corps sujet est devenu objet.

Certaines personnes vendent leur corps, ou des services sexuels. Mélodie Nelson, l'ex-escorte, et Nelly Arcan ne partagent pas la même vision du métier. Mais il n'y a pas seulement les prostituées qui utilisent leur corps à des fins lucratives : les mannequins le font aussi, certaines dès l'âge de 13 ans... Au point où certaines y voient un enjeu de protection des droits des enfants.

Des couvertures de magazines aux mini-miss jusqu'aux services d'escortes, on observe à quel point le corps, c'est aussi et surtout une affaire d'argent.

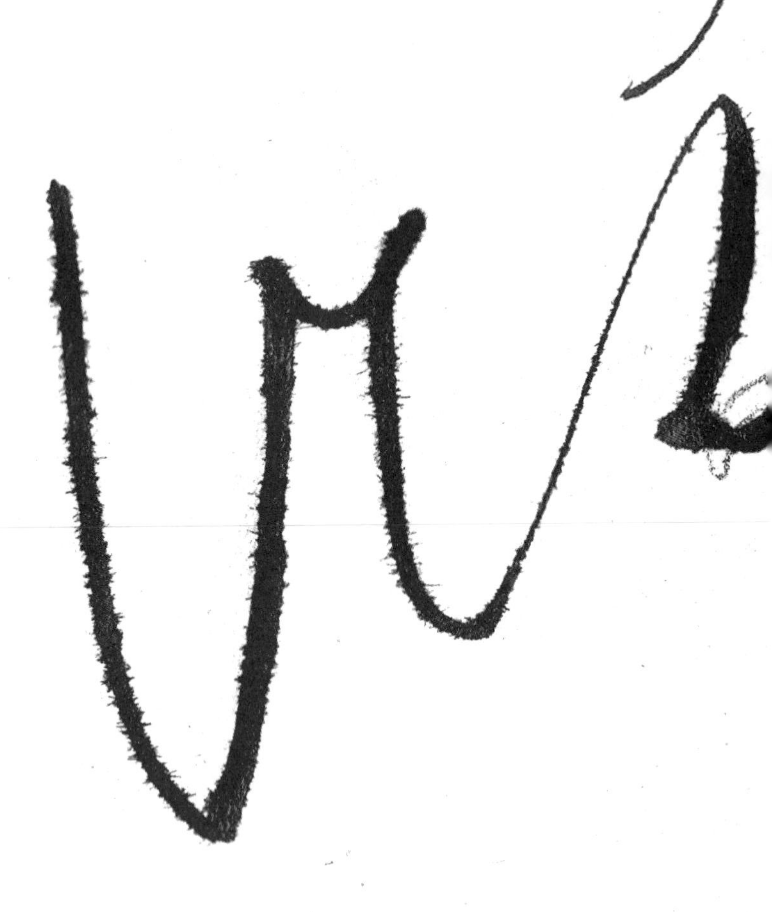

« Le visage est l'image de l'âme. »

Cicéron

LES VISAGES SE DISTINGUENT PAR LEUR BEAUTÉ, LEUR LAIDEUR, LEURS SPÉCIFICITÉS, LEURS TRAITS, LEURS ÉMOTIONS. LE VISAGE EST LE MIROIR DE L'ÂME, DIT-ON. LES HISTORIENS DE L'ART PEUVENT RÉPERTORIER LES ÉLÉMENTS PRÉFÉRÉS SUR LE VISAGE HUMAIN À TRAVERS LE TEMPS. LE VISAGE EST TÉMOIN DE L'ÂGE QUI PASSE. ON PEUT BONIFIER LE VISAGE DE TOUTES SORTES DE FAÇONS. CETTE SECTION EST CONSACRÉE AU MAQUILLAGE ET À LA CHIRURGIE ESTHÉTIQUE, DEUX TECHNIQUES UTILISÉES POUR AMOINDRIR LES EFFETS DU TEMPS.

MAKE-UP INC.

Qui dit marchandisation du corps, dit maquillage. Oui, j'aime les coquetteries. Tellement que, dès l'âge de 8 ans, je demandais à ma mère du rouge à lèvres pour ma fête. Pauvre maman, elle qui n'a jamais porté une goutte de fond de teint de sa vie, elle était un peu dépassée ! La gamine que j'étais constituait bien le produit d'une génération endoctrinée plus tôt que tard par l'obsession des apparences.

Je ne suis pas contre le maquillage, à la limite, je l'apprécie. N'empêche, il faut admettre que l'industrie des cosmétiques est redoutable. Tellement de femmes en sont maintenant dépendantes. La preuve ? On organise des journées sans maquillage, tellement il est exceptionnel de voir des femmes sortir sans une petite poudre pour rafraîchir leur teint. Et je fais partie de ces dépendantes !

Ne l'oublions pas, les cosmétiques (du grec : kosmeo, « je pare, j'orne ») existent depuis longtemps. Ces produits d'embellissement de l'épiderme étaient utilisés en Grèce antique. Ce sont d'ailleurs les caravanes porteuses d'épices et de soies qui les ont introduites en Grèce. L'Empire romain a aussi connu ses bienfaits. On n'a qu'à penser à Néron, qui se fardait parfois.

LE MAQUILLAGE, C'EST PAYANT !

L'industrie du grimage, depuis la naissance de la classe moyenne, a pris une importance énorme dans nos vies. Elle est aujourd'hui parmi les plus lucratives. En 2011, Lilianne Betancourt, héritière et propriétaire des groupes L'Oréal, était la 15e fortune au monde, 2e en France, selon le magazine Forbes[110]. En effet, l'octogénaire posséderait un capital familial évalué à près de 24 milliards de

[110] « The World's Billionaires », *Forbes*, 2011

dollars[111]. L'Oréal, entreprise leader en vente de cosmétiques, possède notamment les marques Maybelline, L'Oréal Paris, Vichy, Yves Saint Laurent, The Body Shop, etc. Elle figure parmi les 200 compagnies les plus performantes dans le monde et emploie près de 70 000 personnes. C'est d'ailleurs Alain Evrard, ancien directeur général de L'Oréal, qui affirmait: «L'industrie des cosmétiques, portée par l'offre, doit offrir de l'émotion et de la passion: la performance scientifique ne suffit pas, il faut en plus, séduire[112].»

[111] Global 2000 Leading Compagnies, *Forbes*, 2011

[112] «L'Oréal, parce que la diversité le vaut bien», *Revue des Marques*, nº 58, Avril 2007

En 1991, lorsque Naomi Wolf sortit son essai sur le mythe de la beauté, l'industrie du maquillage était évaluée à 23 milliards de dollars aux États-Unis[113]. Trente ans auparavant, la décennie de Betty Friedan, auteure de *The Feminine Mystique*, était marquée par l'entrée des femmes au travail. Leur pouvoir économique a alors augmenté considérablement.

Ce secteur économique, axé sur le culte de la jeunesse, vend du rêve aux consommatrices. Anti-imperfections, anti-âge, les marques de L'Oréal ne tarissent pas de slogans plus abrutissants les uns que les autres: «La peau peut atteindre son idéal de beauté!» «Pour masquer les imperfections!» «Pour retrouver la jeunesse[114]!» Les slogans lancés par cette industrie relèvent sans conteste d'un culte de la perfection physique et de la jeunesse.

[113] Naomi Wolf, *The Beauty Myth*, Vintage Canada, p. 21

[114] Site officiel de L'Oréal

L'obsession pour les cosmétiques n'est qu'un symptôme parmi d'autres d'un asservissement consumériste à la solde du capital dans une société où l'affirmation de soi, le statut social passent d'abord par les apparences. Malheureusement, les femmes sont les premières cibles de ce marché extrêmement lucratif, porteur de normes de beauté contraignantes.

LIBRES ET ASSERVIES

Cela m'amène à soulever un paradoxe crucial. Nous vivons dans une société qui se dit complètement libre. Son ciment fondamental réside dans la protection des droits de la personne, comme pour la plupart des sociétés occidentales. C'est l'essence de la liberté des individus. Mais pourtant, dans les sociétés libérales modernes, il existe un semblant de tyrannie incarné dans ce culte de la beauté. Rappelons que la tyrannie réfère à une autorité oppressive. L'autorité, dans le cas qui nous intéresse, pourrait être incarnée par les acteurs qui dictent l'image... Le paradoxe, il est là. La société prétend offrir une diversité de choix, mais nous n'avons pas le choix. Nous devons nous conformer aux critères de beauté dictés par différents acteurs pour réussir ou être reconnus. Oui, le maquillage est devenu un outil presque essentiel à la vie en société de toute femme, mais cela va plus loin...

Au printemps 2013, j'ai lu une obscure étude marxiste sur le maquillage datant des années 1970, que j'ai malheureusement perdue lors de mon déménagement vers la Vieille Europe. Elle disait quelque chose de très intéressant : le maquillage est un élément asservissant qui s'inscrit dans la logique de la lutte des classes. Si une femme veut réussir, servir le capital et travailler, elle doit se maquiller. Pas le choix.

J'avoue que l'idée derrière ce texte n'était pas bête du tout. C'est vrai que nous vivons un paradoxe : la société libérale prétend défendre bec et ongles les libertés, mais on nous contraint à nous soumettre aux critères de beauté pour réussir. Toute une liberté ! Pour moi, c'est clair : j'y vois plutôt un rapport autoritaire, une dictature.

d'être
très
bonne
amante
bonne

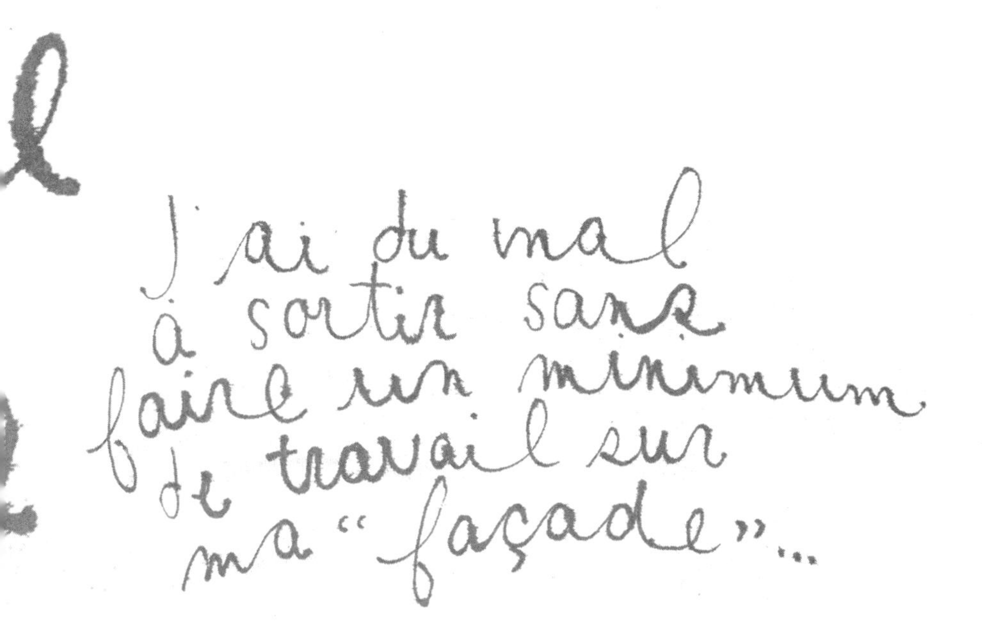
J'ai du mal
à sortir sans
faire un minimum
de travail sur
ma "façade"...

CLAUDIA LAROCHELLE

AUTEURE ET ANIMATRICE

plaire.

[115] Danielle Laurin, «Naître femme, mourir déçue», *Le Devoir*, 1er octobre 2011

[116] *Amours et Libertinages*, Montréal, Les 400 Coups, 2011

Claudia Larochelle est une femme de tête et de cœur. Elle fait partie de celles qui m'inspirent : un mélange dosé de réflexion, de créativité et de candeur. Trentenaire, auteure de sa génération, elle porte un regard sur une facette de la réalité féminine dans *Les bonnes filles plantent des fleurs au printemps*, qu'elle publiait en 2011 chez Leméac, encensé par Danielle Laurin[115]. Parmi les thèmes qu'affectionne la trentenaire, notons la perfection féminine et les relations hommes-femmes, qu'elle aborde avec Elsa Pépin dans un recueil de nouvelles[116].

Alors que je réfléchissais au décès de Nelly Arcan, amie de Claudia, il m'est apparu évident que je devais l'interroger. Obsédée par le fait d'être femme, j'ai cru bon de la questionner sur le culte de l'image. C'est sous la forme d'un échange épistolaire que nous nous sommes rejointes, entre Paris et Montréal.

Quelle était la perception de Nelly sur l'image des femmes dans notre société? **Nelly était une femme de son temps ; une citadine qui aimait suivre la mode, s'entraîner, soigner son apparence, en partie par coquetterie et parce qu'elle était publique, donc regardée, analysée sous ses moindres coutures. Elle ne jugeait pas les autres femmes, elle jugeait le regard des hommes sur elles. Ce n'est pas la même chose. Elle voyait plutôt ces femmes, en s'incluant dans le lot, comme victimes des préférences esthétiques de la masse masculine.**

D'un point de vue extérieur, son combat et ses démons intérieurs semblaient en contradiction. Peux-tu expliquer ce paradoxe? **Tout en dénonçant — dans sa fiction — le regard des hommes sur les femmes, elle y répondait en tentant de correspondre à leurs penchants pour certains stéréotypes féminins. D'où le paradoxe. Cela dit, elle n'est pas la seule femme à avoir tenté d'entrer dans les contours du moule façonné par l'œil masculin et l'industrie de la mode, ne serait-ce que parce qu'il est dans la nature humaine de vouloir plaire. Comme elle était sur la sellette — bien souvent malgré elle — avec ses œuvres fortes, éclairées, lucides et actuelles, on la prend comme porte-étendard de ce fameux paradoxe. Beaucoup de gens sont attirés par les lumières de la célébrité. C'est flatteur. Nelly ne faisait pas exception à ça. Comme le papillon de nuit, elle voulait s'approcher de cette clarté, tout en sachant que ça allait la blesser. Ça l'a même un peu tuée.**

Peux-tu me replacer dans le contexte de votre amitié? **Je l'ai connue comme journaliste, en faisant une entrevue avec elle** au début des années 2000, puis on est devenues amies au fil d'une première, seconde et troisième discussion à cœur ouvert. C'était une confidente, une femme très drôle et elle était généreuse avec ceux qu'elle aimait. J'étais admirative aussi, bien sûr. J'aime ce genre de personnalité entière, intelligente, jamais phony.

Tu écris un livre sur la monstruosité physique, comment socialement acceptons-nous les différences ? **Il faut un front de bœuf et les couilles qui vont avec pour marcher tête haute quand on ne correspond vraiment pas aux critères de beauté physique généraux. Au risque de me répéter, ce qui est en marge, ce qui déstabilise l'œil, ce qui va à contre-courant et ce qui n'est pas lisse suscite la curiosité, le dégoût, la frustration ou la pitié et ce n'est pas près de changer. Il faut marcher sur la ligne droite, toujours. Sinon, oh là là, on froisse. C'est sur ce sujet que je bûche en ce moment. La différence me touche et me séduit en même temps. Surtout, elle me fait écrire.**

Pourquoi la beauté est-elle importante dans notre société ? **Depuis que le monde est monde, la beauté est d'une importance capitale, ce ne sont que les critères qui la définissent qui ont changé. C'est normal d'aimer ce qui caresse l'œil, ce qui anime nos sens, les éveille. C'est ce qui fait que j'aime les perles, les diamants, les tableaux de Modigliani, le sourire de mon amoureux, les yeux de mes chats...**

Sommes-nous obsédés par la beauté ? **Pas tout le monde, heureusement. Certains plus que d'autres et quelques personnes se rendent malades avec ça, passant la majeure partie de leurs journées à penser à la perfection physique à laquelle ils aspirent pour eux-mêmes et chez les autres. Nos critères sociaux sont de plus en plus sévères et pointus et j'envie ceux et celles qui en sont complètement détachés, portés par autre chose. Pour en arriver à ce détachement, il faut soit avoir une confiance en soi bétonnée ou avoir accédé à des sphères de conscience ou de spiritualité qui surviennent à l'accession d'une certaine sagesse ou après des événements qui changent le sens des priorités de façon radicale et majeure.**

Est-ce que le féminin est conditionné à plaire ? **On veut plaire, être aimée, ça me semble normal. Qui peut dire qu'il aime être rejeté ? Or, les femmes ne sont pas toutes conditionnées à plaire de la même manière. Ça dépend d'un tas de facteurs familiaux surtout, de comment on nous a montré à nous réaliser, ce qu'on**

nous a enseigné et ce sur quoi on a mis l'emphase dans notre enfance... Le regard que notre mère pose sur nous, son jugement tendre ou dur, l'image qu'elle jette elle-même sur son propre physique, la manière qu'a notre père de nous observer y sont pour beaucoup.

Es-tu prise par cet idéal ? **Oui, je suis préoccupée par mon apparence, prisonnière de toutes sortes d'idéaux que j'aimerais atteindre et j'aspire à plus de détachement face à mon image corporelle. Je suis très coquette et je fais attention à mon physique pour me sentir bien, pour être à l'aise socialement. Parfois, c'est même contraignant. J'ai du mal à sortir sans faire un minimum de travail sur ma « façade »... D'un autre côté, j'aime le faire et j'ai toujours été féminine. Gamine, je portais des robes cousues par ma grand-mère paternelle et des rubans dans les cheveux, j'aimais qu'on me complimente parce que ça devait me rassurer, parce que je ne me trouvais pas belle comme mes autres amies. Encore aujourd'hui, je me juge très, très sévèrement et je suis rarement négligée. Par contre, si je reste à la maison pour écrire ou lire, j'ai parfois l'air de sortir d'un sac de poubelles et, sincèrement, je m'en fous. Si vous venez à l'improviste, il se pourrait par contre que je n'ouvre pas la porte...**

Quels sont les critères de beauté qui ont la cote aujourd'hui ?
Je crois qu'ils varient d'une culture à une autre, voire d'un groupe social à un autre et surtout en fonction de la mode. Au Québec, par exemple, les douchebags vont aimer le clinquant, les ongles peints avec des motifs ou les mèches de couleur, tandis que les hipsters vont préférer les montures de lunettes massives ou les chemises à carreaux. Si on se fie aux critères nord-américains présentés dans les magazines de mode actuels, la beauté des femmes se caractérise par des traits symétriques et réguliers, une taille longiligne, un sourire éclatant avec des dents blanches parfaitement droites, etc. Or, j'en connais plusieurs qui, comme moi, apprécient les hanches bien définies, les fessiers bombés, les seins voluptueux. Le look Christina Hendricks, j'aime beaucoup... Si j'étais attirée par les femmes, huuummm, elle serait mon genre !

Qu'est-ce que tu penses de l'image des femmes dans les médias ?
Au Québec, il y en a pour tous les goûts ! On ne nous renvoie pas nécessairement une image de perfection. La *girl next door* ou l'*average girl* a même plutôt la cote. La simplicité, l'air accessible et gentil remportent même la palme d'or. Les femmes trop

flamboyantes, celles qui osent, celles qui en montrent beaucoup se font taper sur les doigts. Surtout, faut rester dans les rangs. Je dirais que ça a du bon, mais c'est aussi énervant pour les plus audacieuses, celles qui vont à contre-courant.

Comment cela joue-t-il sur les relations hommes-femmes de notre temps? **Je continue de penser que les femmes en acceptent beaucoup plus chez les hommes que le contraire. Un homme bedonnant, grisonnant, vieillissant, avec des pattes d'oies au coin des yeux, c'est donc charmant! Aaarghhh! (soupir) Une femme avec un surplus de poids, moins jeune, moins fringante et qui n'a pas eu recours à des chirurgies, désolée, mais ça n'a pas le même effet sur les hommes. C'est très injuste et ça m'horripile au plus haut point! C'est plus difficile d'être femme qu'homme, j'en suis persuadée, surtout en prenant de l'âge. Rester zen, boire du vin, rire avec les amies, dépenser sur ma carte de crédit, lire de bons romans, manger des pâtes, c'est un peu ça que je me vois faire quand je me sentirai moins «en forme».**

«On ne peut pas être et avoir été...» J'adore cette citation que je me répète souvent. Je n'ai quand même pas fini de hurler à l'injustice.

Tu es maintenant la maman d'une fille, qu'est-ce que tu aurais envie de lui léguer? **Je n'ai pas que de beaux souvenirs de ma jeunesse. Je détestais mon physique: mes dents croches, mes lunettes, ma maigreur, la vilaine tache de naissance sur la joue que les gens ne manquaient pas de souligner. J'avais plein de complexes, ça me rendait malheureuse au plus haut point et je me disais que je n'aurais jamais de chum de ma vie. La vie a été bonne pour moi au final et j'en suis bien contente. J'aimerais donc que ma fille cultive des talents et des passions artistiques, sportives ou autres qui lui permettront de se réaliser ailleurs que dans l'image physique qu'elle projette. Tant mieux pour elle si elle est jolie, mais j'aimerais qu'elle diversifie ses priorités, qu'elle fixe son attention sur les mots, l'art, la poésie. Elle a déjà plein de livres dans sa bibliothèque... son père est designer et illustrateur, il la fera dessiner et peindre. Je vais surtout faire mon gros possible...**

Le Québec aime la diversité, la girl next door et la simplicité. Les réflexions de Claudia sont celles d'une génération confrontée à une perfection évidente, mais elle a trouvé (outre le maquillage) une façon bien à elle de déconstruire les mythes: elle écrit. Sa réflexion sur la monstruosité est à suivre.

LA CHIRURGIE PLASTIQUE

La chirurgie plastique est devenue accessible au plus grand nombre. Dans certains cas d'accidents, de malformations ou de handicap, elle peut carrément sauver des vies qui autrement, auraient été infernales. Je pense aux interventions qui corrigent un bec-de-lièvre, aux reconstructions de grands brûlés, etc. Mais trop souvent, et dans la majorité des cas d'opérations, on ne parle que de façade et d'image. Immortaliser la jeunesse est aujourd'hui à notre portée. Au Moyen-Âge, une telle transformation physique aurait été qualifiée de pure magie ou même de sorcellerie tellement c'était impossible et irréalisable ! Nos magiciens des temps modernes sont maintenant capables de beaucoup. Mais qu'en est-il de cette pratique qui consiste à altérer, à déformer son corps ? Que nous enseigne-t-elle sur notre époque ? Et surtout, que nous dit-elle sur les femmes d'aujourd'hui, celles qui s'y soumettent et celles qui s'y refusent ?

UN MARCHÉ EN PLEINE CROISSANCE

Pour comprendre l'impact de la chirurgie plastique sur nos rapports et illustrer comment cette technique les influence, attardons-nous brièvement sur quelques chiffres éloquents.

Selon les données émises par la société américaine des chirurgiens esthétiques, on note que :

À la tête des interventions chirurgicales, on trouve les injections de Botox, avec 5,6 millions d'interventions en 2011, en augmentation de 5 % sur un an.

621 % Depuis l'année 2000, l'augmentation est de 621 %[117].

[117] « Chirurgie esthétique : les opérations du menton en hausse aux USA », *AFP Infos Mondiales*, 15 avril 2012

UNE AUGMENTATION DES DEMANDES SPÉCIFIQUES (ET QUELLES DEMANDES !)

71 %

Les interventions pour modifier les mentons avaient augmenté de 71 % en un an[118].

[118] *Ibidem*

2011

Il y aurait eu 13,8 millions d'interventions en 2011 de ce type aux États-Unis, dont 1,6 million d'interventions chirurgicales comprenant l'opération du nez, la liposuccion et l'implant mammaire.

Depuis une dizaine d'années, on remarque une croissance élevée de la demande. Aussi ahurissant que cela puisse paraître, ce type de chirurgie va en augmentant... Avec cynisme, si on dénombre les parties du corps opérables, on prévoit déjà de longues années de rentabilité aux plasticiens !

Mais le constat de l'ampleur du marché ne s'arrête pas là. Selon l'ASPS (American Society for Aesthetic Plastic Surgery) :

[119] *Ibidem*

[120] *Ibidem*

6,8 $

Les Américaines auraient dépensé en 2009 environ 6,8 millions de dollars pour des labinoplasties, chirurgie du sexe féminin[119].

70 %

Au Royaume-Uni, le secteur de la chirurgie du vagin aurait vu une augmentation de 70 % en 2008[120].

Il m'apparaît légitime de m'interroger sur la symbolique sociale d'une telle donnée. Dans certains pays du monde, l'excision a la cote. Ici, il faudrait se refaire le vagin pour correspondre aux critères de performance sexuelle ?

LA MONDIALISATION D'UNE INDUSTRIE

Au Canada, l'industrie de la chirurgie plastique se porte tout aussi bien. En effet, selon la Société internationale de chirurgie plastique et esthétique :

[121] Gabrielle Duchaine, « Bulles, caviar... et botox », *La Presse*, 16 septembre 2012

[122] *Ibidem*

55 800

55 800 injections de Botox auraient été réalisées au Canada en 2010[121].

Le Canada se placerait ainsi au 15e rang des pays où l'on pratique le plus grand nombre d'interventions[122].

650 000

Le phénomène de la chirurgie plastique s'internationalise, comme nous le prouve le cas du Brésil où, chaque année, 650 000 personnes se font refaire les lèvres (de la bouche !)[123].

[123] Dominique Audibert et Annie Gasnier, « Brésil, le pays où le corps est roi », *Le Point*, 8 avril 2012, p. 68-69

L'Inde serait également un important joueur dans l'industrie de la chirurgie plastique.

4e

L'Inde se situe en effet au quatrième rang mondial des centres de chirurgie esthétique, selon le rapport 2010 de la Société internationale de chirurgie esthétique[124].

[124] Nishita Jha, « Inde : C'est si facile se refaire une beauté », *Courrier international*, n° 1070, jeudi 5 mai 2011, p. 34

5,2 %

5,2 % des interventions chirurgicales mondiales y sont faites.

Toujours selon les données de 2010 publiées par la Société internationale des chirurgiens esthétiques :

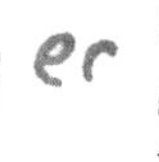

L'Italie est le premier pays européen avec la plus grande recension de chirurgies plastiques, en septième position mondiale.

9e

La France se situe, pour sa part, en neuvième position[125].

On peut même observer qu'au Nigeria, on recense une croissance de 30 à 40 % des injections de Botox par année[126].

[125] « Chirurgie esthétique : les opérations du menton en hausse aux USA », *AFP Infos Mondiales*, 15 avril 2012

[126] « La chirurgie esthétique opère discrètement au Nigeria », *AFP Infos françaises*, 21 juin 2012

DES CONSÉQUENCES POUR LA SANTÉ ?

Le Réseau québécois pour la santé des femmes a mené une recherche sur les risques du lifting, de l'augmentation mammaire et de la liposuccion. On y apprend que :

[127] Réseau québécois d'action sur la santé des femmes, « Chirurgie esthétique... du rêve au cauchemar », mai 2003

304 %

Entre 1997 et 2001, les chirurgies esthétiques ont connu une augmentation de 304 %[127].

D'ailleurs,

- Les femmes constitueraient environ 88 % de la clientèle.
- La recherche affirmait également qu'en l'an 2000, 145 000 jeunes de moins de 18 ans auraient subi une chirurgie esthétique aux États-Unis[128].

[128] *Ibidem*

Les risques de santé sont là. Pour une liposuccion, qui coûte en moyenne 2 000 $, des complications peuvent survenir, comme :

[129] *Ibidem*

- des hématomes,
- de la nécrose,
- des pertes importantes de sang,
- des possibilités de phlébite (embolie pulmonaire)[129].

À long terme, on peut prévoir des risques :

- d'hyperpigmentation cutanée,
- de la paresthésie (engourdissement local),
- de l'œdème persistant,
- de l'enflure.

Wow, c'est fou comme c'est tentant...

Toujours selon l'ASPS (American Society of Plastic Surgeons) : Entre 1994 et 1998, le taux de mortalité chez les personnes ayant subi une liposuccion était de 1 sur 5000[130].

[130] *Ibidem*

La chirurgie esthétique est un moyen de plus pour se soumettre aux critères de beauté. Force est de constater que la jeunesse est plus populaire que jamais.

À ce stade de ma quête, j'ai voulu rencontrer une féministe qui s'est battue pour le droit des femmes toute sa vie, Francine Pelletier, la journaliste, documentariste et co-fondatrice de la revue féministe *La Vie en rose*. Chose étonnante ! Francine m'a avoué qu'elle avait eu elle aussi recours au bistouri.

C'est dur pour une femme de vieillir mais se voir vieillir en gros plan c'est murder.

FRANCINE PELLETIER

JOURNALISTE / DOCUMENTARISTE

© Photo Annick MH (Carufel)

Francine Pelletier est journaliste, documentariste, animatrice et chroniqueuse depuis plus d'une trentaine d'années. Pour la petite histoire, c'est aussi la sœur de Pol Pelletier. Féministe, figure de proue du mouvement des femmes des années 1980 au Québec, elle perçoit le culte des apparences avec son regard critique bien à elle. Je l'ai interrogée à la suite d'une chronique où elle faisait son coming out : elle a déjà subi une chirurgie esthétique. Lors des derniers mois de mon séjour à Paris, en 2013, j'ai écrit à Francine pour obtenir ses confidences. J'avais envie de connaître les perceptions d'une féministe d'une autre génération sur ce sujet houleux.

Vous vous êtes impliquée dans le mouvement des femmes au Québec depuis les 30 dernières années. Votre apport est indéniable. De la révolution sexuelle des années 1960-1970 à aujourd'hui, comment peut-on interpréter ce revirement de situation improbable incarné dans l'objectivation actuelle du corps de la femme ? **Il s'agit à mon avis d'un marché tacite entre les forces « révolutionnaires » d'antan, ou progressistes d'aujourd'hui, et la société en général qui tente de préserver le statu quo. L'entente, jamais clairement dite, mais qui sous-tend l'évolution de la condition féminine, va comme suit : « Vous voulez agir comme des hommes ? Arrangez-vous pour ne pas en avoir l'air. »**

C'est une façon de minimiser l'ampleur du changement, de ne pas tout foutre en l'air, de rassurer les hommes sur l'accessibilité aux femmes (une fille en petite tenue = viens-t'en, bébé), tout en permettant une porte de sortie, une espèce d'ancienne valorisation aux femmes qui n'ont pas nécessairement conquis le marché du travail simplement parce qu'elles y ont maintenant droit. Ce n'est pas du tout simple d'être une femme aujourd'hui, même pour lesdites « conquérantes ». Bref, tout le monde y trouve son compte et, de là, la fatigue du mouvement féministe aidant, l'objectification galopante d'aujourd'hui.

Pourquoi l'obsession pour les apparences touche-t-elle particulièrement les femmes ? **Parce que les femmes y sont depuis toujours associées (Ève séduit Adam avec son corps, pas en essayant de lui faire comprendre le mystère de l'univers). Ç'a toujours été, et c'est encore, une façon de contenir la place que prennent les femmes. Une femme qui étale fièrement sa poitrine ne peut pas être trop pourvue en matière grise, croit-on toujours.**

La notion que les femmes n'ont que deux dimensions (traditionnellement: corps + cœur) a aussi son pendant moderne. Les femmes qui ont été les premières à frayer dans un monde d'hommes, notamment en politique, devaient laisser toutes velléités de séduction et d'apparat à la porte. Pensons à Golda Meir, Monique Bégin, Lise Payette, Lise Bacon, Margaret Thatcher, Hillary Clinton... Jamais on n'aurait pensé aux culs de ces femmes-là. Elles étaient réduites à: tête forte + volonté de fer... Ça commence tout juste à changer.

Peut-on parler de marchandisation du corps? **Sans doute, mais c'est autrement plus complexe aujourd'hui du fait que les femmes sont partie prenante de la marchandisation. Ce n'est pas seulement quelque chose qui leur est imposé, en d'autres mots, c'est aussi quelque chose qu'elles choisissent.**

Vous avez affirmé dans votre chronique «Les seins d'Angelina» publiée dans *Le Devoir* en mai 2013 avoir eu recours à une chirurgie esthétique? Pourriez-vous me parler de ce choix que vous avez fait? Comment voyez-vous cette pratique? **J'ai souvent dit: c'est dur pour une femme de vieillir, mais se voir vieillir en gros plan (au petit ou grand écran), c'est *murder*.**

Aurais-je été tentée par la chirurgie esthétique sans avoir été à la télévision à ce moment-là? J'approchais mes 50 ans, âge fatidique pour une femme... Je ne sais pas. (Sans avoir été à la télé par contre, je n'aurais probablement pas eu les moyens.) Mais ce qui est sûr, c'est que c'est profondément ancré en nous, femmes, cette notion que nous perdons de la valeur en perdant notre attrait sexuel. Même si l'époque avait été moins portée sur l'objectification, était restée plus féministe, disons, j'aurais sans doute senti cette perte. Ce sentiment de perte est d'autant plus présent lorsqu'on a été une «belle fille». J'ai jamais pensé que j'étais belle, pour tout dire, mais j'ai été consciente jeune que j'avais un certain pouvoir d'attraction. Belle ou moins belle, rare est la femme qui n'est pas consciente de son pouvoir de séduction. Et ce n'est pas parce qu'on a appris à se servir de sa tête qu'on arrête de se servir, tout au long de sa vie de femme, de ce pouvoir-là. L'intervention que j'ai subie (dépochage des yeux) était relativement mineure comparée aux facelifts, aux implants mammaires, etc. Mais ça a quand même voulu dire ne pas pouvoir me regarder dans le miroir pendant plusieurs jours. Peut-être parce que je n'ai jamais été malade, jamais vraiment subi d'interventions médicales, ce que j'avais choisi de subir «volontairement»

m'a profondément, mais profondément déprimée. Je ne pense pas jamais m'être totalement remise du sentiment de culpabilité qui m'a envahie à ce moment. J'avais succombé au chant de la sirène, à la vanité de l'apparence, à ce qui avait gardé des femmes prisonnières pendant des siècles…

Pourquoi la chirurgie esthétique est encore un tabou ? **Précisons, d'abord, que c'est un tabou pour les femmes. Brad Pitt, lui, admet volontiers avoir recours au Botox. Sans même être féministe, la majorité de femmes sent très bien que c'est, comme je disais dans la chronique, un retour en arrière, replonger dans les vieux stéréotypes. Personne n'a envie de se sentir responsable d'un tel recul.**

J'ai 22 ans et je vois ma mère angoisser à l'idée de vieillir. C'est une réalité que je comprends en théorie, mais que je saisis difficilement en pratique. Pourriez-vous me parler un peu de cette réalité de vieillir en tant que femmes, notamment dans la perception des autres ? **Pour les femelles de l'espèce, la longévité et la fertilité sont longtemps allées de pair (les femmes mouraient très souvent à l'âge de la ménopause ou pas très longtemps après). Les mâles de l'espèce n'ont jamais été soumis à une telle équation. Il est peut-être donc un peu normal que le vieillissement nous déroute, comme femmes, beaucoup plus que les hommes. Il y a là quelque chose qui s'apparente à l'atavisme. Qui est d'ailleurs impossible à mettre derrière soi du fait que combien d'hommes, à 50-60 ans, se trouvent une compagne de 20-30 ans plus jeune ! C'est effrayant le message qui est envoyé aux femmes par un tel comportement — vous avez une date de péremption collée dans le dos —, mais aux femmes plus vieilles en particulier. Il y a une certaine solitude rattachée au vieillissement pour quiconque. Mais elle est particulièrement raide pour les femmes.**

Que pensez-vous des critères de beauté actuels ? **Je ne regarde pas ça de très près, mais l'hypersexualisation de la mode m'irrite : les talons aiguilles qui se peuvent plus, les jupes vraiment trop courtes, les décolletés jusqu'au nombril… La maigreur aussi — bien que, là au moins, il semble y avoir du progrès. La féministe ne pense pas que ce soit la beauté comme telle qui asservit, mais le fait de vouloir correspondre aux critères esthétiques ambiants. Se présenter en entrevue en talons aiguilles, en jupe courte et en décolleté, c'est bon pour une application comme secrétaire, mais pas si vous aspirez au poste de PDG.**

La figure de proue du féminisme québécois nous propose une réflexion nuancée.

Francine Pelletier le reconnaît : la pression sur les femmes pour être parfaite est énorme. Même une féministe de sa trempe a succombé en ayant recours au bistouri. Le combat de sa génération nous aura donné une solide remise en question. Elle m'a fait réaliser que la chirurgie esthétique n'était peut-être pas quelque chose de si condamnable...

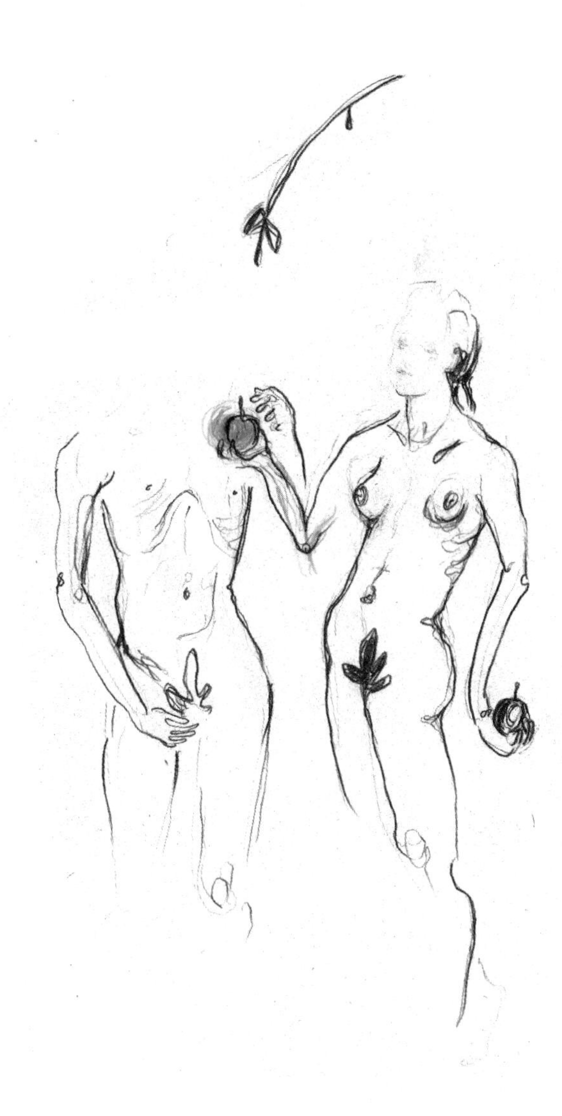

VIEILLIR !

[131] Butler, R. N. « Thoughts on aging », *American Journal of Psychiatry*, nº 135, p.14-16, 1978

Francine Pelletier touche un sujet délicat et tabou. Le fait de vieillir comme femme est extrêmement difficile. Le gérontologue américain Robert Butler a défini le concept d'âgisme qui s'impose dans notre société : « C'est un processus par lequel des personnes sont stéréotypées et discriminées en raison de leur âge et qui s'apparente à celui du racisme et du sexisme[131]. » Assiste-t-on à une forme d'âgisme dans notre société ? Chose certaine, la beauté n'est pas associée aux rides. Non ! C'est aussi ce que la sexologue Jocelyne Robert, elle-même une sexagénaire assumée, exprime dans son essai et cri du cœur, *Femmes vintage*. Elle se confiait à la journaliste de *La Presse*, Nathalie Petrowski :

[132] Nathalie Petrowski, « Vive la femme vintage ! », *La Presse*, 17 mars 2010

« Loin de moi l'idée de ralentir le progrès, ajoute-t-elle. Je veux juste qu'on cesse de nous faire croire que les rides sont obscènes. Et que le corps intact (non retouché) d'une femme est abject. La grossièreté n'est pas dans les rides. La quadragénaire qui se donne des allures de nymphette et la sexagénaire qui se fait reconstruire en modèle trentenaire me semblent bien plus obscènes. »[132]

Le philosophe Gilles Lipovestky s'est intéressé à la montée de l'individualisme. Le corps est devenu un objet de séduction, élément propre à notre monde. Pas de surprise si le culte du corps s'impose plus que jamais.

[133] Gilles Lipovetsky, L'ère du vide : essais sur l'individualisme contemporain, Gallimard, p.87

Le corps est devenu un objet de culte qui nécessite un investissement personnel à travers l'angoisse de l'âge, des rides, l'obsession de la santé, de la ligne, de l'hygiène, des rituels de beauté, de contrôle, d'entretien à travers des massages, saunas, sports, régimes, les cultes solaire et thérapeutique (soins médicaux et produits thérapeutiques). Le narcissisme est roi[133].

Le corps représente aujourd'hui notre identifié profonde. L'homme cherche à contrer la décrépitude physique, les effets de l'âge, la vieillesse.

Christopher Lasch affirme de son côté que la peur moderne de vieillir et de mourir fait partir du néo-narcissisme qui forge ce désintérêt envers les générations futures et engendre nécessairement une angoisse existentielle. On constate un besoin permanent d'être admiré pour sa beauté, son charme et sa célébrité. Ce souci provoque inéluctablement une perspective du vieillissement qui est absolument intolérable dans nos sociétés actuelles. Cela forme en quelque sorte le non-sens contemporain du décès, du vieillissement.

Lipovestky constate que la séduction s'est implantée partout et influe en quelque sorte sur le rapport au physique[134]. Le philosophe pense que la séduction serait au cœur de cette société de consommation.

[134] Gilles Lipovetsky, *ibid*, p.25

Après avoir interrogé Francine Pelletier, une telle figure marquante du féminisme québécois, je me suis dit qu'il fallait que je rencontre une femme qui s'assume encore plus sur le sujet de la chirurgie esthétique. J'ai tout de suite pensé à Rosemonde Gingras, qui avait fait un coming-out coup-de-poing dans les pages du magazine *Châtelaine* à cet égard. Rosemonde ne fait pas juste défendre la chirurgie esthétique, elle la vante carrément. La relationniste de presse n'a pas honte d'assumer ses choix. J'ai été drôlement étonnée, voire déstabilisée par l'éloquence de son propos.

© Photo Julie Artacho

ici, au Québec,
avec la chirurgie,
esthétique, c'est
la grande
noirceur.

ROSEMONDE GINGRAS

RELATIONNISTE

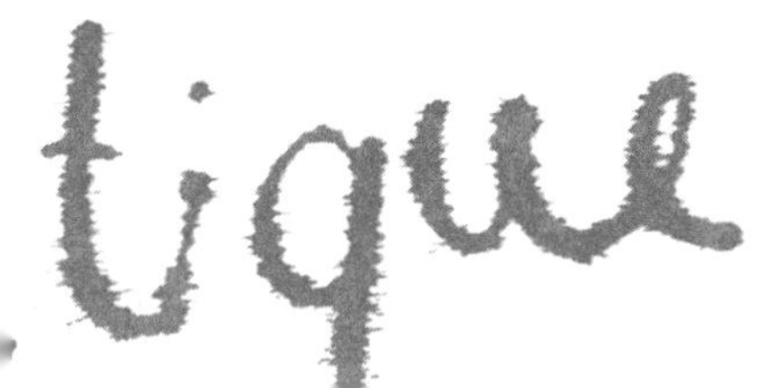

Rosemonde Gingras travaille dans le milieu des relations publiques. Femme d'affaires accomplie, elle a fait le choix de la chirurgie esthétique, qu'elle défend rationnellement. Après son coming out dans le magazine *Châtelaine*, j'ai eu envie de l'entendre davantage.

J'ai connu Rosemonde dans un contexte d'engagement. Nous avons partagé les armes lors du fameux 22 avril, Jour de la terre 2012, organisé par Dominic Champagne. Nous avons réussi à mobiliser 300 000 personnes, rien de moins. Bref, j'avais vu l'intelligence, la rigueur et l'efficacité de cette femme déterminée. Je savais que j'aurais droit à un discours articulé.

En août 2012, dans les pages du magazine *Châtelaine*, tu affirmais que tu étais féministe. Qu'est-ce que cela veut dire pour toi ? **Chaque fois que cette question est posée, ça me fait sourire. Il me semble que le féminisme ne devrait plus avoir besoin de présentation. Je crois simplement à l'importance de la mise en valeur du droit des femmes, à l'égalité des droits entre les hommes et les femmes.**

La première fois, Rosemonde avait 28 ans. C'était pour corriger son « nez long et bossu ». Le résultat a été à la hauteur de ses attentes. À tel point que, quatre ans plus tard, elle fait remodeler ses seins. « Ils étaient beaux, mais pourquoi ne pas les avoir plus gros ? » lance-t-elle. À 33 ans, elle recourt au peeling pour améliorer son grain de peau. L'année suivante, se succèdent lifting du front et implant au menton.

http://fr.chatelaine.com/dossier-beaute/chirurgie-esthetique/belle-a-tout-prix

Dans cet article, tu faisais surtout un *coming out* sur la chirurgie esthétique. Tu y affirmais que c'était d'abord un choix personnel. Comment perçois-tu cette pratique dans la société ? Pourquoi est-elle aussi populaire ? **En fait, la notion de *coming out* était plus la mise en contexte du magazine pour l'ensemble du reportage. Je n'ai jamais caché le fait que j'avais subi des chirurgies esthétiques, et ce, depuis la première. Contrairement à ton affirmation, je ne suis pas certaine que la chirurgie esthétique au Québec soit si populaire. Je pense même que la société que nous partageons est assez conservatrice à ce sujet** par rapport à d'autres cultures. Il y a une relation amour-haine que les Québécois entretiennent avec la chirurgie esthétique. Tout comme avec leur corps, d'ailleurs. Les Québécois et les Québécoises ont cette obsession de la beauté au naturel. Il y a tout un tabou qui règne encore autour de la chirurgie esthétique alors que d'autres pays sont beaucoup plus libérés de cette autocritique ou de ce jugement. Le Liban, le Brésil, le Vietnam, même, jusque dans une certaine mesure, par exemple. Assurément les États-Unis. Ici, la femme a encore de la difficulté à continuer à se percevoir dans un rôle de séductrice une fois qu'elle a enfanté. C'est très mal vu. Même si elle est monogame. Sa séduction ne doit pas montrer de volonté. Par opposition à l'Italie, à la France ou même certains pays du continent africain où la séduction a une place plus saine, selon moi. Enfin, plus ludique et moins méprisée. J'ai constaté en fréquentant les cabinets de mes amis chirurgiens et médecins ou en accompagnant mes amies et ma famille à de nombreuses consultations à quel point les femmes québécoises n'aiment pas leur corps et surtout à quel point elles sont terrorisées par une première consultation chez un spécialiste concernant la chirurgie esthétique ou la médecine esthétique. Très souvent, c'est après une longue attente qu'elles passent à l'action pour une simple consultation. Il n'est pas rare qu'elles fassent cette démarche dans le secret. J'ai très, très rarement vu ou connu des femmes qui se donnaient le droit d'emblée d'avoir accès à cette ressource de la science moderne. Je trouve que c'est regrettable et une perte d'énergie spectaculaire. J'ai certainement beaucoup d'empathie pour le manque d'assurance de ces femmes, mais en même temps, je ne voudrais pas qu'elles soient le pilote de l'avion dans lequel je me trouve! Par ailleurs, si la chirurgie esthétique et la médecine esthétique grandissent en popularité, c'est pour une raison assez simple, c'est que la science évolue, les techniques et la qualité des produits permettant du coup de bien meilleurs résultats qu'il y a 30, 20 et même 10 ans. Il y a encore des ratés lorsque le chirurgien n'est pas compétent, et une chirurgie représente toujours un risque, mais son succès tient à ses résultats très satisfaisants. Les temps de récupération sont aussi de moins en moins grands grâce à ces avancées, ce qui est très attirant pour les gens très occupés et impatients que nous sommes. Certains chirurgiens pratiquent sans anesthésie générale, ce qui diminue grandement les risques.

Tu as toi-même eu recours à des chirurgies esthétiques dans ta vie, pourquoi? **Je suis tout simplement du genre pragmatique!**

Il y a tant de choses sur lesquelles on n'a aucun contrôle et qui sont emmerdantes, je me dis : débarrassons-nous chaque jour au plus vite de tout ce qu'on peut régler, de ce qui nous contrarie. Il y a des choses, des causes importantes ou des gens qu'on aime qui méritent bien plus de temps que la bonne énergie qu'on peut dépenser à se trouver moche en passant devant le miroir chaque jour. Ne me parle pas du concept de s'accepter comme on est ! Va parler de ça à Cindy Crawford ! Je pense que l'énergie est la chose la plus importante dans la vie. Il faut la ménager, l'utiliser à bon escient et tenter d'en produire davantage. C'est notre énergie qui est notre courroie de transmission au reste du monde. On sous-estime ça. Quelqu'un avec une bonne énergie, ça se remarque tout de suite. Ça fait une différence. Quelqu'un avec une mauvaise énergie, c'est infernal, pour elle-même comme pour les autres. La vie nous amène son lot de choses à accepter. Si on fait une moyenne, il y a pas mal de deuils dans une vie qui sont difficiles à faire et qui nous demandent beaucoup de sagesse pour qu'on reste épanouis. Dans ma vision pragmatique de la vie, je me dis que tout ce qui est sur mon chemin, qui mine mon énergie vitale et qui détourne mon attention des choses importantes, si je peux les changer facilement, c'est un go ! Est-ce que si je me fais faire une chirurgie esthétique ou si j'ai des injections pour me trouver belle, je transgresse des règles morales ? Non. Est-ce que je me déresponsabilise dans ma vie ? Non. Est-ce que je porte préjudice à mon entourage ? Non. Pour te dire vrai, j'ai même un certain malaise à ce que l'on prenne tant d'espace médiatique pour parler de ça sans pour autant aborder le vrai sujet. Premièrement, je peux te le dire d'expérience, les médias généralistes de qualité ne veulent pas aborder ce sujet parce qu'ils ne veulent pas être perçus par leur lectorat, leurs auditeurs ou leurs téléspectateurs comme étant un média intéressé par le sujet. (*Châtelaine* à d'ailleurs été très audacieux l'an dernier). C'est pour te dire la perception négative que la chirurgie esthétique a au Québec. Pourtant tous ces médias, et sans gêne surtout, sont heureux de ramasser les revenus publicitaires de ces annonceurs. Je trouve ça malicieux. « On va vous vendre de la chirurgie esthétique, mais ne comptez pas sur nous pour vous informer, on ne compte pas se salir. On va vous parler de facelift à l'acupuncture sans photos avant et après en remplacement. » Ça n'intéresse personne et ça n'a aucun sens ! Comprends-moi bien, je n'ai rien contre l'acupuncture, j'ai moi-même recours à des traitements pour différentes choses et je crois en ses bienfaits, mais cet exemple te démontre bien le malaise qu'il existe autour du sujet de la

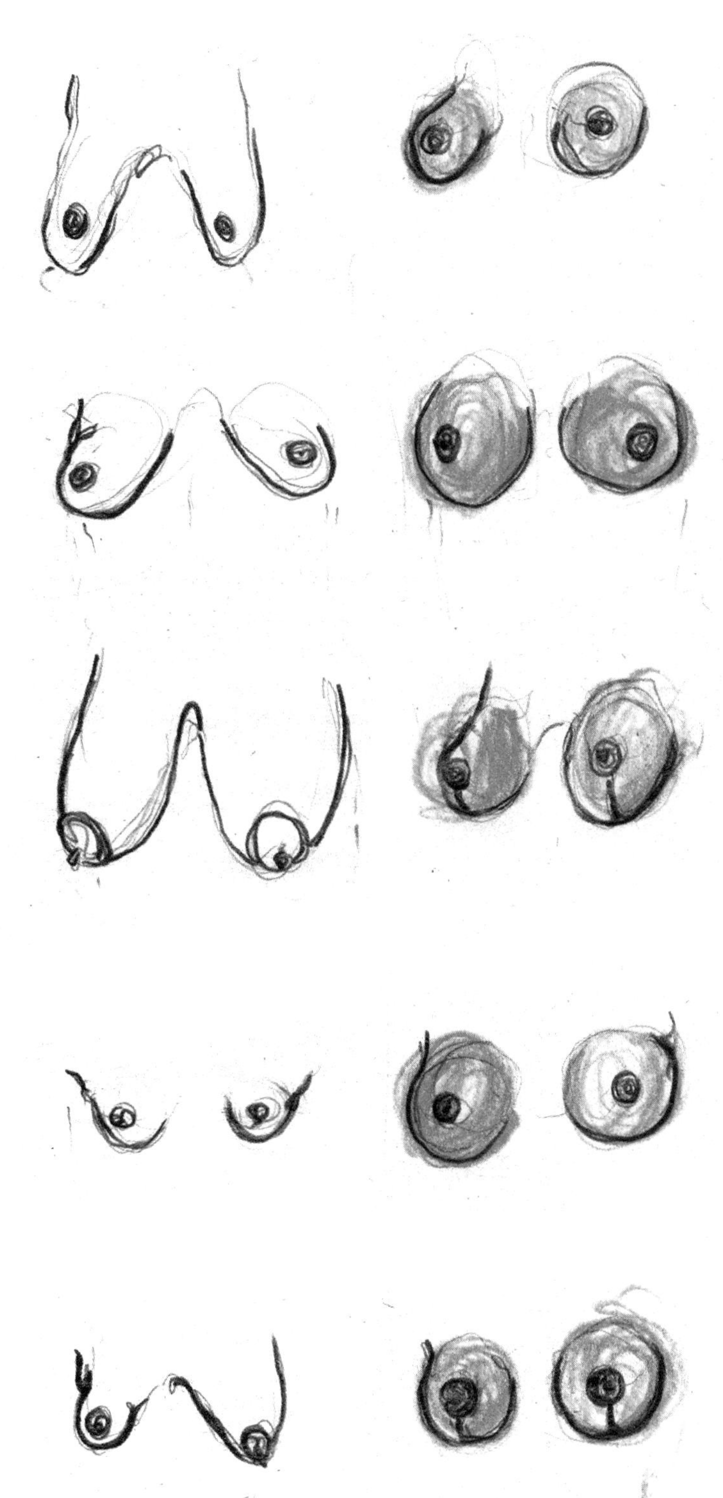

chirurgie esthétique. C'est mal vu. Tout le monde y pense, tout le monde en parle, certains le font, mais chut... il ne faut pas le dire ou y être associé de façon sérieuse. Si tu savais combien j'ai reçu de correspondance après mon témoignage. Des questions de toutes sortes : est-ce que ça fait mal ? Est-ce que je devrais faire ceci ou cela ? Qu'est-ce que tu penses de ça ? Que va-t-il arriver si... ? Je trouve ça révélateur de toujours lire les mêmes articles ou de voir les mêmes reportages qui ne disent presque rien alors que les gens veulent et doivent apprendre des choses à ce sujet, parce que la consommation dans ce domaine est bel et bien là. L'importance d'être informée et de faire des choix éclairés est cruciale. Non seulement pour prendre de bonnes décisions, mais pour faire des démarches qui soient libérées d'angoisses ou d'anxiétés inutiles. La connaissance est la base du discernement, tout le monde sait ça. Ici, au Québec, avec la chirurgie esthétique, c'est la grande noirceur ! En grande partie à cause des médias qui abordent ce sujet avec ses propres tabous.

Les statistiques nous le démontrent. La chirurgie esthétique monte en popularité. Comment expliques-tu cela ? **Une accessibilité qui n'était pas aussi grande il y a quelques années. Une qualité de service qui s'est améliorée grâce à la science. Le fait que les femmes aient augmenté leur niveau de vie avec leur autonomie financière en étant sur le marché du travail et en occupant de plus en plus de meilleures positions. L'aspect démographie aussi est important. Les baby-boomers qui ont toujours été préoccupés par leurs plaisirs en ont moins quand ils se regardent devant le miroir, et ils ont une certaine liberté financière pour passer à l'action.**

Les femmes autour de toi y ont-elles recours ? **Pas vraiment. Quelques-unes. Très peu. Je ne proviens pas d'un milieu où c'est valorisé. Ce n'est pas non plus un intérêt qui est central dans ma vie, quoique je suis ravie d'en savoir autant sur le sujet. Mais c'est vraiment un heureux concours de circonstances. J'ai cependant connu sur ma route plein de femmes qui ont eu des chirurgies esthétiques à cause de mon travail, mais ce ne sont pas des gens de mon entourage. Ce n'est pas que je ne tente pas de les convertir ! Je blague. Chacun fait ce qu'il veut. Ce qui m'importe c'est le bien-être des gens que j'aime.**

Naomi Wolf, dans son ouvrage *The Beauty Myth* (1991), affirmait, entre autres, que l'industrie de la beauté était un asservissement pour les femmes. Qu'en penses-tu ? **J'aime beaucoup**

Naomi Wolf. Je la lis depuis sa première publication. Nous avons presque le même âge, mais je suis plus jeune !

Ça dépend pour qui. Ce n'est pas le sujet qui crée la condition. C'est l'attitude. À ce compte-là, la liste peut être longue. Notons au passage que Naomi Wolf est d'une beauté saisissante. Je ne vois pas ce que l'industrie de la beauté pourrait faire pour elle. Je remarque souvent cette attitude, que je trouve, pour tout te dire, désolidarisante pour les femmes, quand une très, très belle femme que la nature a gâtée s'en prend aux bienfaits que peut représenter l'industrie de la beauté pour une autre. Tout le monde sait que la beauté, c'est du pouvoir. Personne ne veut l'admettre, mais une femme plus jolie aura plus de pouvoir qu'une moins jolie femme. Quand j'entends une jolie femme, qui se dit féministe de surcroît, s'élever contre les bienfaits que peuvent représenter ces ressources extraordinaires pour gagner en pouvoir, j'ai toujours un sourcil qui grouille.

Au Québec, la championne de ce discours, c'est Jocelyne Robert, la sexologue. Je ne voudrais pas mal citer ces propos, mais à répétition, elle a clairement exprimé sa désapprobation pour la chirurgie esthétique. As-tu déjà vu Jocelyne Robert dans la trentaine ? Époustouflante de beauté ! Aujourd'hui, son bagage génétique est celui d'une femme 15 ans plus jeune que l'âge qu'elle a. La nature ne distribue pas de façon juste ses allocations ! Précisément par rapport à ta question, je pense que c'est à chacune à tracer sa limite. Une femme qui n'a pas cette capacité par rapport à la beauté ne l'aura pas pour les autres aspects de sa vie, et ce sera problématique. Je pense que de s'en inquiéter, c'est un peu avoir une attitude infantilisante par rapport aux femmes et de les sous-estimer.

Tu travailles avec les médias depuis plusieurs années, remarques-tu un jugement différent envers le physique des hommes que celui des femmes? Si oui, pourquoi? **Tu parles ! As-tu arrêté de regarder la télé ? Pas seulement dans les médias. En politique aussi. On a une grande tolérance pour les hommes qui sont affreux. C'est un double standard absolu. Les hommes dans les médias peuvent être compétents sans être agréables à regarder, alors que les femmes doivent être d'abord et avant tout agréables à regarder. Et ensuite compétentes. Ce qui me semble être une attente respectable. On sent très bien d'ailleurs que pour certaines femmes très compétentes, c'est lourd à porter. Je peux comprendre ça. Tant et aussi**

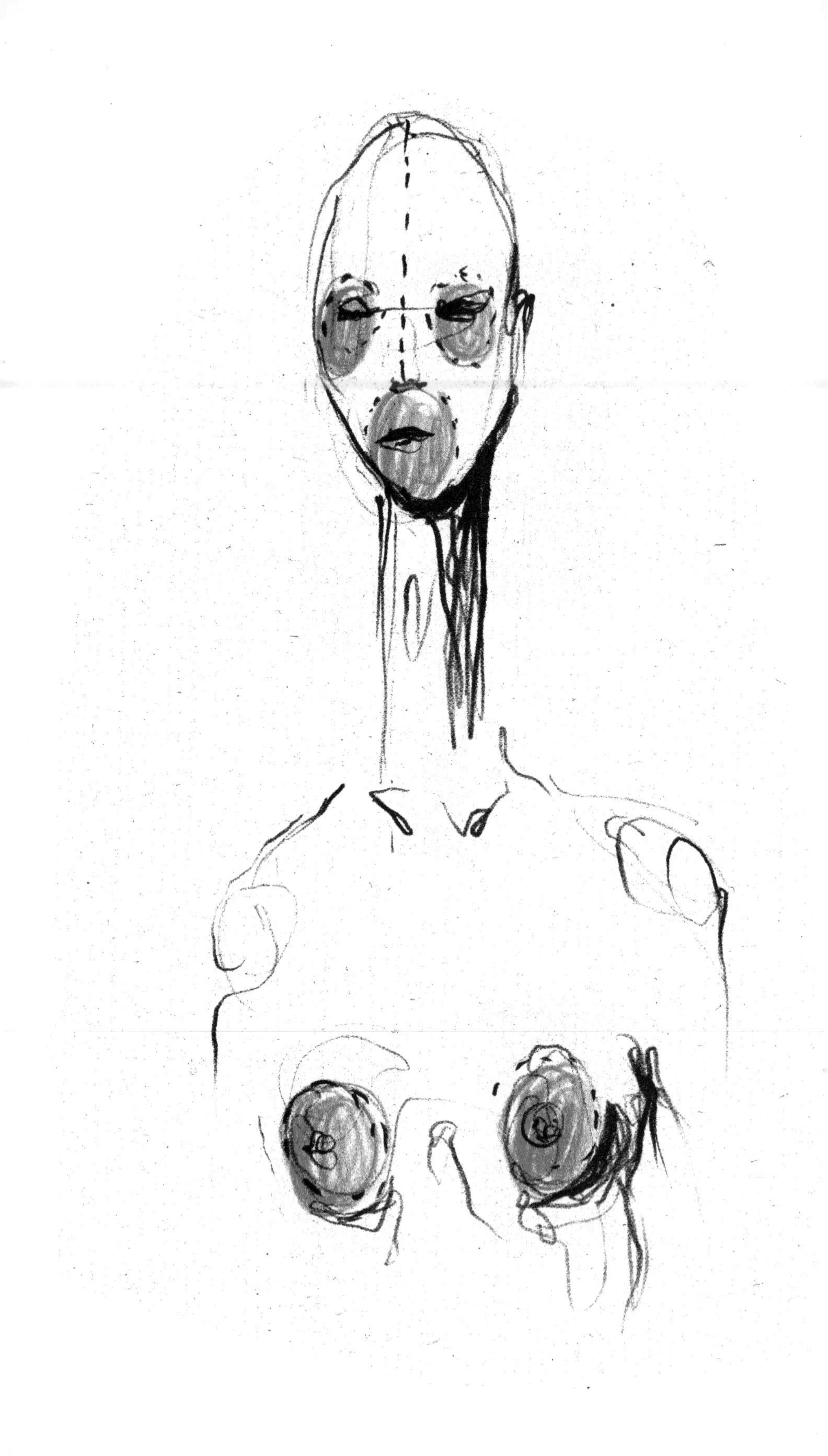

longtemps qu'il y aura majoritairement des hommes dans les postes de direction, ce sera comme ça. C'est une question de mathématiques. Je pense aussi que les hommes de pouvoir dans les médias en général aiment les belles femmes dans leur milieu, parce que ça correspond à un vieux stéréotype de la femme soumise à la télé. La femme qui se distingue le plus à la télé québécoise, à mon avis, c'est Anne-Marie Dussault. Elle impose de façon naturelle un tel respect. On sent que c'est une femme pleinement assumée, compétente et qui est par ailleurs très jolie. Elle n'utilise jamais aucune forme de séduction pour arriver à ses fins en onde et elle est d'une grande rigueur intellectuelle. Dans le monde de la variété, Véronique Cloutier a réussi à combiner compétence et style sans compromettre l'un ou l'autre. Ça commence à changer au Québec aussi parce que certaines femmes, comme Marie-France Bazzo ou Christiane Charrette, deviennent productrices. Elles accèdent ainsi plus facilement à ce qu'elles désirent. La capacité financière sera toujours la source première de l'affranchissement. Du moins le début de sa possibilité. Ces dernières sont-elles plus conscientisées que d'autres à la pluralité des modèles féminins à l'écran ou veulent-elles simplement exercer leur profession dans laquelle elles excellent en toute liberté? Que ce soit l'un ou l'autre, elles prennent la place et c'est ce qui compte.

Dans ma réflexion, j'ai tenté de comprendre pourquoi le culte de la jeunesse était aussi présent dans notre société. Une piste de réflexion était peut-être le fait que nous avons un malaise avec la mort. Qu'en penses-tu? **Mais bien entendu! Nous désirons faire disparaître tous les symptômes qui nous signalent que ce moment se rapproche. C'est une façon de dire: «un instant, il me reste encore plein de temps pour faire ce que j'ai le goût de réaliser!» Dans le culte de la jeunesse, il y a aussi un facteur important qu'il ne faut pas négliger et qui joue un rôle central. L'homme au sens masculin du terme, qui peut se reproduire beaucoup plus tard dans sa vie que la femme, reconnaît la jeunesse (et donc le niveau de fertilité possible) de façon inconsciente en regardant une femme plus jeune. Savais-tu que les cheveux longs chez une femme sont perçus comme un signe de fertilité? L'homme qui regarde une femme qui a une pommette saillante associe inconsciemment ce visage à un visage de jeunesse sans même le savoir. Ainsi, quand un après l'autre les traits et le corps de la femme changent, à une vitesse beaucoup plus rapide que ceux de l'homme, l'écart d'attirance entre ceux qui ont le même âge s'agrandit. Est-ce que c'est une course**

perdue d'avance pour les femmes? Biologiquement, oui! Évidemment, entre deux êtres qui se connaissent depuis longtemps, il y a autre chose que l'attirance qui tient cette relation. Mais cet état de choses contribue certainement au culte de la jeunesse. Je pense que les femmes, intuitivement, à un certain moment donné, ressentent cet écart de changement physique avec leur conjoint (ou leur génération) et que c'est très difficile pour elles. C'est pourquoi je trouve qu'il faut être prudent avec l'idée de culpabiliser les femmes qui désirent avoir une chirurgie.

Pourquoi la chirurgie esthétique est encore un tabou? **On entend souvent le préjugé qui dit que d'avoir recours à la chirurgie esthétique est un geste de conformité et qui démontre un manque d'estime de soi. De toute évidence, ces commentaires sont émis par des gens qui ne sont jamais passés sous le bistouri. Car prendre une pareille décision avec tous les jugements désapprobateurs avant et après l'intervention, ça prend tout sauf un manque de confiance en soi. C'est aller à contre-courant. Qui plus est, pour un très grand nombre de raisons, les chirurgiens québécois vont refuser d'opérer une patiente qui exprime de façon plus ou moins claire une forme d'indécision. C'est donc dire qu'à l'opposé de la croyance populaire, il faut plutôt une personnalité bien assurée et confiante pour prendre une telle décision et faire des choix aussi importants plutôt qu'une personnalité qui a besoin de confirmation. Si on ne peut pas vivre avec la désapprobation sociale, il est certain qu'on ne va pas vers une telle démarche, car une personnalité mal assurée vivra difficilement les jugements exprimés à son endroit, que ce soit clairement ou non. Ce n'est pas par hasard que la plupart des gens veulent à tout prix ne pas laisser savoir qu'ils ont subi une modification physique.**

Rosemonde Gingras tient un discours assumé sur la chirurgie esthétique. Elle la défend. Sa cohérence est indéniable. Elle et moi sommes d'accord sur un point: la beauté renforce les stéréotypes sexuels. La relationniste croit que plus une femme gagne en possibilité de séduction, plus son intelligence peut être remise en doute, occultée. Sa position est claire: opposer la beauté et l'intelligence, ce serait comme d'opposer la pensée et le silence. Et ça ne tient pas la route!

Rosemonde Gingras partage une thèse différente de la mienne : elle défend vertement la chirurgie esthétique. Sa réflexion me semble pourtant vraiment éclairante et cohérente. La preuve que notre point de vue peut évoluer. Le mien a fait un petit bout de chemin. Rosemonde voit d'un mauvais œil le jugement moralisateur de femmes choyées par la nature qui condamnent la chirurgie. L'infantilisation qu'elle critique est tangible. Pourtant, la nuance est importante: on peut tenter d'expliquer la popularité de la chirurgie esthétique sans pour autant la condamner. Je suis de nature à plutôt critiquer l'usage du bistouri. Aujourd'hui, je comprends cette pratique, même si je ne trouve pas toujours le résultat concluant. Je suis tout de même fascinée par l'obsession qui s'en découle.

Enfin, à la lumière de sa réponse, je me demande si mon discours infantilise les femmes parce que je voudrais les épargner de ce par quoi je suis passée. Ma quête s'inscrit surtout dans une démarche de compréhension et non de dénonciation, certes, mais il s'agit d'une excellente question qui mériterait d'être approfondie sur un divan, peut-être...

Merci Rosemonde !

Pour certains, la chirurgie plastique est une aberration, pour d'autres c'est un moyen de s'affirmer, de s'émanciper, de s'affranchir. Cette quête éperdue de beauté rime avec jeunesse éternelle... Dans une société qui a délaissé le religieux pour l'argent, j'y vois un parallèle intéressant. Nous vivons dans un monde sans croyances, un monde qui éprouve une difficulté plus grande à accepter le destin, c'est-à-dire la mort. Cette façon de vouloir rester jeunes, synonyme de beauté, n'est-elle pas le symptôme d'un malaise plus profond ? Celui d'accepter de n'être que de simples mortels...

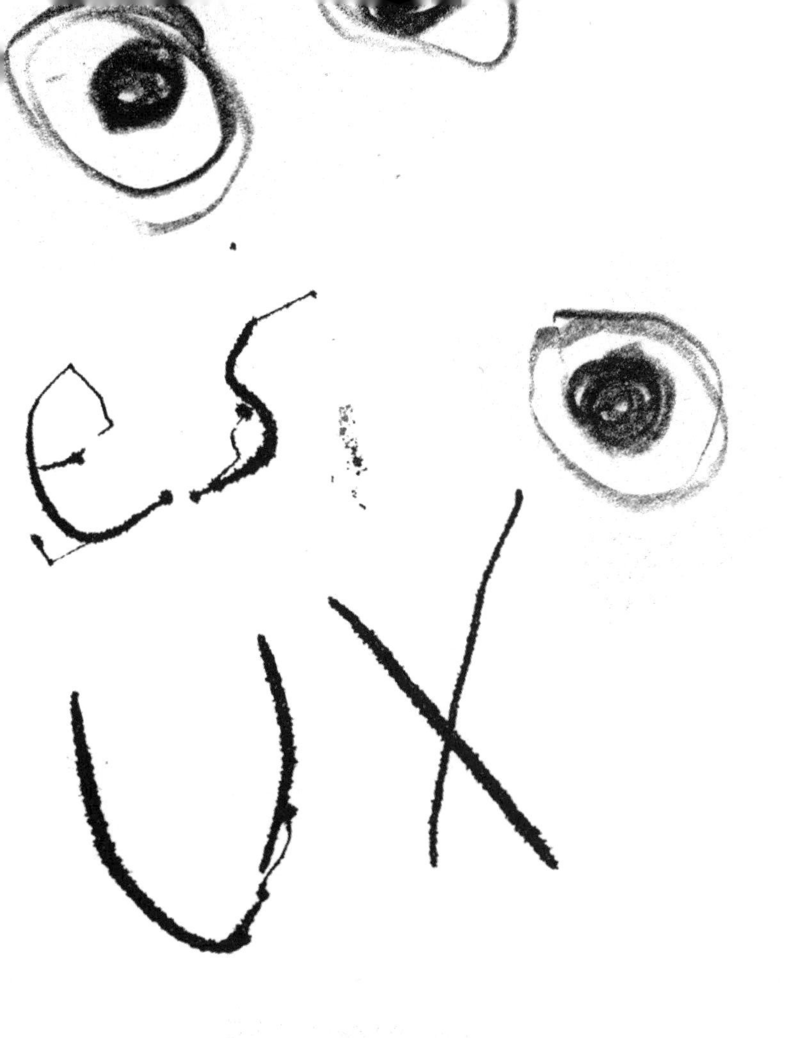

« La vue est de tous les sens celui dont on peut le moins séparer les jugements de l'esprit »

Rousseau

[135] « Voir », Définition, CNTRL

LES YEUX NOUS PERMETTENT DE VOIR ET D'ANALYSER LES REPRÉSENTATIONS ET LES PERCEPTIONS. L'ACTION DE VOIR EST CELLE D'ENREGISTRER L'IMAGE DE CE QUI SE TROUVE DANS LE CHAMP VISUEL, D'UNE MANIÈRE PASSIVE, SANS INTENTION PRÉALABLE ; EN PERCEVOIR LA FORME, LA COULEUR, LA POSITION, LE MOUVEMENT[135]. LA VUE EST LA PREMIÈRE ÉTAPE DE LA CONSIDÉRATION DE L'ALTÉRITÉ. C'EST À TRAVERS LE REGARD QUE L'ON CONSTATE CE QUI EST. CE CHAPITRE SERA CONSACRÉ À LA PERCEPTION DE CE QUI NOUS ENTOURE, CE QUE NOUS PERCEVONS CONSTAMMENT, QUOTIDIENNEMENT À TRAVERS, NOTAMMENT, LES MÉDIAS.

[136] Elyane Vignau, « Comment ne plus souffrir de la tyrannie de l'apparence », *Psychologies*

Pour Sophie Cheval, psychologue clinicienne, le premier jugement est fondamental. Pourquoi ? « Les apparences comptent tout simplement parce qu'elles constituent la première source d'information dont nous disposons sur une personne, en particulier si nous ne la connaissons pas ! Les autres nous jugent donc sur notre physique, et nous en faisons tout autant, de manière automatique, dans les premiers instants d'une rencontre... Tout simplement parce que nous cherchons à cerner l'autre à partir des quelques indices dont nous disposons[136]. »

Nous jugeons naturellement. Cela a toute une incidence dans nos rapports. C'est fascinant. Autrefois, nous avions moins l'occasion de critiquer autrui. Internet et les médias sociaux ont changé nos vies.

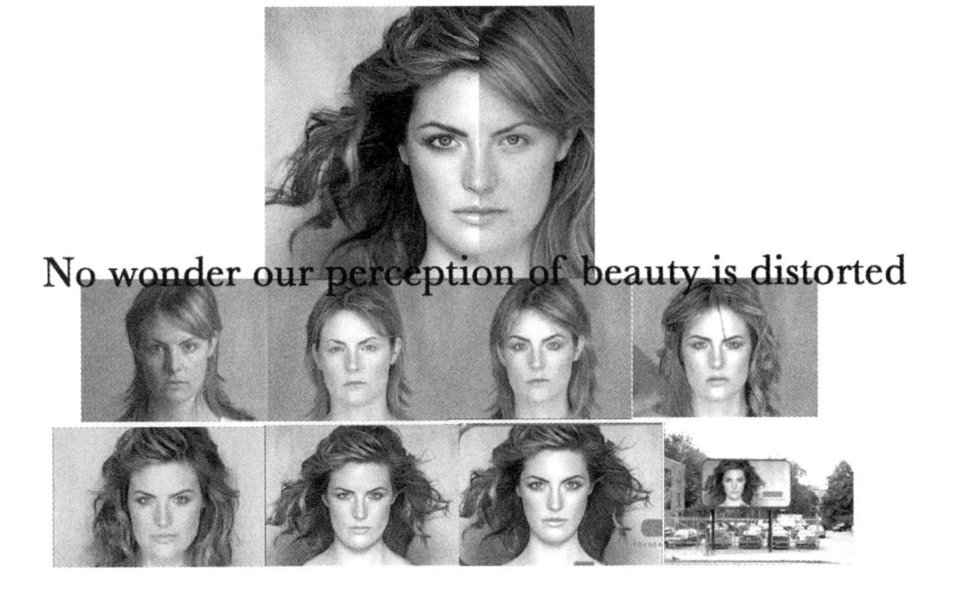
No wonder our perception of beauty is distorted

Pub de Dove sensibilisant
sur l'usage de Photoshop

HISTORIQUE DE L'IMAGE

Quoi de mieux qu'une mise en contexte historique pour comprendre la perception d'autrui à travers les médias ! Pour cette section, je me baserai sur l'intéressant ouvrage de Daniel Boorstin intitulé *Le triomphe de l'image, Une histoire des pseudo-événements en Amérique* et publié chez Lux à Montréal, en 2012. Cet ouvrage est une référence incontestable sur la question. La technologie a eu un impact fondamental dans nos rapports. Nous n'avons jamais eu autant l'occasion de se juger qu'à travers des médias qui produisent des images.

1812

Joseph Nicéphore Niépce réussit pour la première fois à capturer une image à travers des négatifs basés à partir d'un procédé chimique avec du chlorure d'argent et des positifs avec du bitume de Judée.

1830

Une baisse des coûts de l'impression engendre une production plus importante de livres imagés.

1880

Première photographie reproduite dans un journal, le *New York Daily Graphic*.

1907

Les frères Lumière commercialisent un procédé appelé l'autodrome qui permet l'apparition des photographies couleurs.

1929

Le cinéma parlant fait son entrée en France. Le film d'André Hugon, *Les trois masques*, est présenté à Paris.

1937

Premier prototype de téléviseur.

1954

La photo en série s'impose par son industrialisation et sa démocratisation[137].

1960

La compagnie Sony vend pour la première fois une télévision en noir et blanc portable et 100 % à transistors[138].

1975

Steve J.Sason présente le premier appareil photo utilisant un capteur CCD, premiers balbutiements du numérique et de l'enregistrement.

1986

Le premier appareil photo et vidéo électronique est vendu par Canon.

1990

Adobe sort Photoshop 1.0 sur Mac.

1996

Le DVD-Vidéo prend la place du VHS[139].

1997

Le premier réseau social voit le jour – SixDegrees. C'est le début d'une nouvelle époque !

2002

Les premiers téléphones portables avec appareil photo entrent sur le marché avec le Nokia 7650.

[137] Christian Roux, *Histoire de la photographie numérique*, site web, consulté le 21 juillet 2012

[138] Pierre-Jean Amar, *La photographie, histoire d'un art*, Édisud, 1993, L'Internaute, *Histoire du cinéma*

[139] Daniel Boorstin, *Le triomphe de l'image, Une histoire des pseudo événements en Amérique*, Lux, Montréal, 2012

LES IMAGES QUI FONT ÉCRAN

PHOTOSHOP PERSO

[140] « The history of Photoshop », *Computer Arts*, 13 décembre 2005

En 1990, Photoshop 1.0 voit le jour avec l'entreprise Macintosh. Cette période est marquée par une transformation technologique importante. En effet, les images sont amenées à être retouchées, voire complètement modifiées. Alors que la photographie avait toujours été perçue comme une illustration fidèle de la réalité, admise en cour comme preuve, voilà qu'elle devenait mensongère. Cette révolution de l'image a changé les standards en photographie et, par la bande, en publicité. La société de l'image est renforcée par son perfectionnement illimité[140]. Le logiciel Photoshop nous donne le pouvoir que seul « Dieu » pouvait avoir dautrefois. Il est est désormais facile de transformer les attributs de notre nature dès notre naissance. Avec et par Photoshop, les représentations de soi sont modifiables. Quelle limite mettre à cela ? Aucune, diront certains ! Aujourd'hui, tout le monde a la possibilité de modifier ses propres photos. Moi-même, je l'avoue, je travaille mes photos personnelles avant de les mettre sur les réseaux sociaux. En fait, je le fais systématiquement au retour de voyage. Je réarrange la réalité : je colore les ciels, je vivifie les couleurs et puis... tant qu'à... j'enlève une ou deux pattes d'oie naissantes... je fais disparaître un bouton qui me gâchait le portrait... mais c'est de l'art, hein... Je l'ai dit précédemment : je fais de la photo !

LA TÉLÉ AXÉE SUR LE CULTE DE LA BEAUTÉ – ZAPPING

L'univers télévisuel américain est représentatif de notre obsession collective pour l'apparence physique. À travers différentes émissions-phare américaines, on observe cette volonté de transformer le « laid » en « beau ». Voici un échantillon des émissions parmi les plus populaires aux États-Unis qui traduit bien cette valeur suprême qu'est le culte du beau.

LES CLASSIQUES

The Swan, tiré de l'image du vilain petit canard qui veut se transformer en cygne. On transforme un individu physiquement en prenant les grands moyens ; entraînement intensif, chirurgie esthétique, régime, etc. Début 2004. (FOX)

Extreme Makeover, succès à partir de 2002. On métamorphose des gens moches par différentes techniques comme la chirurgie plastique, l'entraînement, le stylisme, etc. L'émission a connu un réel succès à partir de 2002 et a été diffusée dans une trentaine de pays. (ABC)[141]

Extreme Makeover Weight Edition, dérivé d'*Extreme Makeover* axé sur la perte de poids. (ABC)

Dr. 90210, traduite en français par Dr. Beverly Hills, série où l'on assiste aux aléas de la chirurgie plastique dans ce célèbre quartier d'Hollywood. (E ! Network)

Bridalplastic, qui met en compétition des futures mariées et qui cherchent à obtenir le grand prix : un forfait comprenant quelques chirurgies plastiques. (E ! Network)

I Want a Famous Face, qui met en scène de jeunes adultes qui se font faire des chirurgies plastiques pour ressembler à des vedettes. (MTV)

True Beauty, produite par Ashton Kutcher et Tyra Banks, cette émission a pour concept de trouver la personne la plus belle « intérieurement ». (ABC)

Toddlers and Tiaras. Des petites filles de 4 ans environ participent à des concours de beauté. (TLC)[142]

Je suis tombée sur des perles de profondeur. Fascinant à quel point on promeut des clichés notamment à l'égard d'une valeur suprême : « Tu veux réussir ? C'est simple, sois belle, sois beau. » Vous pensez que je caricature ? À peine !

Ça me rappelle cette émission de télé-réalité diffusée à une chaîne française, NRJ. Le scénario n'est pas particulièrement

[141] Classement de la programmation du réseau ABC

[142] Edward Wyatt, « On The Biggest Loser, helth Can Take Back Seat », *The New York Times*, 24 novembre 2009

complexe – *Cendrillon* ou *Le vilain petit canard* rescénarisé, c'est selon. En quelques minutes, on en saisit toute la subtilité !

Une jeune femme américaine, plutôt tomboy, est inscrite contre son gré à un concours de beauté de son école par sa famille. Or, la jeune fille se prend au jeu et veut réellement gagner le concours. Elle fait alors appel à un coach pour l'aider à se styliser afin de rayonner parmi les concurrentes. L'adolescente subit une certaine pression de sa famille pour qu'elle change, s'intéresse aux garçons, ne se concentre plus uniquement sur le basket-ball. Avec l'aide du coach qui la culpabilise sans vergogne aucune, elle voit sa chambre à coucher complètement transformée. C'est la première étape du changement.

Celle qui n'aimait pas les accessoires de princesse voit son environnement modifié. Elle se fâche, un peu, parce que cela ne lui ressemble pas. Le coach avance qu'il faut faire des efforts pour rayonner, pour être belle, pour séduire. En conclusion, elle réussit à plaire à son entourage, famille et amis d'école, en se transformant physiquement, en devenant belle, en renonçant à son vrai caractère de sportive, considéré comme « moche ».

Au secours !

Chaque jour de notre existence, on nous dicte quoi aimer, quoi détester, quoi priser, quoi devenir. Nous avons appris à consommer pour nous afficher, nous identifier à un groupe, correspondre à une image. L'image que l'on projette au sein du monde qui nous entoure détermine aujourd'hui tout notre être et notre statut social dans cette société où la lutte des classes est plus présente qu'on pourrait le croire. À travers ce culte du moi accentué par la société du spectacle et de l'image, les êtres humains n'ont jamais éprouvé un si grand malaise. On nous vend des pilules pour être heureux, les coachs de vie pullulent, la psychologie positive, comme dirait Chris Hedges[143].

[143] Chris Hedges, *L'empire de l'illusion*, Lux, Montréal, 2012, 245 p.

ILLUSION CONTRE RÉALITÉ

Dans L'empire de l'illusion, Chris Hedges, correspondant de guerre américain, décrit ou décrie la société américaine comme manipulée par l'imagerie populaire sordide[144] qui tend à l'éloigner de la «réalité». Aveuglée par cette imagerie, elle est désintéressée des enjeux politiques qui la concernent. Le correspondant de guerre se rend compte qu'elle nous engourdit collectivement dans une torpeur, un confort et une indifférence rejoignant l'apathie. Distraite des affaires de l'État, la société américaine se fait dicter quoi penser par les médias. Ce qu'il dépeint peut être comparé au discours du poète Juvénal, «du pain et des jeux», alors que les Romains, plutôt que de s'occuper des affaires de l'État, allaient au cirque. Hedges prétend que cet esthétisme sordide nous anesthésie collectivement et nous asservit au spectacle. Les Américains s'abrutissent d'images humiliantes, douloureuses comme celles de la télé-réalité *Survivor*. Cet esthétisme est avilissant. Nous faisons face un dispositif scénique qui prend en charge nos désirs. Or, les individus ne tendent plus à avoir un sens critique. Le spectacle demeure, mais le sens critique est absente[145].

[144] Du latin sordidus, « sale ». Qui fait preuve de bassesse morale.

[145] Chris Hedges, *L'empire de l'illusion*, Ibid.

Hedges explique: «La culture de la célébrité crée un vide moral. Personne n'a de valeur outre son apparence, son utilité et son aptitude à réussir. Le succès d'une personne se mesure à l'aune de sa richesse, de ses prouesses sexuelles et de sa renommée, et ce, peu importe comment elle s'y prend. Ces valeurs, Sigmund Freud l'avait compris, sont illusoires, creuses. Elles favorisent l'individualisme narcissique en insinuant qu'il vaut mieux concentrer son existence sur les désirs du soi que de la consacrer au bien commun[146].»

[146] Chris Hedges, ibid, p. 50.

L'ILLUSION DU BONHEUR

Qui plus est, entre l'illusion de la culture, du savoir, du bonheur et de l'Amérique, la société américaine est amenée, par maints artifices, à se détourner des problématiques politiques. Comment faire autrement quand celle-ci est plongée dans un monde où la mort de la culture laisse place au triomphe du spectacle? De quel spectacle parle-t-on? Celui de la gloire instantanée donnée par la télé-réalité? Hedges avance qu'une nouvelle classe sociale aurait été créée par l'arrivée de la télévision. Les individus seraient devenus des JE en puissance et leurs interactions se résumeraient à un rapport purement marchand. Bref, serions-nous de simples clients? Sommes-nous devenus principalement des «brandings», des marques avant d'être des humains?

Les médias sociaux participent aussi à ce narcissisme. C'est ce que démontre une recherche effectuée par des penseurs américains. Leur étude, publiée en avril 2012 chez la Communication Research Reports, démontrait comment les médias sociaux comme Facebook renforçaient le narcissisme contemporain :

- Avec 901 millions d'utilisateurs actifs (mars 2012),
- 526 millions d'utilisateurs actifs quotidiennement,
- 125 milliards de connexions émises entre les amis Facebook,
- 300 millions de photographies en moyenne émises chaque jour en 2012,
- 3,2 milliards de « J'aime » et de commentaires générés quotidiennement en moyenne également en 2012

Impossible de laisser pour compte l'influence de l'immense réseau fondé par Mark Zuckerberg[147].

[147] *Facebook Official Statistics*, mars 2012

« Le narcissisme dans les médias sociaux s'incarne à travers l'image de la personne qui tend à se croire intelligente, puissante, populaire, physiquement attirante, unique[148]. Le narcissisme aurait été positivement relié à la popularité de l'autopromotion[149] ». Le niveau de narcissisme observé serait lié au nombre d'heures passées à consulter son propre profil.

[148] L.E Buffardi et W.K Campbell, « Narcissism and social networking Web sites », *Personality and Social Psychology Bulletin*, 2008, p. 1303-1314

[149] L.E Buffardi et W.K Campbell, Ibid, p. 1310

Robert Redeker, professeur agrégé de philosophie, avance que la ligne de partage entre les vies privée et publique s'est transformée avec l'évolution technologique. L'exhibitionnisme est donc plus présent que jamais, notamment avec des réseaux comme Facebook. Par ailleurs, dans l'émergence des téléréalités[150], l'omniprésence de l'égo, du moi, s'ancre implicitement au sein de ces nouvelles technologies. Redeker qualifie ce phénomène de dissolution de l'humain à travers l'exhibitionnisme et le triomphe du vide. « Comme la téléréalité, et tout en feignant de s'en émanciper, Facebook est symptomatique d'une mutation du psychisme humain. Voici un nouveau moi – un moi sans profondeur. Voici une nouvelle subjectivité – une subjectivité sans intériorité[151]. » Voilà de quoi conforter les détracteurs d'*Occupation double* et du *Loft*.

[150] Robert Redeker, « Facebook, narcissisme et exhibitionnisme », *Revue médias*, nº 23, hiver 2009

[151] *Ibidem*

« Rien n'est plus frappant que les photos des pages facebookiennes. Nos internautes y impriment d'innombrables représentations d'eux-mêmes. La plupart singent, plus ou moins consciemment, l'univers people. Sur Facebook, l'exhibitionnisme, frontalement tourné vers les voyeurs, épouse le narcissisme, aspiré par une intériorité disparue. Jadis, le narcissisme se repliait sur le moi, la profondeur ;

ici, il se replie sur le corps, la surface, l'épiderme, le pixel. Finalement, Facebook désinhibe le narcissisme et l'exhibitionnisme tout en les transformant. En ébauchant même les contours d'un type nouveau d'être humain. Il n'écrit plus, il ne pense plus, il communique. Il twitte. (...) Son rapport au monde ne passe plus par les méandres de l'intériorité, la "profondeur de l'âme", lieux du secret, mais par un réseau virtuel dont la nature relève de la publicité, excluant tout obstacle à la transparence, en particulier la profondeur[152]. »

[152] *Ibidem*

Quand je tape #selfie sur Instagram, ce réseau social de partage de photographies prises avec un appareil électronique, j'ai droit à 62 364 279 publications. Demain, ça sera encore plus. Quand vous me lirez, vous irez faire le décompte par curiosité.

L'importance du corps et, surtout, de son image, n'est pas à prendre à la légère. L'ampleur grandissante du jugement de l'autre s'est réellement renforcée avec les médias sociaux. David Le Breton a tellement raison d'avancer la prémisse suivante: «J'existe aussi à travers ce que je représente.» Aujourd'hui, nos relations sont totalement influencées par l'avatar qui nous singularise et nous distingue. On peut l'inventer, le nourrir, l'influencer. Merci la technologie! On a surtout le pouvoir de contrôler notre apparence comme bon nous semble. Combien de fois vous a-t-on dit: «Tiens, ce n'est pas cette image que je me faisais de toi.» Ma grand-mère avait un miroir. J'ai bien dit UN, pas dix miroirs, pas dix réseaux sociaux qui lui renvoient une image d'elle-même. Elle ne passait pas son temps à s'épier à travers sa page personnelle sur Facebook ou ses selfies sur son fil Instagram. Les rapports aux autres et à soi-même ont radicalement changé. Nous sommes dans une ère de *me, myself and I*. Nous sommes tous des Narcisse. Narcisse, lui, s'est noyé dans son reflet de l'étang. Vous me direz que certains se perdent eux-mêmes à force d'obséder sur leur image.

les femmes devraient se sentir plus valorisées par ce qu'elles ont à dire que par leur apparence.

GENEVIÈVE ST-GERMAIN

ANIMATRICE

© Photo Stéphanie Lefebvre

Après des années de popularité, Geneviève St-Germain a vécu un passage à vide difficile. Plutôt que de s'en cacher, elle a choisi d'en parler publiquement, avec tous les risques que cela pouvait comporter pour elle que de «mordre la main qui la nourrit»... On ne casse pas le miroir sans conséquence!

Geneviève St-Germain est née en 1958 à Montréal. Elle a étudié en droit, puis en lettres, a collaboré comme journaliste à de nombreux magazines, à des émissions de télé et de radio ainsi que conçu et rédigé des projets d'émissions. Son livre, *Carnets d'une désobéissante*, paru en 2011, a connu un succès critique et populaire.

[153] Geneviève St-Germain, *Les carnets d'une désobéissante*, Montréal, Stanké, 2011

Geneviève y raconte[153] sa dépression après l'arrêt presque total de contrats à la radio et à la télé, il y a quelques années. Dans ses *Carnets*, elle montre sa vision de l'envers du petit monde des médias québécois, plus particulièrement celui de la télé et de la radio. Contrairement à ce qui arrive à plusieurs femmes des médias qui sont dans la quarantaine, elle ne croit pas que son âge ou son apparence physique aient eu quelque chose à voir avec ça. La télé aime les jeunes, les minces et les minois naïfs, mais elle aime aussi parfois l'intelligence, l'aplomb et le charme qui ont d'ailleurs toujours fait la marque de commerce de Geneviève.

À part une petite ride sur le front, Geneviève a encore la peau d'une femme de 30 ans. Or, celles qui commencent à porter les marques de l'âge sont retirées du petit écran. C'est pire depuis l'arrivée de la télé HD, communément appelée «haute démolition» tellement cette technologie permet de voir précisément les défauts! **«En fait, les femmes sont dans une situation dont elles peuvent difficilement sortir gagnantes. Si elles ont recours à la chirurgie, on les juge, et si elles ne le font pas, on dit qu'elles sont ridées et moches. Est-ce que les hommes sont également soumis aux critères de la joliesse et de la jeunesse? Rien à voir!»** Elle présente ainsi une communauté d'esprit certaine avec Suzanne Lévesque qui, lors d'une entrevue à l'émission des *Francs-Tireurs* en 2010, disait avoir reçu un lifting à 60 ans car les femmes, selon elle, n'ont pas le droit de vieillir à la télévision.

«Quand je vois arriver une nouvelle chroniqueuse ou animatrice, c'est frappant de constater à quel point dans les mois et les années qui suivent, elle se met à maigrir, dit-elle. Je comprends, jusqu'à un certain point, parce que oui, la télé ajoute 10 à 15 livres. Et la pression est grande de se conformer aux

standards. Mais, ça finit par leur donner ce que j'appelle le syndrome Nancy Reagan, une grosse tête avec un petit corps. Des proportions pas très naturelles ! »

Elle perçoit la télévision comme une drogue dure qui peut amener ceux qu'on y voit à être obsédés par leur apparence ou à devenir quelqu'un de totalement différent dès que la caméra s'allume, pour plaire à tout prix. Certains sont même réputés pour cela, taciturnes ou antipathiques en coulisses et pétant le feu dès que la caméra s'allume. **« S'il faut se rouler par terre, ils vont le faire. Ils ont constamment besoin de leur dose. Ceux qui sont comme ça dans la vraie vie, on les traite de fous. »** Et le public en redemande. Selon elle, le public, même féminin, préfère l'image rassurante de l'homme.

« Normal : beaucoup de femmes n'ont pas confiance en elles-mêmes. Comment veux-tu qu'elles fassent confiance à la compétence d'une autre femme ? La féministe en moi est triste de ça. C'est toute une rééducation des femmes et de la société qui est nécessaire pour changer ça. Et c'est dommage, mais je pense que ça va arriver le jour où les femmes, jeunes et moins jeunes, seront plus préoccupées, se sentiront plus valorisées par ce qu'elles ont à dire que par leur apparence. »

La télévision est un univers que Geneviève Saint-Germain connaît. Son expérience l'a amenée au constat qu'elle fait : c'est un milieu particulièrement préoccupé par les apparences. Comment faire autrement, vous me direz ? L'image est au cœur du médium. Geneviève n'est pas la seule à avoir développé une critique aiguisée de son métier. Marc-André Grondin et Bianca Gervais, deux enfants acteurs, ont grandi au petit écran. Ils partagent, eux aussi, certaines réserves face à ce culte de l'image.

© Photo Jocelyn Michel

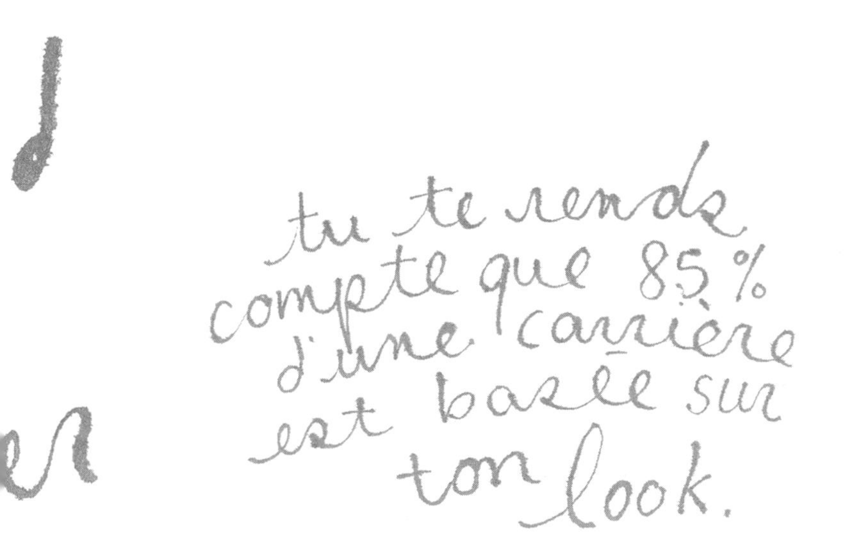
tu te rends
compte que 85%
d'une carrière
est basée sur
ton look.

MARC-ANDRÉ GRONDIN

COMÉDIEN

CASSER SON LOOK

La pression sociale est très forte pour les hommes en ce qui concerne leur musculature, et c'est la même chose pour l'apparence générale. Le comédien Marc-André Grondin, qui a cumulé les rôles de jeune premier, a eu de la difficulté à se sortir de ce casting de sexe-symbole. *Elle France* l'a même qualifié de pin-up boy, rien de moins! Certains ont été plutôt intrigués par son changement de look: crâne rasé, grosse moustache. Grondin est méconnaissable. Au départ, c'était pour un personnage d'un film du cinéaste Denis Côté, *Vic et Flo ont vu l'ours*, et il l'a conservé. L'acteur est plutôt critique face à ce culte des apparences prédominant dans le métier. Le crâne rasé et la moustache, n'est-ce pas un peu un *fuck you* à la superficialité ambiante?

Ton milieu est-il superficiel? **Tu sais, j'ai une relation amour-haine avec le travail que je fais. Les apparences, c'est une énorme partie de mon job. C'est très, très, très déprimant et frustrant de voir que c'est ta face qui compte. Tu te rends compte que 85 % d'une carrière est basée sur ton look. J'ai la chance de ne pas être laid, mais je n'ai jamais été le beau gars non plus. Je voyais des gars qui jouaient au basket, au football au secondaire, mais moi je ne faisais pas partie de cette gang-là. Je n'étais pas le gars avec qui les filles voulaient être.**

Pourquoi est-ce que cela a changé? **Du jour au lendemain, il y a eu un film, *Crazy*. Je suis devenu un sexe-symbole. Ç'a été réutilisé. Les gens se laissent embarquer. Mon image a été construite tout d'un coup. Dans la vie quotidienne, les filles ne me draguent pas. Je ne suis pas le genre de gars qui attire l'attention. Les seuls moments où je peux attirer le regard, c'est à cause de certains de mes personnages: les gens ils vont imaginer ma personne maquillée, avec la bonne lumière, dans un rôle que je ne suis pas.**

Ça t'énerve, l'attention accordée au look dans ton métier? **Ça me dégoûte beaucoup, je ne veux pas embarquer là-dedans. Je me présente dans le moins de galas possible. Quand t'es acteur, il faut que tu joues une game. Je n'aime pas jouer une game, je n'aime pas jouer mon propre rôle.**

Pourquoi tu t'es rasé la tête? **Je pense que ça symbolise un ultime *fuck you* à l'industrie. C'est sûr que si je m'en étais vraiment foutu, je me serais rasé la tête bien avant. J'ai plus l'attitude de «prenez-moi comme ça ou pas du tout». Je n'ai pas eu le choix de faire attention à mon physique. C'est 85 % de ma job qui est basée sur ma face. Tous les scénarios proposés étaient pour des jeunes premiers. J'ai trouvé ça frustrant de voir qu'en cinéma, les leads sont donnés à des gens beaux. C'est décevant, un gros chauve, il y en a pas beaucoup. J'en vois des acteurs exceptionnels qui n'ont pas la chance d'être beaux... ils ont des troisièmes rôles.**

Tu travailles en France. Quels sont les standards de beauté pour les gars là-bas? **Le cinéma veut vendre du rêve. En France, on n'aime pas les gars musclés. Quand je m'étais entraîné pour *Goon*, j'avais pris 15 livres de muscles, j'avais l'air gros. Les Français aiment les gars minces, à la limite androgynes avec un peu de féminité dans les traits. Au Québec, on n'aime pas les gens qui sont trop beaux. En tant que spectateur, nos acteurs qui travaillent le plus, ce ne sont pas les plus beaux. Les critères de beauté sont différents d'un pays à l'autre.**

La beauté, c'est quoi? **Ça dépend dans quel contexte. Il y a une beauté esthétique, il y a la beauté jolie, ou sexuelle aussi. Je n'ai pas l'habitude de tomber en amour avec des filles qui sont super hot. Ça ne me touche pas comme beauté. Je préfère une fille qui a quelque chose de off. Il y a des beautés qui imposent le respect, d'autres moins... La beauté est quelque chose de tellement personnel et subjectif. Quand on regard en arrière, on remarque que les icônes de beauté ont changé.**

Ne remarques-tu pas le paradoxe entre la femme bimbo et la femme-enfant? **La bimbo, c'est du fast-food. Les gens auront toujours envie de manger un Big Mac. Je pense que même dans la pornographie, la bimbo est là. C'est un classique, comme il y en aura toujours. La pornographie a été beaucoup démocratisée. Je pense que notre société devient de plus en plus voyeuse. On le voit avec la porno. Ça se voit dans la mode... une Laeticia Casta, t'en vois pas à tous les coins de rue.**

Comment les médias sociaux ont-ils influencé le culte des apparences ? **Pas sûr qu'ils aient vraiment influencé ce culte. Les médias rendent tout plus accessible. Sur Facebook, on remarque davantage les filles qui veulent attirer l'attention. Ça démocratise la visibilité. On remarque ça plus chez les filles que chez les gars à mon avis. Attendons de voir l'impact dans 15 ans. Il est encore tôt pour parler.**

Est-ce que tu sens que notre société est obsédée par le culte des apparences ? **Oui... mais je ne pense pas que c'est si différent qu'avant. Depuis que l'homme est homme, on se juge entre nous. Depuis que le miroir a été inventé, on s'est comparés. Avant, il y avait peut-être 250 millions de personnes. Aujourd'hui, on est juste plus nombreux, c'est facile de comparer les mœurs d'ici et celles d'ailleurs. Il y a aussi un choc des cultures. Chaque génération remet en question ce qu'elle vit. Je voulais vivre à l'époque de mon père. S'il y a un gros problème, c'est qu'on est en train de détruire notre planète. On vend du rêve.**

Tu sais, on oublie beaucoup les gars là-dedans.

Oui ? **C'est très difficile d'être Ryan Gosling, les filles cherchent ces gars-là. C'est dur pour un homme de vieillir. Les gars ont autant de difficulté à atteindre les critères de beauté. Moi, je checke les magazines, je sais que ce n'est pas la réalité.**

Que penses-tu de l'image des gars ? **L'image du beau mec a pris beaucoup de place ces dernières années. L'industrie de la beauté au masculin est énorme : anti-calvitie, maquillage, culture physique, etc. Les gars vont tellement plus au gym qu'avant. Ils donnent beaucoup d'importance à leur physique. Mon entraîneur privé me disait que, les jeudis, les gars allaient se pomper pour se gonfler. Veinés, ils prennent une douche vite, vite et vont directement dans les bars. C'est clair que quand tu sors au Mumba, au Radio Lounge, au Fuzzy, les gars entretiennent un culte de l'apparence qui est fou. L'homme bimbo a pris toute une place dans la société.**

La conversation que j'ai eue avec Marc-André Grondin est surprenante. Les hommes sont souvent mis de côté dans cette quête éperdue de beauté... et pourtant, ils en sont plus préoccupés que jamais.

mon corps, des fois, je le berce. des fois, je le chicane.

BIANCA GERVAIS

COMÉDIENNE

© Photo Andréanne Gauthier

CHANGER SON IMAGE

Bianca Gervais est née en 1985. Elle est comédienne depuis qu'elle est petite. Au petit écran, elle est devenue femme sous les yeux du grand public. Cheveux courts bruns, maquillage léger, robe noire longue neutre cachant ses formes, Bianca me rejoint dans un café. Elle est sûre d'elle malgré ses avertissements contraires : **« Je suis nerveuse de parler de ça. »** « Ça » étant le culte des apparences, sujet délicat pour l'actrice. « Ça » étant aussi le gros changement dont elle ne veut pas parler directement. Vous devrez lire entre les lignes.

LA GIRL NEXT DOOR

Celle qu'on a pu découvrir grâce à l'émission *Le monde de Charlotte*, diffusée à Radio-Canada il y a quelques années, est mal à l'aise de répondre à la question « comment perçois-tu ton corps ? » Elle rit nerveusement, regarde ailleurs puis, voyant que je ne bronche pas, se reprend, sur un ton plus grave : **« Mon corps et moi, on est friends ennemies. Des fois, on se perd, des fois on est en communion. Dans mon métier, tous les matins, je suis amenée à me regarder une heure dans le miroir. Avec l'arrivée du HD, on voit tout ; points noirs, cellulite, etc. C'est fatal de réalité, de vérité. Mon corps, des fois, je le berce, des fois, je le chicane. »** L'actrice sirote son thé. Elle a changé depuis une fameuse couverture du 7 jours il y a quelques années, qui l'avait montrée en séductrice, poitrine bien portante, taille de guêpe, cheveux lissés, maquillage prononcé. À 28 ans, elle est une toute nouvelle personne. Comment son rapport à son corps a-t-il évolué depuis le début de sa carrière ?

« À 10 ans, j'étais déjà sous les projecteurs. Comme enfant, tu apprends à savoir ce qu'attend un réalisateur de toi. On veut

quelqu'un d'intelligent, de beau, de souriant, de dynamique, quelqu'un qui a des beaux traits, quelqu'un qui est charismatique. Je l'ai appris très vite. À 10 ans, j'ai appris ce que les journalistes et le public attendaient de moi. Ils voulaient une girl next door. J'ai tout fait pour leur offrir ce qu'ils attendaient. T'as beau être jeune, tu comprends vite cette dynamique. »

L'ÂGE INGRAT

Bianca a toujours été une enfant aimée des projecteurs, mais lorsque l'adolescence est arrivée, l'attention s'est faite plus rare. Le téléphone a cessé de sonner. Alors que l'âge adulte n'est pas encore atteint et la carrière réellement amorcée, cette étape semble particulièrement ardue pour plusieurs actrices et acteurs. **« Pour la première fois de ma vie, j'ai senti que j'avais une date d'expiration. J'avais été la saveur du mois. J'avais fait ce choix de devenir comédienne et je sentais que le métier m'abandonnait. C'est un peu comme si on te disait : corporellement, prends le temps de changer, de devenir une femme, après on t'appellera. J'ai fait des crises d'angoisse, j'ai paniqué. Pis là, j'ai réagi. Ah oui : vous me dites que je suis trop vieille pour jouer les ados et trop jeune pour jouer les femmes, ben regardez-moi ben aller ! »**

Subitement, Bianca a voulu changer son corps pour plaire. Sur le tapis rouge, l'industrie a remarqué les changements physiques. Elle affirme s'être créé elle-même un personnage et elle le regrette. Son corps, c'est sa carte de visite, et les rôles qui lui sont offerts varient selon ce qu'elle propose. **« Ce changement m'a donné des rôles comme celui du film *Nitro*. Mais j'ai réalisé que ce n'était pas ça que je voulais faire. Je veux jouer, me transformer, je veux être poquée, maganée. J'ai réalisé que je ne voulais pas jouer des pitounes de char. J'avais de faux ongles, j'avais le teint orangé du spray tan, j'avais des rallonges capillaires. Il y avait quelque chose d'un peu pathétique dans ce que je faisais pour plaire. Je me bats encore contre l'étiquette de pitoune que je me suis moi-même accolée par peur d'être oubliée. Si cette image-là a pris cinq ans à se créer, ça va prendre cinq ans à défaire. »**

LE CORPS COMME OUTIL

Comme comédienne, pas trop le choix de prendre soin de son corps. C'est la première chose qu'on remarque. Bianca trouve

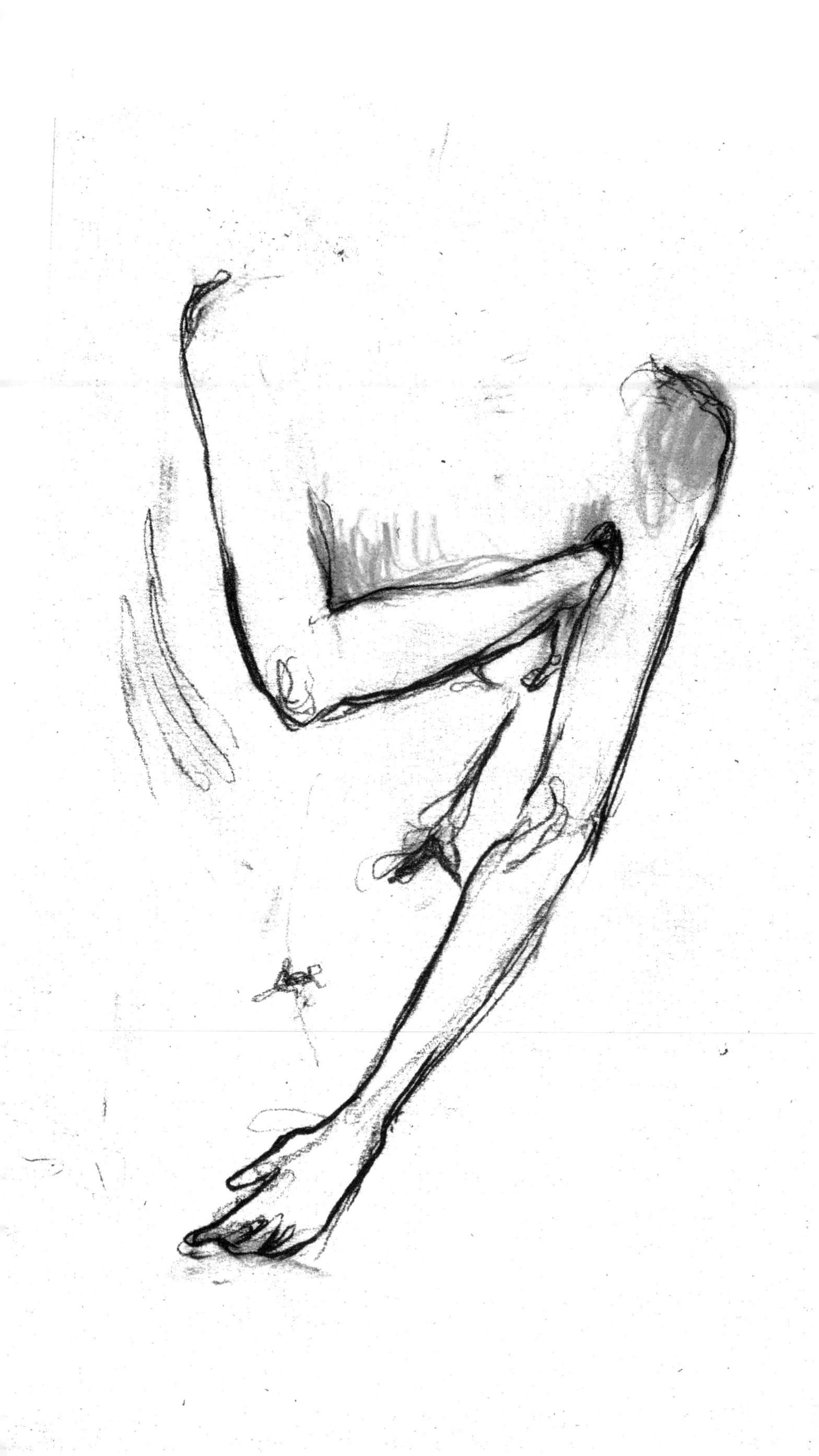

qu'il y a un manque de sensibilité à cet égard dans l'industrie. **«Je vais te donner un exemple. Je pars en Italie, je mange bien (et beaucoup), je prends environ 10 livres. Je reviens, je n'entre plus dans mes jeans. Mon habilleuse me lance : qu'est-ce qu'on fait avec ton 10 livres, tu le perds ou on t'achète du nouveau linge ? À ce moment-là, je ne me suis pas sentie grosse, je me suis sentie comme une baleine bleue. C'est un métier où il n'y a pas de sensibilité par rapport au corps des autres. Autre exemple : je suis alors jeune et je commence dans une série, le caméraman se pointe et dit : « Hey qu'est-ce qu'on fait avec ta moustache ? On la cache ? Tu vas à l'électrolyse ? »**

Le physique compte autant que le jeu, distribution oblige. Malgré les exigences du métier, Bianca s'impose une indulgence à l'égard d'elle-même. **«Je suis passée d'un extrême à l'autre. Aujourd'hui, je suis indulgente. Je me permets un dessert, je ne me surentraîne pas. Je m'entraîne deux jours, trois jours maximum par semaine. Je fais le cheminement inverse de beaucoup de gens. »** Bianca décrie également le jugement du public, même si ça vient avec le métier. **«Tout le monde commente ton corps sur les forums : cellulite, seins ballottants. Ça a été tellement difficile que j'ai dû aller consulter. Quand t'as 250 personnes qui bashent ton être, ben à un moment donné, ça fait mal. »** Bianca s'est volontairement normalisée pour répondre aux standards de beauté afin de réussir. Elle a voulu casser l'idéal de beauté qu'elle avait elle-même tenté d'atteindre.

«À un moment donné, je suis devenue une coquille vide. J'ai réalisé que j'étais obsédée par mon physique. Es-tu capable d'apprécier du cinéma d'auteur ? As-tu une culture générale ? Si ça avait continué, je serais devenue un monstre. J'aurais eu du Botox dans la face à 35 ans. J'avais eu peur de vieillir. Je suis allée consulter. C'est un perpétuel combat pour toutes les femmes. » Bianca a le goût de bien vieillir, sans Botox, sans chirurgie. Elle dit qu'elle ne fera peut-être pas ce métier-là toute sa vie en raison de cette pression d'atteindre ou de maintenir certains critères de beauté, histoire de plaire. Or, elle n'est plus prête à tout. C'est du moins la conclusion à laquelle elle était arrivée alors que son thé était déjà tiède depuis un moment.

PETITE RÉACTUALISATION : DERNIÈRE NOUVELLE !

À l'heure où vous lirez ces lignes, Bianca tiendra son nouveau-né dans ses bras. Tout un changement dans la vie d'une femme.

Je l'ai rappelée, on a pris un autre thé à l'endroit même où l'on s'était donné rendez-vous deux années plus tôt. Bianca est l'une des premières personnes que j'avais interrogées. Et c'est aussi la dernière que je rencontre. Depuis, Bianca a changé. C'est elle qui le dit. Elle me parlait alors de sa volonté de changer de casting : **« Honnêtement, j'ai réussi à casser mon image de pitoune. »**

« Suis-je juste un corps ? » cette question existentielle, plusieurs comédiennes se la posent à un moment ou un autre. Bianca a réussi à surmonter ses craintes et ses insécurités profondes. Non, elle n'est pas seulement un corps. Devenir mère a déjà commencé à changer sa vie : **« Avant, ma quête était d'être la plus belle à l'écran, aujourd'hui ma quête est d'être heureuse. »** Même si elle est hantée par la transformation physique qui l'attend, la peur d'être oubliée et de ne plus trouver de travail, Bianca aborde sa maternité avec une volonté d'authenticité. Mais autour d'elle, il semble que bien des futures mamans n'ont qu'un mot sur les lèvres : le poids.

« Ma relation avec les autres femmes devient parfois étrange, elles me disent avec fierté qu'elles ont seulement pris 15 lbs durant leur grossesse et qu'elles les ont perdues rapidement. Ou alors se qualifient de grosses en me disant qu'elles avaient pris 43 livres. Comme si le poids et la conservation intacte du corps était tout. Même dans un moment si crucial de la vie. Elles veulent seulement me faire plaisir, c'est noble de leur part. Mais je trouve parfois notre société bien triste... voire... malade. »

Quoiqu'il en soit, Bianca ne veut plus exister seulement à travers ce qu'elle représente dans les yeux des autres. Elle ne veut plus se torturer avec cette pression même si ses démons ne sont pas tout à fait disparus. C'est aussi ça, sa quête à elle.

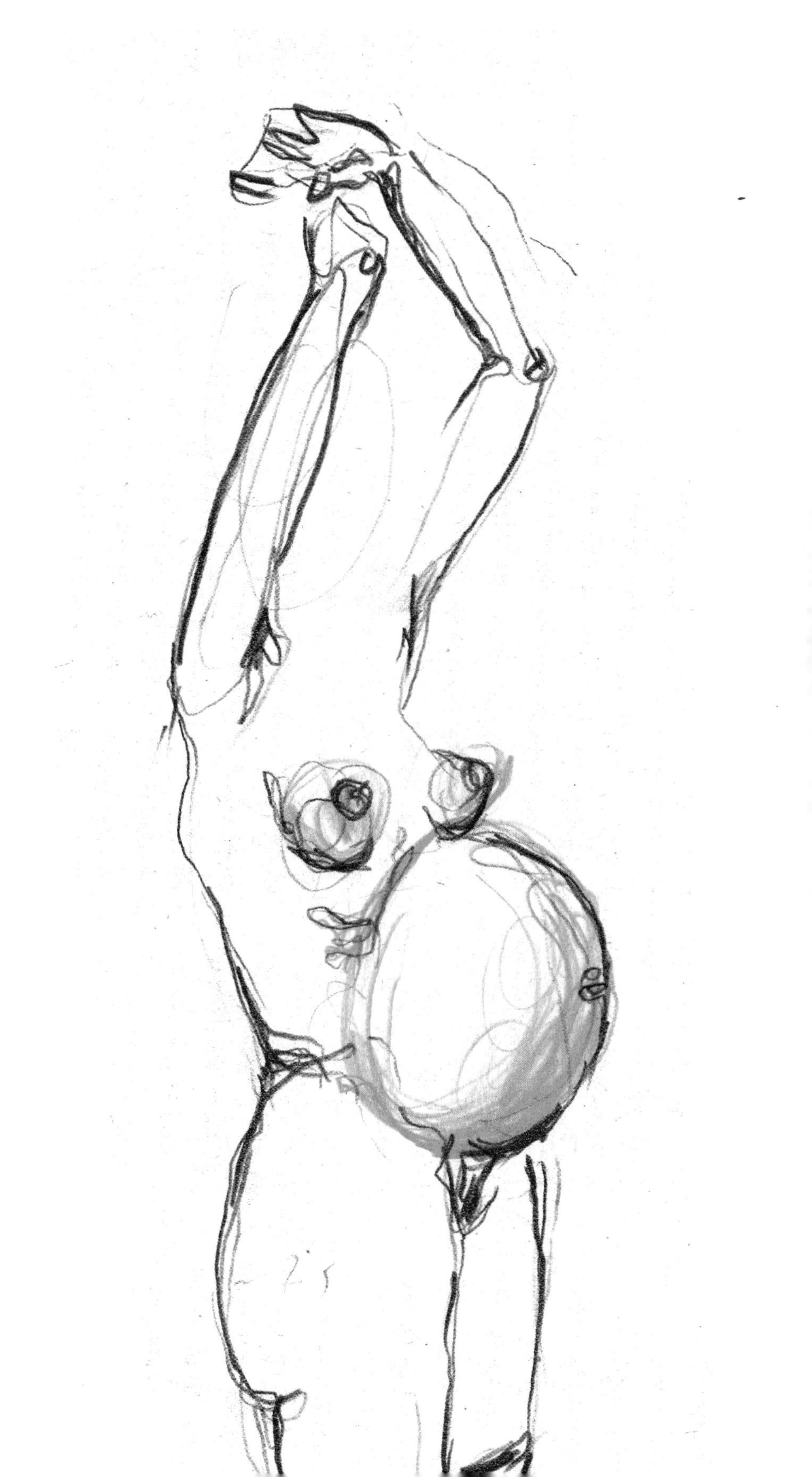

CONCLUSION

« La mort et la beauté sont deux
choses profondes
qui contiennent tant d'ombre et d'azur
qu'on dirait
deux soeurs également terribles
et fécondes
ayant la même énigme et le
même secret. »

Victor Hugo

Après des centaines d'heures de travail, il est temps de mettre un point final à ma quête. Je l'ai amorcée naïvement alors que j'étais moi-même hantée par le fantasme d'un idéal de beauté auquel j'aspirais secrètement depuis que j'ai l'âge de lire des magazines.

Comment faire fi du rapprochement entre cette réflexion intellectuelle et cette intime lutte contre une aliénation à laquelle je souscris à bien des égards ? J'ai donc décidé d'aborder une obsession avec laquelle je flirtais sans m'assumer. La vérité a bien meilleur goût. Avec franchise, je vous ai dévoilé une facette de ma personnalité. Et je l'avoue : comme plusieurs, j'ai rêvé, je rêve peut-être encore toujours, de correspondre à cet idéal que Nelly Arcan, une inspiration, qualifierait de schroumpfette, cette femme objet de désirs. À bas les masques, j'ai longtemps été hantée par cet asservissement. Oui, j'ai joué la game. Cette histoire d'amour et de haine avec mon corps ne date pas d'hier. J'ai vomi les calories qui m'éloignaient de la perfection jusqu'à en frôler la mort. Je ne voudrais pas disparaître sans être allée jusqu'au bout de ce qui a été, pendant un certain nombre d'années, ma maladie. Je me suis toujours sentie éperdument moche face aux critères de beauté véhiculés partout. Jamais je ne serais assez mince, grande, féminine, blonde, sexy, sportive, ferme, etc. Ridicule ? Certes. Ne cherchez pas à comprendre l'esprit d'une gamine qui ne s'aime pas. J'ai mûri un peu.

Au secondaire, je me suis bien vite rendu compte que je n'étais pas la seule à me sentir si vilaine. Puis, je suis lentement devenue une adulte. Plus les années ont passé, plus j'ai vraiment compris que je n'étais pas la seule à me sentir terriblement moche. Qui ne le serait pas devant des critères de beauté inatteignables ? Ken et Barbie n'ont même pas des proportions humaines, les mannequins internationales représentent peut-être 1% de la population et les avatars de la femme bimbo des jeux vidéos sont... des avatars qui n'existent pas ! Sans Photoshop, sans quatre heures de maquillage, sans une équipe professionnelle de l'image et sans les lumières, ne sommes-nous tous pas condamnés à être moches, du moins, un peu ? Si la beauté relève du hasard de la vie, la dictature de la beauté, elle, est construite. Oui, nous sommes des moches face à cet idéal, à moins d'y tenir mordicus comme la Barbie (Valeria Lukyanova) et le Ken (Justin Jedlica) vivants, deux individus ayant investi des milliers de dollars pour incarner leurs idoles.

Après des crises d'angoisses narcissiques et ridicules (suis-je assez belle?), une profonde remise en question, une réflexion intellectuelle de plusieurs années, des nuits blanches de lectures et des rencontres tellement enrichissantes, je suis parvenue à faire la part des choses. J'ai pris le temps de mettre sur papier des idées floues qui sont devenues claires. J'achève cette démarche comme un long voyage, satisfaite, contentée et assurée d'être allée au bout. Je me retrouve à rédiger les dernières lignes de cet essai. Je suis fière d'être parvenue à accepter ces paradoxes.

J'avoue que, trop souvent, je cherchais à avoir des réponses extérieures à mes questions. Mais je n'y arrivais pas instantanément. Pourquoi sommes-nous obsédés par notre image, notre personne, notre laideur ou notre beauté ? Pourquoi souhaitons-nous correspondre à un idéal qui n'existe pas vraiment ? J'en avais marre des points d'interrogation qui persistaient.

J'ai pris les devants. Je suis entrée en contact avec des personnes qui avaient, elles, quelque chose à dire. Qui avaient pensé, réfléchi. Comme une détective, je suis allée à leur rencontre.

J'ai accumulé les preuves, les témoignages, les faits : j'ai tenté d'assembler les pièces du puzzle.

Cela n'a pas été facile. À force d'effacer et de retravailler des croquis qui sont devenus des dessins, je suis arrivée à terminer une toile que je crois cohérente. Je défends certaines conclusions : tout le monde est moche face aux critères de beauté. La beauté est une industrie lucrative et aliénante. Le progrès technique et l'expansion du capitalisme expliquent la démocratisation des possibilités pour améliorer notre physique. La beauté, quant à elle, est toujours aussi inaccessible. Après tout, être splendide est un coup de dés de la génétique.

La première conclusion fondamentale à laquelle j'arrive est la suivante : la beauté telle qu'idéalisée par les génies de l'image n'existe pas, elle est virtuelle. Le fantasme ne devient pas si facilement réalité. Le fantasme reste un fantasme. La réalité reste réalité. Face à cette beauté créée, nous sommes tous condamnés à être moches.

Donc, pourquoi sommes-nous obsédés par le culte de la beauté ? J'ai répondu à cette question par l'entremise des personnes que j'ai interrogées au cours des dernières années. Il fallait me sortir le nez des livres pour comprendre: ces intervenants ont été décisifs dans mon cheminement.

Dès les premières lignes, j'aborde la question du corps de façon générale. Grâce à la rencontre du sociologue David Le Breton, j'ai compris comment le corps est un objet de jugement. Oui, l'être humain est influencé par le regard de l'autre. Libre à chacun de «communiquer» avec son corps tel qu'il veut être perçu. La beauté est déterminée par des stéréotypes dominants. Mais l'entretien de la beauté du corps est une affaire d'argent et de relations publiques. Ariane Moffatt le clame haut et fort : on traite le corps comme une PME. Tout le monde veut avoir l'air d'une vedette, ce qui coûte plutôt cher.

Pour sa part, Pierre Lapointe m'a fait voir à quel point l'avant-garde devient populaire et à la mode, comme un cycle qui se répète. Mais son témoignage est aussi porteur d'une vérité : la beauté n'est pas que superficialité, elle est fondamentale et contribue à notre bonheur. Comment l'avant-gardisme devient-il le courant dominant ?

ORLAN rappelle comment l'esthétisme est dicté par l'idéologie dominante. Les pressions sociales et religieuses ont forgé l'image du corps parfait. Aujourd'hui, il n'existe plus de limites aux transformations de beauté. Tout est possible, mais à quel prix ? Lady Gaga, l'une des stars les plus populaires de notre époque, en est sans doute l'illustration la plus forte. La « ORLAN 10 ans plus tard », aux dires de Pierre Lapointe, réfléchit à ce qu'elle désire projeter comme image. Dans sa représentation, les normes sont repoussées. La sincérité n'est pas au rendez-vous et c'est assumé. Lady Gaga se perd-elle dans cette fausse façade ? L'universitaire Alain Farah, fan de Gaga, a réfléchi à la question avec moi.

Dave St-Pierre est une autre personnalité qui défie les normes et qui tente de les transformer à plus petite échelle. Plutôt que de miser sur le faux comme Gaga, le chorégraphe acclamé opte pour la vérité crue. C'est pourquoi il préfère les corps naturels. Il critique la marchandisation du corps. Les corps génériques rapportent plus que les corps différents. Cet idéal de beauté est marqué par des critères spécifiques.

Du corps on passe au ventre. Les ventres trop pleins, les ventres vides, affamées... L'un des plus importants critère de beauté. Tour de taille, gras, gap de cuisses (écart entre les cuisses), fermeté : le corps parfait passe par un corps très mince. Mais l'extrême minceur n'est pourtant pas un critère de beauté réaliste. Elle relève d'un fantasme vanté par des génies de l'image de toutes sortes. Des conséquences graves peuvent également s'en suivre sur la santé. Les pratiques néfastes pour le corps sont nombreuses : de la pilule miracle aux régimes amaigrissants, jusqu'à l'une des aliénations ultimes des dernières années, les troubles alimentaires. À force de vouloir maigrir, certains en arrivent presque à se faire mourir.

À chacun ses démons. Je vous ai fait part des miens. La perception de l'autre compte pour beaucoup, qu'on soit homme ou femme, enfant ou vieillard, riche ou pauvre.

Mais nuançons. N'oublions surtout pas que l'anorexie nerveuse est loin d'être seulement une affaire de femmes. Beaucoup d'hommes s'épient devant le miroir avec un grand dégoût. Et s'il n'est pas question de poids, les muscles aussi les obsèdent. Moche, moche, moche, moche : suis-je si moche ? Éternel questionnement qui n'épargne plus les garçons. Simon Boulerice m'a livré un témoignage cruel et authentique, tressé de souffrances passées. L'anorexie au masculin, bien que peu connue, a un visage sombre.

Marc Béland est un danseur et comédien de grand talent. Comme Simon, il a souffert d'anorexie. Il faut savoir que je n'ai pas cherché à interroger des hommes qui avaient eu cette expérience. C'est venu à moi naturellement. Presque tous les hommes et les femmes rencontrés ont d'ailleurs signifié un souci important de leur image. Difficile d'accepter le jugement que les autres posent sur nous-mêmes. Difficile d'accepter que notre propre idéal ne correspond pas à nos attentes souvent irréalistes. Allez, hop ! On va tous en thérapie, moi la première, pour apprendre à s'accepter.

S'accepter, un mot qui n'a pas facilement été intégré dans le vocabulaire de l'ex-première danseuse des Grands Ballets canadiens, Geneviève Guérard. Oui, une femme qui avait du mal à s'aimer... surtout avec les regards sévères sur les corps dans son milieu très exigeant, celui de la danse classique. Celle qui se mettait une ceinture autour de la poitrine s'est pourtant ressaisie. Le yoga lui a permis d'apprécier son corps et de se détacher du jugement des autres. Alors, les troubles alimentaires, peu fréquents ? Laissez-moi en douter. Un bref retour sur la notion d'estime de soi s'imposait.

Après les ventres vides et des troubles alimentaires, on est allés lorgner vers l'autre extrême : les ventres pleins, l'obésité morbide. Maryse Deraîche est un exemple criant de résilience. Son témoignage, paru d'abord dans le magazine *Urbania* a marqué les esprits. Être rond en société n'est pas facile, voire épouvantable. Se faire pointer du doigt dans les magasins, se sentir de trop dans un lieu public ou encore subir de la discrimination dans le milieu du travail parce qu'on a des formes plus que généreuses... Maryse témoigne de cette ostracisation : elle a vu les deux côtés de la médaille. Ce n'est pas tous les jours qu'une personne obèse devient mince. Maryse peut en parler, parce qu'elle l'a vécu. Il existe des critères de beauté définis dans notre société : les plus ronds n'y correspondent pas.

Mais d'où nous vient cette dictature du poids ? Question essentielle, urgente, primordiale et difficile à résoudre. Retour aux racines historiques. Plus d'un intervenant nous a expliqué que la beauté est une conception déterminée, discutée, influencée par les normes dominantes. L'histoire nous explique l'évolution de l'éblouissement procuré par ce fantasme collectif. L'uniformisation de la beauté a évolué. Elle est intrinsèquement liée à la mondialisation et à la modernisation. Ma quête m'obligeait à réfléchir à cette démocratisation. On le sait, la question du beau et du laid est invariablement subjective. Mais la subjectivité s'influence. Les historiens Georges Vigarello et Umberto Eco nous présentent les icônes de beauté qui ont traversé le temps, de Nerfititi à Brigitte Bardot. Ce qu'il nous reste de Nerfititi? Pas de photos, évidemment. Des représentations artistiques approximatives. Plus on avance dans le temps, plus la technologie nous permet d'immortaliser par milliers les jolis minois de modèles. Cela aura pris la revendication des droits et libertés puis la révolution sexuelle pour qu'on montre le corps de plus belle. Fut un temps où montrer sa cheville était un acte audacieux, voire vicieux! Les femmes n'ont à présent plus peur d'exhiber leur poitrine. La révolution sexuelle a entraîné l'émancipation des femmes. La rapide évolution du capitalisme a permis à tout individu de s'offrir une beauté. Ces deux concepts sont expliqués par un rapide voyage dans le temps...

Aujourd'hui, le rapport au corps des femmes est profondément changé. Une modèle vivante comme Lucie Bonenfant montre ses courbes à des étudiants en arts visuels. Elle le fait avec dignité. Cela ne choque personne. La provocation est plus difficile. Miley Cyrus parvient à le faire en repoussant les normes de l'acceptabilité sociale en cassant son image de petite fille gentille et en devenant un monstre sexuel qui enchaîne les insanités. Le rapport au corps de la femme peut aussi s'avérer déchirant. C'est le cas de la dramaturge, actrice et féministe Pol Pelletier. L'entrevue qu'elle m'a accordée est probablement l'une des plus marquantes de mon cheminement. Elle y révélait une grande partie de son intimité: pour la première fois, elle avoue qu'elle a été agressée sexuellement et torturée par un prêtre et par son père. L'intensité de Pol est marquante. Comme une chamane, elle vous envoûte en vous racontant sa vérité, fondamentalement déterminante. L'histoire de l'humanité est teintée d'une considération à laquelle je n'avais jamais pensé en ces termes: la condition féminine est intrinsèquement liée à la maternité. Il advient un point de non-retour où les femmes ne peuvent plus donner la vie, contrairement aux hommes. La date de péremption féminine influence la perception qu'on peut avoir des femmes vieillissantes. C'est sa thèse, une thèse que je partage à présent.

Pour parvenir à freiner le temps qui passe et à ralentir l'arrivée de la fameuse date de péremption qui guette chacun d'entre nous, une panoplie de moyens techniques ont été inventés. Ce marché s'est imposé de plein fouet, ce qui explique pourquoi la beauté est aussi une affaire d'argent. On peut appeler ce phénomène la marchandisation du corps. Ianik Marcil, l'économiste, raconte comment tout est objet marchandisable. L'aspect consumériste que décrit Dave St-Pierre dans son entrevue est pourtant dominant.

Mélodie Nelson, l'ex-escorte, n'a pas eu peur de vendre son corps. Elle fait partie des prostituées qui ne voient pas de problème à offrir des services sexuels en échange de quelques centaines de dollars. Nelly Arcan observait son métier avec moins de sérénité. Elle critiquait haut et fort l'acharnement à vouloir devenir belle. Par tous les moyens, on tente de se conformer. Qu'on vive bien avec le fait de vendre son corps ou pas, des stéréotypes sexuels existent. Dès l'enfance, on apprend aux petites filles à plaire. Difficile de faire autrement, comme le remarque la documentariste Jean Kilbourne : on nous bombarde de représentations et d'images. La beauté a un prix dès l'enfance. Les concours de beauté pour gamines sont un exemple de cet endoctrinement précoce. Le documentaire *Girl Model* présente des gamines à peine pubères balancées dans le monde difficile de la mode, une industrie insatiable. Des enfants n'ont pas à être manipulées afin de satisfaire les désirs malsains de leurs aînées mal dans leur peau. Les magazines font aussi partie de ce cercle vicieux. Lise Ravary, ex-rédactrice en chef de magazines féminins, explique comment on ne change pas en claquant des doigts un marché qui se tient en lui-même. À l'époque où elle était à la tête de *Châtelaine*, s'obstiner à mettre une femme ronde sur la couverture du magazine était synonyme d'échec financier. Les propriétaires des publications se défendent en avançant qu'ils n'ont pas le choix de se conformer aux standards de beauté qui allient juvénilité et perfection...

La jeunesse a tellement la cote qu'elle est un objet de fantasme absolu. Dans cette société du progrès et de la technologie, on peut répondre à n'importe quel besoin. Le maquillage nous permet de nous masquer au besoin. À l'instar de Claudia Larochelle, nous sommes plusieurs à y avoir recours quotidiennement, sans quoi nous nous sentons mal dans notre peau ! Mais réduire une bonne fois pour toutes les effets du temps se fait aujourd'hui très facilement grâce à la chirurgie esthétique, un marché en pleine croissance. Le bistouri est populaire même chez une féministe comme Francine Pelletier qui a admis avoir elle-même modifié son apparence sur une table d'opération. Comme Pol Pelletier, elle rappelle que les femmes n'ont pas toujours vécu aussi longtemps. La notion du vieillissement des femmes inscrite dans une réalité avec laquelle vivre est relativement nouvelle.

Autre témoignage fondamental à cette quête: Rosemonde Gingras. Elle pense que s'inquiéter de la chirurgie esthétique est infantilisant pour les femmes et les sous-estime. Encore une fois, elle souligne la singularité d'être femme. Biologiquement, l'écart d'attirance entre les hommes et les femmes qui ont le même âge s'agrandit. C'est une course perdue d'avance pour les femmes. Elle y voit une injustice évidente et ne se cache pas pour pallier cette injustice avec les moyens qui sont actuellement offerts sur le marché.

Quoi qu'il en soit, la chirurgie esthétique est une industrie profondément lucrative. Elle est aussi révélatrice d'un malaise que nous avons face à la date de péremption ultime, la mort.

Le regard de l'autre est tellement crucial dans la perception de soi-même. L'arrivée de Photoshop a joué un rôle percutant dans nos vies à cet égard. Plus que jamais, il est facile de correspondre virtuellement aux critères de beauté, de s'illusionner dans une éternelle jeunesse à l'aide d'un filtre ou d'une augmentation de contraste, de réduire notre tour de taille et d'effacer quelques cheveux gris, quelques rides... L'invention de Facebook et d'Instagram nous aura permis de faciliter la diffusion de ces images de moins en moins réelles par la création de notre avatar fantasmé. Comble du narcissisme, nous n'aurons jamais autant épié notre image qu'aujourd'hui.

Oui, la beauté est une industrie asservissante, mais ce qu'il y a de plus tragique, c'est que c'est aussi une sélection naturelle. Nelly Arcan avançait magnifiquement cette idée: « Sur le plan social, l'amour ne s'opposait plus à la prostitution, qui marchandait les êtres, sélectionnait les plus beaux, c'était la logique darwinienne, le retour aux sources, aux trophées, aux babouins[154] »

[154] Nelly Arcan, *Burqa de chair*, Éditions du Seuil, Paris, 2011, p.22

J'ai envie de terminer cet essai en offrant un ultime coup de gueule, en quelque sorte, mon majeur levé à une aliénation que tellement de personnes combattent. C'est ma revanche. Les coups de gueule sont souvent profondément imparfaits, maladroits, émotifs. Mais ma vérité est peut-être la dernière pièce du puzzle, celle-là qui vous permettra de comprendre ma motivation dans cette quête. Je l'espère, parce qu'elle dévoile l'humain que je suis dans sa plus grande vulnérabilité et petitesse.

Je l'ai déjà dit plus tôt. Nelly Arcan est l'une des inspirations de cet essai. Je m'identifie à cette femme. Pourquoi ? J'ai eu beaucoup de mal à accepter d'écrire sur le sujet, car il était trop près de ma vérité. Je sais que ma réflexion tire son origine d'un trouble personnel qui est laid, noir et profondément pathétique quand on y pense. Comme si je ne souhaitais pas qu'on y comprenne ma nature, ma vulnérabilité, mon profond souci de ce qui est : celui des apparences, une tare tellement superficielle. Je sais à quel point ma volonté de plaire a toujours été et qu'elle est peut-être fatale pour plusieurs femmes. Comme si notre destin était simpliste et insignifiant. Naître pour séduire, se faire faire un enfant puis tenter de plaire à nouveau pour se sentir aimée. Quelle tyrannie. Plaire à sa famille, à ses parents, mais surtout plaire aux hommes qui nous entourent. Plaire et se modifier pour plaire à nouveau. Comme une putain. Jouer les agaces pour plaire, pour « réussir sa vie ». Plaire, plaire, plaire et plaire.

Et se poser cette question. Qu'est-ce qui me différencie, moi, des autres ? Ne sommes-nous toutes pas dans cette quête éternelle d'approbation ? Je l'ignore, j'espère que non.

Enfant, toute mon existence s'est tournée très rapidement vers ce petit nombril, ce miroir qui m'envoyait une image que je détestais profondément. Et mon destin était celui de devenir celle qui plairait. J'ai appris à plaire trop jeune, à jouer la putain sans vraiment m'en rendre compte. C'est ce qui est inquiétant : ne pas s'en apercevoir, jusqu'au jour où les masques tombent. Et lorsque cela arrive, on comprend vite ce qu'il y a devant le miroir : une image construite pour plaire. Voilà l'aliénation qu'on ne peut nommer, car elle est trop vilaine, trop intime aussi. Cet atroce narcissisme perpétuel qui guette la fillette qui se fait vomir et qui se déteste jusqu'à vouloir mourir. Voilà qui m'écœure profondément.

Je n'ai lu que très tardivement l'œuvre de cet être fragile et profondément troublé qu'est Nelly Arcan. Je ne voulais pas m'y attarder, parce que je savais qu'elle était peut-être plus près de ce que je ne veux pas être. Malgré nous, notre obsession de la séduction, ce corps qui nous dégoûte et qu'on tente de parfaire. Un corps odieux avec ses formes, trop gros, trop grand, trop petit. Un corps mou, un corps rond, un corps vulgaire, un corps insignifiant. Se comparer. Encore et toujours. Parce qu'on ne sera jamais ceci ou cela. C'est ce qui me trouble le plus dans cette tyrannie de la beauté, c'est que dès qu'on y entre, on risque de s'y perdre : perdre notre identité, notre particularité, notre sensibilité. On risque de se perdre dans la quête de l'approbation. Mais celle-ci ne parviendra probablement jamais. Pas complètement, du moins.

Je me suis réfugiée assez tôt dans les bras des hommes pour oublier ma prétendue laideur imaginée. Et pour parvenir enfin à m'accepter. Et comme lorsque je perdais tous les kilos, j'ai tenté de me transformer pour avoir l'approbation ultime. Mais je me suis toujours dit, dans ma petite tête d'adolescente, que je ne deviendrais jamais une putain. Et c'est quand on s'interroge très sérieusement sur la limite entre la putasserie et nos manœuvres de séduction peu subtiles qu'on se rend compte qu'on a touché, quelque part, les dessous abyssaux de la crise existentielle de l'ado éperdument en quête d'amour. Et que tout cela est franchement vulgaire, insignifiant et pathétique. Que nous sommes rien ni personne, sauf un enfant en manque d'amour.

Cette dictature de la beauté m'a rendue folle quand je n'avais même pas l'âge de l'être. Cette aliénation destructrice est débilitante et me ronge de l'intérieur, comme elle ronge ces humains en quête d'individualisme, de sens à leur vie. À force de me faire vomir, de me détester, de jouer les putes, je me suis révoltée.

Parce que je suis de nature combattive et que je déteste perdre, j'ai eu envie de gagner cette lutte dramatique. J'ai tué l'émotive en moi. Je l'ai étouffée. Je l'ai reniée. Je l'ai oubliée. Je me suis concentrée sur ma rationalité. Car de cette façon, je ne pourrais plus jamais souffrir.

Voilà aussi pourquoi j'écris ces lignes. J'essaie de me révolter contre ce qu'on m'a dit de faire toute ma vie: plaire. Très rapidement, j'ai jeté à la poubelle celle que j'avais été. Je l'ai ignorée. J'ai feint mes angoisses. J'ai fait comme si cela n'avait pas existé. J'ai théorisé. J'ai réfléchi. Je suis devenue une femme froide et indépendante. J'ai méprisé les relations de séduction vulgaires. Et je me suis concentrée sur l'esprit, parce que j'avais trop perdu de temps à examiner ce corps. Éprise de moi-même, comme une narcissique finie qui se perd dans son miroir à se trouver plus laide ou plus belle selon ses humeurs. J'ai tenté de prendre ma revanche.

J'aurais aimé que Nelly ait la force de le faire aussi... Comme Narcisse, je me suis perdue dans le reflet du miroir. Mais j'ai lutté contre cette vacuité. Je me suis relevée avant de sombrer totalement. Et j'en suis fière. Mon histoire est peut-être un peu plus dramatique, mais elle explique ma motivation profonde à en savoir plus sur l'obsession de la beauté. J'ai expérimenté la chose. Il paraît qu'il ne faut parler que des choses que l'on connaît.

Les premiers balbutiements de cette réflexion débutent la première fois que j'ai pris conscience de ce que je représentais. C'était lorsque j'étais gamine, devant le grand miroir de la salle de bain. « J'existe à travers ce que je représente », dit le sociologue David Le Breton. Nous existons à travers notre image, mais n'oublions pas d'ÊTRE avant de PARAÎTRE.

Même si nous sommes condamnés à êtres moches, nous avons tous la possibilité d'accomplir notre revanche et de renverser le miroir.

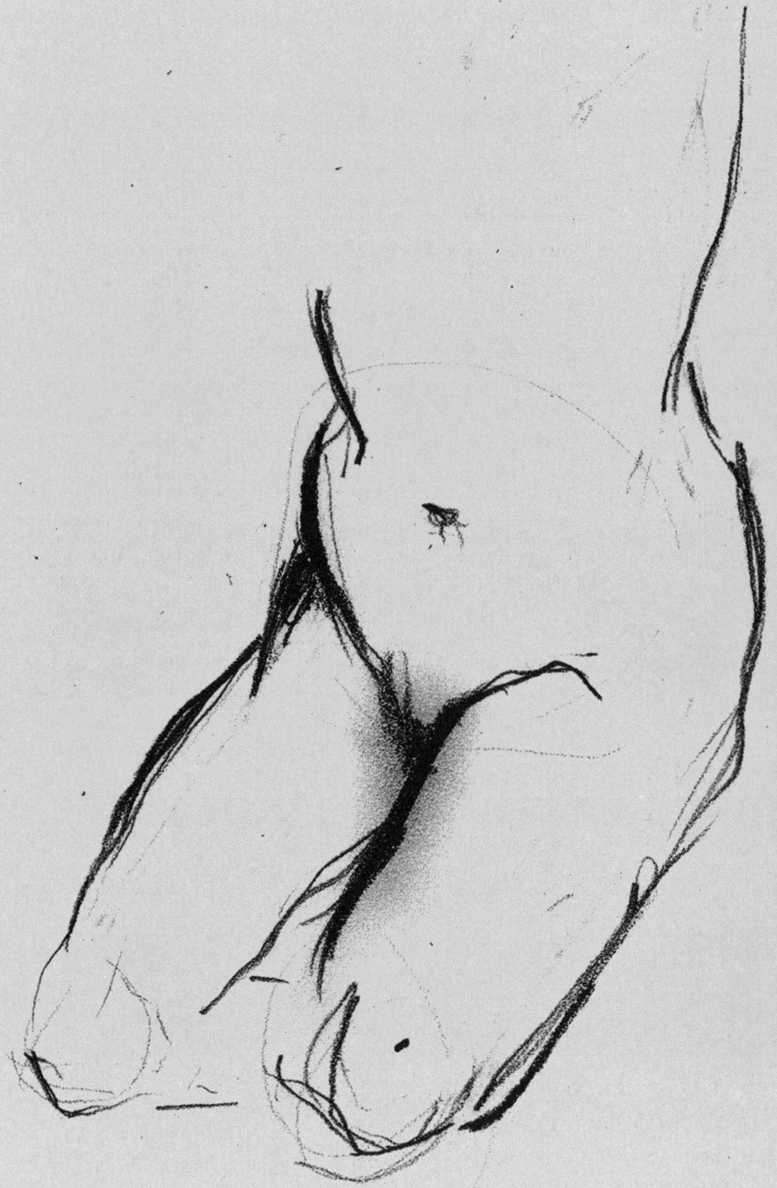

REMERCIEMENTS

J'aimerais d'abord remercier Jacinthe Laporte, mon éditrice, qui m'a poussée à écrire un essai sur un thème auquel je m'intéresse maintenant depuis près de huit ans, qui m'a épaulée dans cette aventure de A à Z. Elle m'a encouragée, elle m'a psychanalysée, elle m'a bousculée dans mes derniers retranchements. Je suis devenue marraine de la petite fille de cette marraine. On est maintenant de la même famille.

Merci à Martin Balthazar d'avoir accepté le projet.

Merci à Myriam Comtois pour sa passion contagieuse et son professionnalisme.

Merci au talent unique du designer graphique Simon Laliberté.

Je remercie également Colombe Clément qui m'a un jour offert un ouvrage marquant, *L'histoire des femmes du Québec*, écrit par le Collectif Clio. Je remercie Françoise David pour avoir accepté de répondre à mes questions alors que je n'étais qu'une gamine de 13 ans. Je remercie particulièrement Sylvie Clermont, ma mère, qui m'a obligée à me questionner. Je remercie mes grandes amies, Marianne et Melissa Maya. Je remercie Charles Messier d'avoir contribué aux premiers balbutiements de ce livre. Je remercie Rafael d'avoir croisé mon chemin un jour plutôt gris à Paris.

Je remercie Jean de l'Hôpital Sainte-Justine de m'avoir donné le goût de rire malgré les tristesses de l'existence.

Je remercie aussi tous les moches de ce monde qui doutent. C'est bien de douter. Doutons !

Télécopies des pages originales de mon journal intime de fillette, 2003, 12 ans

Ha, Je suis grosse j'hais,

je suis grosse
je suis grosse
je suis grosse
je suis grosse
je suis grosse
je suis grosse
je suis grosse
je suis grosse
je suis grosse
je suis grosse
je suis grosse
je suis grosse
je suis grosse
je suis grosse
je suis grosse
je suis grosse
je suis grosse
je suis grosse
je suis grosse
je suis grosse
je suis grosse
je suis grosse

Léa C-Bon

chose qui puisse m'arriver. J'ai plus d'espoir en rien du tout. Je hais les infirmières ici, je me hais.

HAIR

TUER

Suicide SUICIDE

OBÈSE désesp...

Honte vomir

Obèse suicide

Grosse

veines

affreuse

honte

laide

connasse

vache

exercice

sang

Léa

Léa Clermont-Bon

28 Juillet 2003

Dieu j'en peux plus d'engraisser. C'est trop dur pour moi. Je pèse 37.3. J'en ai plein mon christie truck. Aide-moi dieu, aide-moi à être heureuse. J'ai plus rien pas un petit espoir. Rien. J'en peux plus. Je veux ma maman. Je veux ma maman. Je voudrais me coller sur son beau petit bedon. Je suis grosse, je suis grosse. Je suis laide, je suis conne, je vaux rien. Je veux maman. J'ai caché presque que tout mon déjeuner dans un sac noir. Je l'ai pas mangé. C'est dur, la vie.

BIBLIOGRAPHIE ET INSPIRATIONS

- Arcan, Nelly. *Putain*, Paris, Éditions du Seuil, 2001.
- Arcan, Nelly. *Folle*, Paris, Éditions du Seuil, 2004.
- Arcan, Nelly. *À ciel ouvert*, Paris, Éditions du Seuil, 2007.
- Audier, Serge. *Le socialisme libéral*, Paris, Éditions La Découverte, Collection Repères, 2006.
- Badiou, Alain. *Peut-on penser la politique ?*, Paris, Éditions du Seuil, 1985.
- Barnays, Ewdard. Propaganda: *Comment manipuler l'opinion en démocratie présentation de Normand Baillargeon*, Montréal, Lux éditeur, 2008.
- Bataille, Georges. *L'érotisme*, 2e éd., Paris, Éditions de Minuit, 1993.
- Boorstin, Daniel. *Le triomphe de l'image, Une histoire des pseudo-événements en Amérique*, Montréal, Lux Éditeur, 2012.
- Bordo, Susan. *Unbearable Weight. Feminism, Western Culture, and the Body*, Berkeley/Los Angeles, University of California Press. 1993.
- Butler, Robert. « Thoughts on aging ». *American Journal of Psychiatry*, n°. 135, pp. 14-16. 1978.
- Dumont, Micheline. *Le féminisme québécois raconté à Camille*, Montréal, Les éditions du Remue-ménage, 1998.
- Dworkin, Andrea. *Pornography : Men Possessing Women*, New York, Plume, 1991.
- Fassin, Didier. *Le gouvernement des corps*. Paris, Éditions de l'École des Hautes Études en Sciences Sociales, 2004.
- Ferguson, Marjorie. *Forever Feminine : Women's Magazines and the Cult of Feminity*, Brookfield, Gower, 1985.
- Foucault, Michel. « Histoire de la sexualité », tome 1, *La volonté de savoir*, Paris, Gallimard, 1994.
- Freedman, Rita. *Beauty Bound*, Lexington, Lexington Books, 1986.

- Friedan, Betty. *The Feminine Mystique*, Londres, Penguin Books, 1982.
- Fromm, Éric. *La peur de la liberté*, Lyon, Parangon, 2010.
- Goffman Erving. *Gender Advertisements*, Cambridge, Harvard University Press. 1999.
- Jensen, Robert. *Getting off : Pornography and the End of Masculinity*, Cambridge, South End, 2007.
- King, Andrea « Nommer son mal : Putain de Nelly Arcan », *Atlantis : a Women's Studies Journal*, vol. 31, nº 1, pp. 37-44, 2006.
- Lafontaine, Céline. *L'empire cybernétique*, Paris, Éditions du Seuil, 2004.
- Lasch, Christopher. *La révolte des élites et la trahison de la démocratie*, Flammarion, 2007.
- Le Breton, David. *L'adieu au corps*, Paris, Métailié, 1999.
- Le Breton, David. *La peau et la trace – Sur les blessures de soi*, Paris, Métailié, 2003.
- Le Breton, David. *Sociologie du corps*, Paris, PUF, coll. Que sais je ? 2010.
- Liaudet, Jean-Claude. *L'impasse narcissique du libéralisme,* Paris, Flammarion, 2007.
- Penny Chorltron. *Cover-up: Taking the Lid Off the Cosmetics Industry*, Wellingborrough, Grapevine, 1988.
- Pierre Bourdieu, *Le sens pratique*, Paris, Éditions de Minuit, 1990.
- Queval, Isabelle. *Le corps aujourd'hui*, Paris, Gallimard, 2006.
- Robin, Audrey. *Une sociologie du « beau sexe fort » : L'homme et les soins de beauté d'hier à aujourd'hui*, Paris, L'Harmattan, coll. « Logiques sociales ». 2005.
- Root, Jane. *Pictures of Women : Sexuality*, Londres, Pandora Press, 1984.
- Susan Griffin. *Pornography and Silence*, New York, Harper Row, 1984.
- Vigarello, Georges. *Histoire de la beauté*, Paris, Éditions du Seuil, 2004.
- Vigarello, Georges. *Les métamorphoses du corps, Histoire de l'obésité du Moyen-Âge au XXe siècle*, Paris, Éditions du Seuil, 2010.
- Winship, Janice. *Inside Women's Magazines*, Londres, Pandora Press, 1987.
- Wolf, Naomi, *The Beauty Myth. How Images of Beauty Are Used Against Women*, New York, Harper Perennials, 1991.

Cet ouvrage composé en duotone a été achevé d'imprimer au Québec
sur les presses de Marquis Imprimeur en avril deux mille quatorze
pour le compte de VLB éditeur.